Les Billary

Enquête sur le couple de pouvoir
le plus fascinant du monde

Olivier O'Mahony

Les Billary

Enquête sur le couple de pouvoir le plus fascinant du monde

Flammarion

ISBN : 978-2-0813-7818-6

À Riccardo
À Christian et Odile O'Mahony

Prologue

« Oh, mais on se connaît ! » Quand j'ai rencontré Hillary Clinton pour la première fois en tête à tête, c'était le 10 juin 2014 à New York, à l'occasion d'une interview exclusive pour *Paris Match*[1]. Elle m'a fait le coup de la familiarité !

Elle agit toujours ainsi pour détendre l'atmosphère. Avec les femmes, elle lance un « Oh, mais j'adoooore votre foulard, où l'avez-vous acheté ? » Et avec les hommes, ce genre de propos. Habile, Hillary sait jouer avec son image de « Dame de fer » et déclencher chez l'interlocuteur une forme de reconnaissance lorsqu'elle donne l'impression de tomber le masque. Néanmoins, force est d'avouer que je ne m'attendais pas à parler avec quelqu'un d'aussi « nature ».

*

Le 26 mars 1992, lors d'un déjeuner privé avec des donateurs démocrates à Los Angeles, Hillary avait annoncé : « Nous aurons une femme présidente à l'horizon 2010. »

---

1. À l'occasion de la sortie en France de ses mémoires, *Le Temps des décisions*, Fayard, 2014.

Pensait-elle alors à elle ? La question lui a été posée. Réponse : « On en reparle plus tard[1]. » Si elle est élue en 2016, elle aura donc eu raison à six ans près.

*

Dans la vidéo diffusée à Philadelphie le 26 juillet 2016, soir de son investiture par les Démocrates, où on la voit (symboliquement) exploser le « plafond de verre », qui, jusqu'à ce jour, empêchait les femmes d'accéder à la fonction suprême, la candidate apparaît pourtant comme en elle-même : austère et raide.

On a du mal à deviner si elle est émue, ou plus simplement décontenancée par le décalage d'ambiance entre l'endroit où elle se trouve, très calme, et le stade Wells Fargo, plein à craquer. D'autres hommes politiques auraient laissé apparaître un grand sourire conquérant sur leurs lèvres, mais, à cet instant, sa remarquable incapacité à exprimer ses émotions éclate sur grand écran, ainsi que les contradictions de cette femme qui semble intimidée alors qu'elle est tout sauf timide !

*

Hillary Clinton est en fait l'inverse de son mari, que j'avais interviewé quatre ans plus tôt[2], dans le cadre d'un article pour *Paris Match* consacré à sa fondation et à son action humanitaire. L'entretien s'était déroulé dans un restaurant chic de l'Upper East Side, le *Sant Ambroeus* sur Madison Avenue à New York, fréquenté par une clientèle huppée, fortunée. La présence de l'ancien président des États-Unis avait semé l'émoi, notamment parmi les femmes juchées sur hauts talons

1. Gail Sheehy, « What Hillary wants », *Vanity Fair*, mai 1992.
2. http://www.parismatch.com/Actu/International/Bill-Clinton-et-Philippe-Douste-Blazy-153255

qui multipliaient les photos destinées à immortaliser l'événement. Bill le charmeur prenait son temps et profitait de chaque seconde de ce bain de foule improvisé.

Hillary, elle, se serait éclipsée par une porte dérobée.

*

« J'ai épousé ma meilleure amie », a lancé Bill Clinton, quarante-deuxième président des États-Unis, dans son discours à la convention démocrate 2016. Drôle de déclaration d'amour.

De fait, l'une des questions qui me sont le plus souvent revenues durant la préparation de ce livre est : « Sont-ils amoureux ? Est-ce encore un couple ? » Si un sondage était réalisé à ce sujet, on peut raisonnablement penser que la grande majorité des Américains – et du reste du monde – répondraient qu'entre Bill et Hillary, il n'existe rien d'autre qu'une alliance de circonstance.

Déjà, en 1992, Steve Kroft, journaliste de l'émission *60 minutes*, le sous-entendait lors d'une interview commune du couple, tous deux réunis sur un canapé. Un moment qui fut l'un des plus regardés de tous les temps parce que l'entretien portait sur le premier scandale sexuel marquant l'ère Clinton, l'affaire Gennifer Flowers. « La plupart des Américains admirent sans doute le fait que vous semblez avoir réussi à surmonter vos problèmes de couple par une sorte d'arrangement entre vous[1] », avait-il suggéré, ce qui avait énervé Bill. « Attendez une minute, avait répondu ce dernier, vous parlez à deux personnes qui s'aiment. Entre nous, il n'y a ni arrangement, ni accord. C'est un mariage. Cela n'a rien à voir. »

*

1. http://www.cbsnews.com/news/hillarys-first-joint-interview-next-to-bill-in-92/

Comme tous les couples, celui que forment Hillary Rodham et Bill Clinton est un mystère, où passion amoureuse, engagement politique et goût du pouvoir ont toujours été étroitement mêlés. Pour le meilleur : la naissance de Chelsea, l'élection de Bill à la tête de l'État de l'Arkansas, puis à la présidence des États-Unis. Et pour le pire : la défaite de la réforme de la sécurité sociale en 1994, l'échec de la première tentative d'Hillary à la présidentielle de 2008.

Depuis qu'ils se sont rencontrés en 1971 : ils font tout ensemble. Avec des hauts et des bas. Bill sans Hillary ? Impossible à imaginer. Mais Hillary sans Bill ? Elle a eu mille occasions de le quitter, et pourtant, à chaque fois qu'elle était sur le point de franchir le pas, elle s'est abstenue. Le professeur Gil Troy le rappelle : « Dans les années quatre-vingt-dix, le couple de pouvoir qui paraissait le plus solide, c'était Al Gore et sa femme Tipper, or ils se sont quittés depuis. Tout le monde pariait sur une séparation de Bill et Hillary après les années Maison-Blanche. Et ils sont toujours ensemble[1]. »

De fait, elle l'« utilise » beaucoup depuis le lancement des primaires en janvier 2016. Il a la voix et la main gauche qui tremblent, qu'importe : l'ancien président a enchaîné jusqu'à quatre meetings par jour pour défendre sa femme, et il lui est arrivé, dans le New Hampshire en particulier, de se retrouver à prêcher dans le désert, devant des publics faméliques. Pourquoi ? Est-ce pour lui une façon de rester jeune, dans le coup, auprès de ses électeurs comme une star du cinéma muet qui n'arriverait pas à vivre sans son fan-club, telle Gloria Swanson dans le film *Sunset Boulevard* de Billy Wilder ? Est-ce par

1. Entretien avec l'auteur, 23 mai 2016. Spécialiste de l'histoire des présidents des États-Unis, Gil Troy a publié *The Age of Clinton : America in the 1990s*, St. Martin's Press, 2015.

culpabilité vis-à-vis d'Hillary qui aurait, dans un premier temps, sacrifié sa carrière pour la sienne, puis encaissé moult humiliations publiques ? Ou tout simplement parce qu'il croit sincèrement, depuis le premier jour de leur rencontre, que sa femme est la meilleure et mérite autant que lui de devenir présidente des États-Unis ?

*

Arrivé aux États-Unis comme correspondant de *Paris Match* en janvier 2009, j'ai « couvert » Hillary Clinton dès ses débuts à la tête du département d'État, puis je l'ai suivie en campagne depuis le premier jour, le 12 avril 2015. J'ai interviewé des dizaines d'amis et d'ennemis de Little Rock où elle a vécu avec Bill, de Chicago où elle est née, de Washington où elle a un temps co-dirigé l'Amérique, de Chappaqua où elle habite avec son mari…

Un long voyage qui m'a amené à sillonner l'Amérique afin de suivre le « *Hillary circus* », de l'Iowa au New Hampshire, en passant par le Nevada, la Californie, et tous les États où la bataille électorale de 2016 a été rude. Un chemin qui m'a conduit à rejoindre le petit groupe de correspondants qui la suivent au quotidien et rédigent des *pool reports*, comptes rendus détaillés de ses déplacements diffusés aux confrères accrédités.

À chaque fois que je l'ai en face de moi, je suis frappé par le décalage entre son image très guindée et un peu forcée, et la personne rencontrée en tête à tête, en présence de deux de ses conseillers (Huma Abedin et Nick Merrill). Alors qu'en public elle déclenche des réactions d'une hostilité parfois étonnante, en privé elle sait mettre ces interlocuteurs à l'aise, avec une simplicité très américaine, version *middle class* (classe moyenne) directe et sans chichi.

Elle ne parle pas comme une énarque, Hillary. Elle n'est pas snob, ni condescendante, contrairement à beaucoup d'hommes politiques français de sa génération. Elle sait botter en touche quand on lui demande si elle aurait aimé avoir d'autres enfants après Chelsea (« Oh, quelle question bien française ! » m'avait-elle répondu dans un sourire). Avec elle, il ne faut jamais s'attendre non plus à des révélations bouleversantes : tout est – trop – préparé à l'avance. Quand je posais une question qui la dérangeait, elle coupait court. La femme de pouvoir reprenait le dessus. Ou peut-être voulait-elle masquer une forme de vulnérabilité liée à son obsession de vouloir tout contrôler.

Quoi qu'il en soit, cette interview m'a donné envie d'en savoir plus sur elle, d'en raconter plus sur cet incroyable couple de pouvoir, de détailler cette saga familiale qui domine la vie politique américaine depuis près d'un quart de siècle. Même si les temps sont durs pour les dynasties politiques aux États-Unis – les Bush ont été emportés par la tornade Trump, les Clinton y survivront-ils ? –, il m'a paru essentiel de lever un coin du voile sur le couple le plus puissant du monde. Jusqu'à quand ?

Chapitre 1

La rencontre

Printemps 1971 : le jour où Bill et Hillary se rencontrent

Le jour où ils se sont rencontrés, par un après-midi de printemps 1971, c'est elle qui a fait le premier pas.

Bill la dévore du regard de loin, dans la bibliothèque de la fac de droit de l'université de Yale, magnifique temple du savoir, avec ses hauts plafonds, ses vitraux gothiques de cathédrale, et ses grandes tables en bois où étudie en silence la future élite de la nation. Il vient de tomber sur un ami, Jeff Glekel, l'un des rédacteurs en chef de la revue de droit de l'université, le prestigieux *Yale Law Journal*. Jeff, qui tient Bill en haute estime, veut le convaincre d'écrire pour lui[1]. Il dirige la rubrique « Notes et commentaires » de cette revue fondée en 1891, publiée huit fois par an. Pour les étudiants qui se destinent à une carrière juridique, avoir un article dans le *Yale Law Journal* équivaut à une mention très bien, qui figurera à jamais en bonne place sur leur CV.

Bill écoute son ami d'une oreille distraite. Il se contrefiche de sa proposition, pourtant alléchante. En revanche, la fille assise à quelques mètres de lui, de l'autre côté de la salle, le regard plongé dans ses bouquins et ses notes, l'intéresse au plus haut

1. Bill Clinton, *My Life*, Knopf, 2004.

point. Hillary porte de grosses lunettes. Elle n'est pas maquillée. Ce n'est pas une reine de beauté non plus. Mais elle dégage une assurance qui l'impressionne. Sentant un regard insistant pointé vers elle, cette dernière lève le nez et reconnaît Bill. Elle lui retourne alors son œillade et referme son livre. D'un pas assuré, elle s'avance et plonge ses yeux dans les siens. « Si tu passes ton temps à me regarder et moi à en faire autant, on pourrait aussi bien se présenter. Mon nom est Hillary Rodham. Comment tu t'appelles[1] ? » demande-t-elle. La démarche déstabilise tellement Bill qu'il va mettre quelques secondes avant de répondre. L'ami Jeff, lui, a compris qu'il était temps de s'éclipser et ne reparlera jamais du *Yale Law Journal* à son copain. Il a si peu marqué Bill et Hillary que l'un comme l'autre, dans leurs Mémoires, épellent son nom de famille avec une faute d'orthographe, Gleckel, au lieu de Glekel[2]. Celui-ci ignore évidemment, à cet instant précis, qu'il vient d'assister à un moment qui va façonner l'histoire de l'Amérique.

*

Entre eux, le déclic a pris du temps. Robert Reich, futur ministre du Travail dans l'administration Clinton, les a présentés l'un à l'autre dès l'arrivée de Bill à Yale, à l'automne 1970. À l'époque, Hillary a déjà passé un an à l'université. Robert les connaît tous les deux. Il a rencontré Hillary alors qu'elle était étudiante à l'université de Wellesley dans le Massachusetts. Il est devenu l'ami de Bill sur les bancs d'Oxford, en Grande-Bretagne, où tous les deux ont étudié. Bob Reich se souvient avoir dit : « "Bill, je te présente Hillary, Hillary, voici Bill", mais c'en est resté là[3]. »

---

1. Bill Clinton, *My Life*, *op. cit.*
2. *Ibid.* ; Hillary Rodham Clinton, *Living History*, Scribner, 2004.
3. Carl Bernstein, *A Woman in Charge*, Vintage Books, 2008.

Ni l'un ni l'autre ne semblent se rappeler ce moment. Hillary affirme avoir aperçu pour la première fois son futur époux un jour de septembre ou octobre 1970, en passant à la cafétéria. Avec son 1,88 mètre et ses 100 kg, sa barbe brun roux et sa crinière de cheveux longs et bouclés, il ressemble à un « Viking[1] », écrira-t-elle. Elle note qu'il « dégage une vitalité hors du commun ». Quand elle le voit, il est le centre de la conversation, en train de parler de son État, où, paraît-il, on trouve « les plus grosses pastèques du monde » ! Et il a l'air de passionner ses camarades assis autour de lui.

Hillary se tourne vers l'ami qui l'accompagne. « C'est qui, ce type ? » L'autre répond : « Oh, c'est Bill Clinton. Il vient de l'Arkansas et il ne parle que de ça[2]. »

*

À cette époque, Bill a la tête ailleurs. Dans les amphis et les salles de classe, il se fait rare. Il revient tout juste de deux années passées à Oxford où il a failli rester tant il a aimé cette expérience, mais il est rentré au pays, car il sait déjà qu'il veut faire de la politique. C'est l'un des rares étudiants, sur le campus, à avoir les idées claires sur son avenir. Après la fac, sa voie est toute tracée : il souhaite revenir dans l'Arkansas, s'y faire élire gouverneur ou sénateur. Il ne s'en cache pas, en parle ouvertement à ses amis. Pour une telle carrière, Yale représente un tremplin formidable. C'est un vivier où les hommes politiques en place recrutent des cerveaux bien faits capables de leur rédiger notes et discours. Dans cette antichambre du pouvoir, les destins nationaux se font dès le plus

1. Hillary Rodham Clinton, *Living History*, *op. cit.*
2. *Ibid.*

jeune âge, les clans se forment entre membres de la future élite de la nation.

En 1970, Bill Clinton a déjà une façon très particulière de travailler. Il dort quatre à cinq heures par nuit, non pas parce qu'il potasse ses cours, mais parce qu'il multiplie les activités extra-universitaires en allant aider les candidats démocrates à se faire élire. En 1970, quand Hillary le croise à la cafétéria, Bill a déjà trois campagnes électorales à son actif. Solide expérience pour un gamin de vingt-quatre ans. En 1966, alors étudiant à l'université de relations internationales de Georgetown, il travaille pour le juge Frank Holt qui brigue l'investiture démocrate au poste de gouverneur de l'Arkansas. C'est son oncle, Raymond Clinton, qui l'a présenté au candidat, et Bill a adoré l'expérience. Le juge Holt est battu, mais le candidat est tellement impressionné par le dynamisme et l'entregent de son jeune conseiller qu'il le recommande au sénateur J. William Fulbright, un autre élu de l'Arkansas, qui l'embauche à son cabinet. Bill, alors en quatrième et dernière année à Georgetown, arrive sans difficulté à combiner ses études pourtant prenantes et son job de « tête chercheuse » pour le sénateur, par ailleurs président du comité des Affaires étrangères du Sénat, poste qu'il occupera jusqu'en 1974. À vingt ans, Bill a donc déjà un pied dans le saint des saints du pouvoir politique : le Sénat américain. Deux ans plus tard, il participe à la campagne électorale pour la réélection du sénateur. Corvéable à merci, il écrit à son mentor des notes et le conduit en voiture à ses meetings. Le soir, il potasse ses examens de fin d'année et obtient son diplôme en 1968. Sur le conseil du sénateur qui s'est fait facilement réélire, Bill décroche une bourse prestigieuse, la Rhodes scholarship, pour partir étudier à Oxford en Grande-Bretagne. Pendant ces deux années, qui seront parmi « les plus extraordinaires de ma vie », écrira-t-il, il découvre le monde, change de look, se fait pousser la barbe et les cheveux. Il rentre en Amérique en juillet 1970, pour intégrer la fac de droit de Yale.

Pendant l'été, il rase sa barbe et se remet en campagne, pour le compte, cette fois de Joe Duffey, un pacifiste anti-guerre du Vietnam, qui veut se faire élire sénateur du Connecticut. La candidature se solde par un échec.

Début novembre 1970, Bill, libéré de ses engagements électoraux, intègre alors Yale au cours d'une année scolaire déjà bien entamée. Sur le campus, il se présente à une jeune étudiante qui est en classe avec lui. Elle s'appelle Nancy Bekavac. Tout de go, il lui demande ses notes depuis le début de l'année, pour rattraper son retard. On le voit pourtant se balader sur le campus avec un roman à la main plutôt qu'un cours de droit. Sa nonchalance déconcertante ne lui vaut pas que des amis. Beaucoup d'étudiants le sous-estiment et le trouvent superficiel[1], trop sympa pour l'être vraiment, pas très sérieux. Mais ils changent pour la plupart d'avis en constatant qu'au terme de longues nuits blanches de bachotage intensif, il arrive à décrocher les meilleures notes.

Personnellement, Bill est sentimentalement paumé[2]. Il se remet mal d'une rupture avec une fille qui l'a plaqué pour se fiancer avec un ancien petit ami. Il vient aussi de se séparer d'une autre *girlfriend*, qu'il a quittée parce que, de son propre aveu, il a « un problème avec l'engagement ». Ses relations amoureuses n'ont jamais tenu guère plus de quelques mois. Il est donc bien décidé à rester célibataire pendant quelque temps.

Le jour où il se retrouve dans la même salle de classe qu'Hillary, lors d'un cours dirigé par le professeur Tom Emerson, il est d'emblée fasciné par cette fille qui l'ignore. Elle lève le doigt en permanence et semble avoir réponse à tout. À

1. David Maraniss, *First in his Class*, Simon & Schuster, 1996.
2. Bill Clinton, *My Life*, *op. cit.*

la fin du cours, il la suit et s'approche d'elle, avec la ferme intention de se présenter. Mais au moment où il s'apprête à lui tapoter l'épaule de la main, il se retient. Un réflexe physique. Hillary pétrifie Bill[1].

Hillary a un petit ami depuis trois ans, David Rupert, étudiant à l'université de Georgetown, à Washington. Mais il en faut plus pour retenir notre postulant, impressionné par la notoriété d'Hillary sur le campus. À l'époque, tout le monde la connaît. C'est une voix qui compte. Elle a une image d'activiste qui remonte à ses années passées au collège Wellesley, dans les années soixante.

*

On a du mal aujourd'hui à imaginer comment les universités privées américaines étaient réglementées dans ces années-là. En 1964, Hillary intègre le collège Wellesley. L'institution, exclusivement féminine, est prestigieuse, il faut avoir obtenu d'excellentes notes au lycée pour y être admise, mais le règlement est digne d'un couvent de jeunes filles. Les garçons sont bannis sauf le dimanche après-midi entre 14 heures et 17 h 30, à condition de respecter la « *two-feet rule*[2] », règle qui veut qu'au moins soixante centimètres séparent le garçon de la fille, et que la porte reste ouverte. Les jeans sont interdits. À Wellesley, il y a essentiellement des jeunes filles de bonne famille qui rêvent de se marier avec un étudiant de l'université de Harvard, toute proche.

Les premiers mois sont difficiles pour Hillary. Mais elle s'adapte rapidement et affiche très tôt un goût pour l'engagement politique. Elle était très sérieuse, responsable, consciencieuse et engagée, tout sauf une « *party-girl*, et surtout très tenace », témoigne sa camarade de classe Nancy Wanderer,

1. *Ibid.*
2. Hillary Rodham Clinton, *Living History*, *op. cit.*

aujourd'hui déléguée démocrate du Maine[1]. « Nous avons travaillé ensemble pour obtenir de la direction un assouplissement du règlement, et elle a obtenu gain de cause », poursuit-elle. Nancy n'était pas une de ses meilleures amies, et pourtant, depuis, à chaque fois qu'elle reprend le contact, son ancienne camarade répond systématiquement. Nancy raconte qu'en 1995, elle lui a demandé de prendre des nouvelles de son fils Peter étudiant à Pékin. Hillary doit en effet se rendre dans la capitale chinoise pour prononcer une allocution qui va faire date sur les droits de l'homme. « Une heure après son discours, confie-t-elle, Hillary appelait Peter pour lui demander comment il allait, puis, à son retour, m'a téléphoné pour me donner des nouvelles de lui. Comme je n'arrivais pas à joindre mon fils, car à l'époque il n'y avait pas tous les moyens de communication d'aujourd'hui, je lui ai toujours été reconnaissante d'avoir pris le temps de lui parler en plein déplacement officiel. Pour moi, cela en dit long sur sa fidélité en amitié. Contrairement aux stéréotypes qui circulent sur elle, Hillary est extrêmement chaleureuse. »

Ses camarades l'élisent présidente du « *student government* », qui représente la voix des étudiantes auprès de l'administration de l'université. La mode est à la contestation sur les campus, et les jeunes filles de Wellesley en ont assez du règlement auquel elles sont soumises. Elles demandent des assouplissements. En 1968, à la grande cérémonie de remise de diplôme (*commencement ceremony*), elles exigent que la voix des étudiantes soit représentée. L'une d'entre elles, Eleanor Acheson, particulièrement virulente, menace d'organiser une « contre-cérémonie » à laquelle assistera son grand-père Dean Acheson, l'ancien secrétaire d'État de Harry Truman, si on ne leur donne pas la parole. Ruth Adams, l'inflexible présidente de la fac, s'incline à contrecœur. Présidente du « *student*

1. Entretien avec l'auteur, 27 juillet 2016.

government », donc porte-parole de ses camarades, Hillary Rodham est désignée d'office pour parler à la tribune. C'est le premier grand discours de sa carrière.

La photo, en noir et blanc, est désormais célèbre. Elle n'est pas très flatteuse. Stressée, Hillary n'a pas dormi de la nuit. On la voit avec de grosses binocles, les cheveux relevés à la va-vite, des cernes sous les yeux, en train de parler sur un podium. Hillary ne sera jamais élue « Miss Wellesley », mais elle s'exprime bien. « Manifester est une façon de se forger une identité », lance-t-elle. Elle défend le « droit indispensable à la contestation » et réclame la fin de la guerre du Vietnam, qui déjà s'enlise. C'est un discours pacifiste, qui reflète les inquiétudes des étudiants dans une Amérique secouée par trois assassinats récents, celui de Martin Luther King, le leader des droits civiques, de Robert F. Kennedy, candidat à la présidentielle de 1968, et de son frère John F. Kennedy cinq ans plus tôt. En une vingtaine de minutes, Hillary Clinton résume la grogne qui se répand dans toutes les universités américaines.

Elle racontera plus tard que, surprise de son succès, elle est allée se baigner dans un étang juste après, mais, en sortant de l'eau, elle a eu la surprise de constater que ses vêtements avaient disparu, subtilisés sur ordre de la présidente de l'université Ruth Adams, la présidente de Wellesley, qui ne décolère pas contre elle[1]. Pendant ce temps-là, les journalistes appellent non-stop chez ses parents. La voilà propulsée icône de la contestation. Elle passe à la télé. Le magazine *Life*[2], alors très influent, lui consacre un article qui la présente comme l'icône de la contestation. Sur le campus de Yale, en cet automne 1969, tout le monde l'a lu.

1. *Ibid.*
2. *Life*, « The Class of "69" », 20 juin 1969.

Quand Bill rencontre Hillary, elle est donc beaucoup plus connue que lui. D'emblée, il sent qu'elle n'est pas comme les autres. Pendant des mois, ils se croisent dans les couloirs de la fac. Bill lui lance des regards. Elle le remarque, évidemment. Le petit jeu dure jusqu'à la rencontre à la bibliothèque. Et il se passera encore de longues semaines avant qu'ils ne se parlent vraiment.

*

Le premier « *date* » (rendez-vous romantique) a lieu en juin 1971, le dernier jour des classes de l'année scolaire. Hillary sort du cours du professeur Emerson au même moment que Bill. « Où vas-tu[1] ? », lui demande-t-il. À l'administration pour s'inscrire au cours de l'année suivante. « Oh je vais avec toi, je dois faire pareil », répond-il. Une fois devant la conseillère, celle-ci lui demande : « Mais que fais-tu là, Bill ? Tu t'es déjà inscrit ! » Hillary éclate de rire. Il est rouge pivoine. La glace est brisée.

En quittant l'administration de la fac, ils décident de faire quelques pas sur le campus, et marchent toute l'après-midi, jusqu'au musée de la fac, qui est fermé pour cause de grève. Bill, voulant impressionner Hillary, parvient à convaincre le gardien de l'ouvrir rien que pour eux, contre la promesse de nettoyer la cour après leur visite. Les voilà à l'intérieur. Ensemble, ils se promènent, seuls, au milieu des tableaux de Rothko, l'exposition du moment. Hillary, déjà impressionnée par les capacités de persuasion de Bill, commence à découvrir que, sous ses allures de Viking, c'est un type sympa qui tend la main à tout le monde, balade sa grande silhouette dans les couloirs, est toujours de bonne humeur, mais paraît aussi cultivé, curieux de

1. *Ibid.*

tout, « beaucoup plus complexe que ce que je croyais[1] », dira-t-elle plus tard. Dans la cour du musée, les deux s'assoient sur le socle d'une statue de Henry Moore[2]. Bill pose sa tête sur l'épaule d'Hillary. La nuit tombe. Elle l'invite à une fête organisée par sa colocataire. Il l'accompagne. Bill, d'habitude bavard, ne lâche pas un mot de la soirée. Il observe.

L'été approche. Elle a décroché un stage en Californie, dans un petit cabinet d'Oakland, celui de l'avocat Robert Treufhaft connu pour ses positions radicales. Bill s'est engagé aux côtés de George McGovern, qui brigue la nomination démocrate à la présidentielle de 1972. Il a été chargé par son directeur de campagne, Gary Hart, d'organiser les actions des militants volontaires dans le sud du pays. Une belle expérience pour un étudiant qui rêve de faire carrière en politique, dont Bill se réjouit. Mais voilà, sa rencontre avec Hillary bouleverse ses plans. Il désire maintenant l'accompagner en Californie. Elle est ravie, mais se demande si tout cela est bien raisonnable. « Pourquoi veux-tu laisser tomber une opportunité qui te permet de faire ce que tu aimes ? demande-t-elle. — Pour suivre quelqu'un que j'aime[3] », répond-il.

Ils passent ainsi leur premier été ensemble, elle, stagiaire dans son cabinet d'avocats, lui, à flâner dans les rues et à lire des bouquins. Un jour, elle est très en retard à un rendez-vous dans un restaurant de Berkeley. Quand elle arrive, il est déjà parti. Elle demande à la serveuse si elle a vu un « grand type barbu ». « Oui, répond un client, il était là, en train de lire. On a commencé à parler ensemble. Je ne connais pas son nom. Mais ce type va devenir un jour président des États-Unis[4]. »

1. *Ibid.*
2. Bill Clinton, *My Life*, *op. cit.*
3. Hillary Rodham Clinton, *Living History*, *op. cit.*
4. *Ibid.*

*

De retour à Yale, ils s'installent ensemble, dans un minuscule appartement au 21 Edgewood Avenue. Les copains invités à des soirées spaghettis en ressortent étonnés par leur passion pour la politique. Ils semblent se compléter. Elle a l'air hippie, avec ses jeans et ses sandales, mais est en réalité sérieuse, directe dans son approche. À Yale, elle a choisi l'option « développement de l'enfant » comme spécialité et n'est pas encore décidée sur son avenir. Elle ne semble pas superficielle, contrairement à lui. Bill est un charmeur. Il a les manières d'un gars du sud de l'Amérique. Il aime causer. Elle confie alors qu'il est « le seul mec à qui elle ne fait pas peur[1] ».

Bill et Hillary sont désormais inséparables. Le 29 avril 1972, les voilà tous les deux à la barre d'un tribunal fictif. Ce « procès » est organisé chaque année par le syndicat des avocats (Barristers Union), joute verbale entre étudiants de droit où le meilleur plaideur gagne. Cette année, il s'agit de juger un flic du Kentucky accusé d'avoir battu à mort un mineur. Bill et Hillary sont dans le rôle du procureur, chacun à sa façon. Lui tente de charmer le jury et de mettre à l'aise les témoins. Elle a potassé le dossier à fond et s'en tient aux faits, rien qu'aux faits. Michael Conway et Armistead Rood, les deux étudiants qui représentent la défense sont brillants. Et parviennent à convaincre le jury de l'innocence de leur client. Bill est terrassé par l'échec. Pas Hillary. Elle est déjà passée au prochain combat commun.

L'été 1972, Bill repart en campagne. Il est envoyé au Texas par l'équipe McGovern, pour organiser les troupes là-bas. Hillary décide de l'accompagner. Elle s'engage elle aussi, en tant

1. http://www.salon.com/2012/09/02/when_bill_met_hillary/

que volontaire, dans le QG électoral, passant des coups de fil aux électeurs, distribuant des tracts, organisant des meetings, découvrant, mi-effarée mi-fascinée, le stress des membres du staff du candidat qui exigent tout et n'importe quoi dans des délais intenables.

Mais la campagne de McGovern part à vau-l'eau, tous les sondages prédisent une raclée. Le candidat démocrate accumule les gaffes face à un Nixon tout-puissant, qui va être réélu dans un fauteuil en novembre 1972. Bill et Hillary s'envolent alors pour le Mexique où ils s'offrent des vacances au soleil. Une semaine durant, ils cogitent sur ce qui n'a pas fonctionné. Au bord de la piscine, ils font et refont le match. Un couple est né pour la vie, une équipe politique aussi.

Chapitre 2

Deux enfances, deux Amériques

Décembre 1971 :
le jour où Bill rencontre les parents d'Hillary

Décembre 1971. Hillary attend Bill et elle est inquiète. C'est la première fois qu'il se rend chez ses parents. Il a fait en voiture le trajet de Hot Springs jusqu'à Park Ridge, une banlieue aisée de Chicago. Hugh et Dorothy Rodham vivent au 235 North Wisner Street, dans une austère bâtisse bourgeoise, de style géorgien, qui abrite la famille depuis 1950. Hillary n'a pas amené beaucoup de *boyfriends* à la maison. En 1965, elle a présenté un dénommé Geoff Shields, son premier petit ami sérieux, puis, quelques années plus tard, David Rupert, avec qui elle eut une grande histoire d'amour trois ans durant, avant de le quitter pour Bill en 1971. À chaque fois, papa Rodham a tout fait pour décourager les candidats à la conquête du cœur de sa fille[1]. « À ses yeux, personne ne me méritait, m'avait prévenue ma mère[2] », écrit Hillary.

Dès la première poignée de main, le père d'Hillary se méfie de son futur gendre. Il n'apprécie guère son look de Viking et ses favoris à la Elvis Presley.

1. Hillary Rodham Clinton, *Living History*, *op. cit.*
2. *Ibid.*

*

Un cas difficile, ce Hugh Rodham. Pas la personne la plus sympathique du monde. Le terme qui revient dans la plupart des témoignages, c'est « bourru » (*gruff* en anglais). Autrement dit, il s'agit d'une grande gueule[1], d'un caractériel.

Issu d'une famille d'immigrés écossais, il a connu la grande crise de 1929 qui l'a beaucoup marqué, comme toute sa génération. Ses parents sont modestes. Il a été élevé à la dure, dans la foi méthodiste, très rigoriste. Son père travaillait dans la principale usine textile de Scranton en Pennsylvanie. Doté d'une carrure d'athlète (1,88 mètre pour 110 kilos), Hugh a décroché un diplôme d'éducation physique de l'université de Pennsylvanie qui ne lui a pas donné beaucoup de perspectives, au milieu des années trente. L'Amérique sombre alors dans la récession. Sans prévenir ses parents, il tente sa chance à Chicago où il trouve un job de VRP pour une entreprise textile, cette industrie dans laquelle il a baigné petit. Il rencontre Dorothy au détour d'une tournée et la séduit par son énergie et son assurance.

Dorothy Rodham a eu une jeunesse tragique, qu'Hillary évoque souvent dans ses discours, afin de gagner en humanité auprès de son électorat. Son père, Edwin John Howell Jr., pompier à Chicago, et sa mère, Murray, n'ont pas dix-huit ans quand elle voit le jour en 1919. Ils divorcent huit ans plus tard et abandonnent Dorothy dans un train qui part pour la Californie où vivent Edwin Sr et Emma Howell, les parents de Edwin Jr. Or ces derniers n'ont aucune envie de s'occuper de leur petite-fille. À quatorze ans, Dorothy se réfugie dans une famille qui la prend comme nanny. Elle retourne à Chicago à la demande de sa mère – qui lui promet monts et merveilles

1. Carl Bernstein, *A Woman in Charge*, *op. cit.*

pour la faire revenir –, mais, comprenant qu'elle va à nouveau se faire exploiter par cette femme instable et égocentrique, elle préfère voler de ses propres ailes et cherche un travail de secrétaire. C'est en se rendant à un entretien d'embauche qu'elle rencontre son futur mari.

Elle l'épouse en 1942. Mais c'est la guerre. Le couple va vivre séparé pendant trois ans.

Hugh part entraîner des marins de la U.S. Navy, puis revient dans la vie civile en 1945, pour se mettre à son compte en créant une petite entreprise textile, la Rodrik Fabrics, qu'il installe dans le Merchandise Mart, immense immeuble art déco de bureaux et magasins situé sur la Chicago River. Dans son atelier, il découpe et teint lui-même les rideaux qu'il vend à des entreprises. Parfois, Hillary et ses deux frères, Hughie et Tony, viennent lui donner un coup de main.

Les affaires prospèrent. Hugh Rodham achète tout comptant, car il n'aime pas le crédit. Il s'offre de belles voitures, généralement des Cadillac, parfois des Lincoln, ainsi que la maison de Park Ridge, dans une morne banlieue en pleine expansion en ces années de baby-boom d'après-guerre. Dans ce quartier *middle class* tout droit sorti de la série télévisée *Mad Men*, typique des années cinquante, il n'y a ni Noir ni Latino. Les femmes ne travaillent pas et restent à la maison. Les enfants courent les rues. Les écoles publiques sont réputées. Tout le monde vote Républicain.

« Mon père avait des opinions tranchées, pour dire les choses gentiment[1] », confie Hillary Clinton dans ses Mémoires. C'est un conservateur, fier de l'être, qui ne perd aucune occasion d'exprimer tout haut ses opinions, même quand personne ne les lui demande. Lors des élections présidentielles, il oblige ses

---

1. Hillary Rodham Clinton, *Living History*, *op. cit.*

enfants à regarder les conventions républicaines à la télé. En revanche, quand vient le tour des Démocrates, il éteint le poste. Sa famille, il la mène à la baguette. Attitude surtout dure pour les deux frères d'Hillary, elle souffre aussi de la radinerie paternelle. Tout est objet à négociation. Hugh Rodham élève ses enfants de façon sévère pour leur apprendre la vie, dit-il. Il a le compliment rare, la critique facile, souvent blessante, et le sarcasme dédaigneux. Il déteste le gâchis, et Hillary confesse que, encore aujourd'hui, quand elle jette quoi que ce soit, elle ne peut s'empêcher de se sentir coupable[1]. Merci, papa. Il va sans dire que, chez les Rodham, les enfants ont intérêt à être les premiers de la classe. Heureusement, pour Hillary, ce n'est pas très difficile.

Elle a eu des relations compliquées avec son père. Quand elle parle de lui, c'est toujours en termes élogieux. Jamais elle ne dirait un mot déplacé le concernant. Elle est disciplinée et méthodique comme lui. Pour autant, le soir à table, pendant le dîner, elle monte au front quand ses tirades contre les communistes, le gouvernement, les syndicats, les Démocrates ou les Noirs sont vraiment trop insupportables à entendre. À la fin de son adolescence, Hillary frôle la rupture familiale, mais ne franchira jamais le pas, tout comme, quarante ans plus tard, elle restera aux côtés de Bill Clinton, au plus fort de l'affaire Lewinsky. Hillary met autant d'ardeur à défendre son père qu'elle en a eu à soutenir son mari pendant tous les scandales sexuels dans lesquels il s'est fourvoyé. « J'adorais mon père quand j'étais petite fille, écrit-elle dans ses Mémoires. Je le regardais par la fenêtre revenir du boulot le soir et courais l'accueillir dans la rue. Grâce à ses encouragements et ses conseils, je jouais au base-ball, au foot et au basket. J'essayais de ramener de bonnes notes à la maison, pour lui faire plaisir[2]. » Évidemment, c'est une Hillary

1. *Ibid.*
2. *Ibid.*

en campagne qui écrit ces lignes. Elle a tout intérêt à décrire une enfance idyllique et laborieuse dans la classe moyenne américaine à laquelle tant de ses électeurs potentiels peuvent s'identifier. Mais le fait est qu'elle n'a jamais coupé les ponts avec son père, malgré la rudesse de son caractère et leurs divergences politiques. Hillary est pétrie de ces valeurs méthodistes selon lesquelles la famille, c'est important, quand on se marie, c'est pour la vie, et on ne critique jamais ses parents en public.

*

Dorothy Rodham a façonné sa fille plus qu'aucune autre personne. De son enfance, la mère d'Hillary a de l'aversion pour l'injustice. Elle vote démocrate, mais se garde bien de l'avouer le soir à table : elle s'exposerait aux moqueries déplacées de son époux qui ne perd pas une occasion de la dénigrer en public. Dorothy subit, en silence, les colères de son mari. Elle se réfugie alors dans la lecture. Après la mort de son conjoint, elle s'inscrira même à l'université, en fac de psychologie, alors qu'elle approche les soixante-dix ans. Dorothy Rodham a en fait inculqué à sa fille le goût du combat, depuis toute petite. Elle l'a autorisée, voire encouragée, à aller flanquer une gifle à sa voisine Suzy O'Callaghan, qui faisait peur à Hillary quand les deux gamines jouaient dans la rue, se souvient sa meilleure amie de l'époque Betsy Ebeling, toujours très proche aujourd'hui[1]. Hillary s'est exécutée, sous les yeux de la mère ravie, puis elle est rentrée à la maison en lâchant : « Maman, je peux jouer avec les garçons maintenant. »

Dorothy vise haut pour ses enfants, sa fille en particulier. Elle voit en elle la future première femme juge à la Cour suprême des États-Unis, alors qu'Hillary, à l'époque, songe plutôt à une carrière d'astronaute et envoie à la Nasa une lettre de

1. Entretien avec Betsy Ebeling, 27 juillet 2016.

candidature, avant de recevoir, déçue, une réponse l'enjoignant à chercher un autre métier, car celui-ci n'est « pas fait pour les filles »...

Hillary va s'épanouir à l'école. Vers l'âge de onze-douze ans, juste avant d'entrer au collège, le jour de la rentrée des classes, elle rencontre une petite fille qui vient d'arriver : Betsy Ebeling. Début d'une longue amitié et fidèle amitié. "Quand j'ai perdu ma mère, Hillary était First Lady, raconte Betsy[1]. Elle est arrivée à l'enterrement accompagnée de membres de son cabinet qui m'étaient particulièrement chers. Ça m'a énormément touché. C'est, paradoxalement, mon meilleur souvenir avec elle." Betsy se souvient que, enfant, sa copine habitait une maison d'angle, et que tout autour d'elle, les voisins étaient des familles remplies de garçons « pas faciles ». Mais déjà, Hillary savait se faire respecter : « Elle les tenait à distance. » Les deux gamines deviennent inséparables, font du vélo ensemble, vont à la patinoire... « Nous avons tous les deux appris à lire ensemble. Notre lien vient des livres qui ne lisions et commentions. Nous adorions Daphné du Maurier et les aventures de Nancy Drew[2]. » Une habitude qui dure toujours. Soixante ans plus tard, les deux femmes s'échangent encore des livres. « Hillary et moi attendons avec impatience la sortie du nouveau roman policier de l'écrivaine canadienne Louise Penny, dont on pensait qu'elle ne publierait plus mais finalement, si, son livre doit sortir en septembre », poursuit Betsy que nous avons interviewée en juillet dernier. À l'école, elle cultive surtout les amitiés féminines, profondes et durables, qu'elle gardera toute sa vie. Elle porte de grosses lunettes depuis l'âge de neuf ans, à cause de sa myopie extrême. Comme les garçons ne la trouvent

1. Entretien avec l'auteur, 28 juillet 2016.

2. Dans l'édition française, écrite par Caroline Quine, Nancy Drew s'appelle Alice Roy, héroïne de romans policiers pour enfants.

pas sexy, ils lui ont trouvé un surnom méchant : « Sister Frigidaire[1] ». Il est vrai qu'Hillary ne fait aucun effort pour se rendre attirante. Elle se coiffe mal (déjà) – ses cheveux ont toujours été un problème –, n'a aucun goût pour les fringues et, dès l'école élémentaire, passe pour un « garçon manqué[2] ».

Mais aussi – et déjà – elle intimide son monde. L'une des meilleures élèves de la classe, elle multiplie les activités extrascolaires, qui lui valent sa première photo dans un journal local, le *Park Ridge Advocate*[3], alors que, âgée de douze ans, elle est en train d'organiser des « jeux olympiques » pour enfants au sein du quartier. À chaque Independence Day, la fête nationale américaine du 4 Juillet, ses voisins la voient parader en tenue de *girl scout*.

La politique l'intéresse dès l'adolescence, tendance républicaine, comme papa. Elle aime les campagnes puisqu'elle se fait élire co-capitaine de la patrouille de sécurité (*safety patrol*) du quartier. À quatorze ans, avec sa copine Betsy Ebeling, Hillary devient aussi une « *Goldwater Girl* », volontaire pour soutenir la campagne de Barry Goldwater[4], populiste de droite en butte avec le parti républicain dont il obtiendra néanmoins l'investiture à la présidentielle, exactement comme Donald Trump, cinquante ans plus tard. Elle est loin, la Hillary militante dont Bill Clinton va tomber amoureux !

De fait, la jeune femme va rester un bon moment républicaine. Jusqu'à 1968, alors qu'elle se trouve à l'université de Wellesley dans le Massachusetts, où elle se fait élire présidente des jeunes Républicains (*Young Republicans*) et fait campagne pour plusieurs sénateurs et députés de droite. C'est son

1. Martin Kasindorf, « Meet Hillary Clinton : she's raised hackles and hopes, but one thing's certain : she'll redefine role of First Lady », *Newsday*, 10 janvier 1993.

2. Hillary Rodham Clinton, *Living History*, *op. cit.*

3. *Ibid.*

4. *Ibid.*

opposition à la guerre du Vietnam ainsi que les assassinats de Martin Luther King et de Robert F. Kennedy qui la poussent à tourner le dos à cette Amérique sûre d'elle-même et conservatrice. Sa mère va aussi jouer un rôle majeur dans sa conversion vers les Démocrates.

*

Ce n'est pas un hasard si, en rencontrant sa future belle-mère, Bill tombe sous le charme. Il ne lui a pas fallu bien longtemps pour la séduire à son tour. Lui, le péquenaud de l'Arkansas parvenu à décrocher un diplôme de Yale – l'une des universités « *Ivy League* » les plus prestigieuses des États-Unis –, joue les bons gars et aide à faire la vaisselle. Dorothy apprécie d'abord les manières de ce grand type avenant et pas ramenard. Mais elle reste carrément bouche bée quand il lui parle d'un livre de philosophie qu'elle a lu[1]. À partir de ce moment, elle est carrément fan. Et Hugh Rodham, malgré ses divergences politiques et son caractère épouvantable, finit par se laisser conquérir à son tour par ce gendre si charmant et si entreprenant.

Pour Hillary, il sera plus difficile de se faire accepter par le clan Clinton.

Juin 1973 : le jour où Bill présente Hillary à sa mère

« Écoutez-moi, tous les deux. J'en ai fini avec les reines de beauté. J'ai besoin de quelqu'un avec qui je peux parler. Compris[2] ? » En cet été 1973, Bill Clinton ne décolère pas contre sa mère Virginia et son demi-frère Roger Jr. Il vient

1. *Ibid.*
2. Virginia Kelley, *Leading with my Heart : my Life*, Simon & Schuster, 1994.

d'arriver chez lui, à Hot Springs, dans l'Arkansas, où il a passé la plus grande partie de son enfance. De plain-pied et en briques rouges, la maison familiale de Scully Street est sans aucun charme, typique du milieu *white trash* (petit Blanc déclassé) dans lequel il a grandi. Un simple portique en bois blanc cache mal la modestie des lieux. C'est la première fois qu'il amène Hillary avec lui. L'accueil est glacial. La jeune femme a déjà rencontré Virginia une fois, un an plus tôt à New Haven, la grande ville où se trouve l'université de Yale. Et déjà, le courant n'était pas passé...

Bill ne supporte pas que sa mère et son demi-frère manquent de respect à celle qu'il a déjà l'intention d'épouser – mais qui se laisse désirer. Tandis qu'Hillary est en train de défaire ses valises dans sa chambre, il les prend à part dans la cuisine et leur passe un savon. « J'avais l'impression que le père c'était lui, et nous les sales gosses », dira plus tard Virginia, en évoquant ce moment « électrique » qu'elle n'a jamais pu oublier[1].

La mère de Bill a l'habitude de voir son fils ramener des *girlfriends* à la maison. Mais celle-là ne ressemble à aucune autre. Elle est plus intelligente et moins jolie que les précédentes. Roger Jr. ne la trouve « pas au niveau côté physique » et, en plus, autoritaire avec son frère aîné qu'il vénère. Un défaut inacceptable : pour lui, Bill est le meilleur, donc il a tous les droits et mérite les plus belles filles du monde. N'est-il pas un jour rentré à la maison avec, à son bras, Sharon Ann Evans, la nouvelle miss Arkansas ?

Virginia, forcément, se sent dépossédée. Bill, son aîné, est toute sa vie. Son héros, sa bataille. « Hillary et moi, nous aimions le même homme[2] », dira-t-elle plus tard. Avec son fils, la relation est fusionnelle. N'est-elle pas la première personne à laquelle Bill

1. *Ibid.*
2. *Ibid.*

dédie ses Mémoires, parce que, écrit-il, elle lui a donné « l'amour de la vie[1] ». Pour cette mère, le voir partir avec une autre, sur qui, elle le sent d'emblée, elle n'aura aucune prise, quel déchirement ! « Le problème, c'est que tout nous opposait, écrira-t-elle. Je viens de Hope, elle de Chicago. J'ai grandi pendant la Seconde Guerre mondiale, elle, pendant les années anti-guerre. Elle et moi, c'était la campagne contre la ville, le Sud contre le Nord, le maquillage contre le look naturel. Je n'ai jamais été jalouse de ma vie, mais j'ai tout de suite perçu qu'Hillary était beaucoup plus intelligente que moi. J'ai probablement été intimidée[2]. »

*

Il faut dire que la mère de Bill a du tempérament. Une anecdote le souligne. Juste avant de mourir d'un cancer du sein, le 6 janvier 1994, à l'âge de soixante-dix ans, Virginia a décidé d'écrire son autobiographie. Bob Barnett, l'avocat des Clinton, l'homme des deals à plusieurs millions de dollars avec les maisons d'édition, est chargé de trouver un journaliste de l'Arkansas capable d'accoucher ses souvenirs sur papier. Son choix s'arrête sur James Morgan, un auteur indépendant établi à Little Rock. Quand Barnett l'appelle à l'été 1993, il lui explique le projet et y met une seule condition : « Il faut que vous vous entendiez bien avec Virginia[3]. » Sous-entendu : elle a un caractère bien trempé.

Pour la première interview, James arrive chez elle, à Hot Springs, et tous deux s'installent dans son petit salon en longueur. Virginia est au téléphone avec le colonel Tom Parker, le célèbre manager d'Elvis Presley. En entendant ce nom, le visage de James

1. Bill Clinton, *My Life*, *op. cit.*

2. Virginia Kelley, *Leading with my Heart : my Life*, *op. cit.*

3. Entretien de l'auteur avec James Morgan, 11 janvier 2016, co-auteur de l'autobiographie de Virginia Clinton Kelley, *ibid.*

s'éclaire : « Je suis fan ! », lâche-t-il à Virginia. Il n'a pas besoin d'aller plus loin pour se présenter. Le voilà adoubé d'office, comme tous ceux qui, tels Bill et sa mère, vouent un culte au rockeur. Le journaliste va interroger Virginia deux fois par jour, pendant près de cinq mois, durant des sessions arrosées de verres de vin ou de whisky. « Parfois, il fallait un peu la pousser pour confirmer certains faits, comme l'alcool de contrebande que son père vendait dans son épicerie à l'époque de la Prohibition durant les années trente. Mais, en général, les souvenirs venaient facilement au fil de la conversation. Virginia était une bonne cliente, facile à interviewer. Il n'y avait guère de tabou chez elle. Elle parlait volontiers de sa façon très personnelle de compartimenter sa vie, trait de caractère qui sera souvent attribué – et reproché – à Bill[1]. »

L'autobiographie n'obtiendra pas le succès escompté : elle paraît quelques mois après la mort de Virginia, sans la promotion qu'elle aurait eue si cette dernière avait été là pour donner des interviews, qui, nul n'en doute, auraient rencontré un vrai succès d'audience. Car, comme en témoigne James Morgan, il s'agissait d'une femme « exubérante, haute en couleur, qui riait beaucoup ». James Morgan se souvient qu'« elle adorait mobiliser l'attention, comme Bill. Mère et fils étaient exactement pareils[2]. » L'un de ses passe-temps favoris consistait à aller aux courses de chevaux, avec un groupe d'amis appelé le *birthday club*, dont elle était la meneuse. Sa ville préférée au monde ? Las Vegas. James se souvient que Bill Clinton lui a, un jour, confié que sa mère avait eu une « vie joyeuse et bordélique ». Dès les premières pages de l'autobiographie, l'auteur établit un parallèle entre l'objet du livre – une confession sans fard – et l'obsession du maquillage qui la caractérise. Chaque matin, elle y passait en effet quarante minutes. Enfant, Bill adorait d'ailleurs regarder « Mother », comme il l'appelait, se pomponner devant son miroir, dessiner

1. Entretien avec l'auteur.
2. *Ibid.*

ses sourcils au crayon, colorer ses lèvres d'un rouge écarlate. Virginia aimait les fantaisies, « les chaussures dorées et les colliers en argent », souligne David Maraniss, l'un des meilleurs biographes de Bill Clinton, dans la longue nécrologie qu'il consacre en Une du *Washington Post*[1] à la mort de celle qui est alors la « Première Mère des États-Unis ». Elle avait aussi, ajoute-t-il, « la hantise d'être seule, qu'elle a sans doute léguée à son fils ».

*

Virginia n'a pas eu beaucoup de chance dans sa vie. Venue au monde dans un milieu défavorisé, son père Eldridge Cassidy, une « crème d'homme[2] » *dixit* Bill qui l'adorait, possédait une modeste supérette à Hope. Sa mère, Edith, tout aussi maquillée que sa fille plus tard, était une forte femme, dans tous les sens du terme, avec laquelle elle-même ne s'entend pas. Tout le monde décrit cependant Virginia comme une optimiste invétérée, qualité transmise à son fils qui lui a permis de traverser les épreuves de la vie.

Car les drames n'ont pas manqué. Virginia a eu quatre maris et en a enterré trois. Le premier s'appelle William Jefferson Blythe Jr. C'est le père de Bill. Enfin, le père présumé, car il demeure un doute sur cette paternité, Virginia étant volage. Mais, les photos entre le père et le fils montrent une ressemblance physique évidente, notamment au niveau des yeux, rieurs chez l'un comme l'autre.

James Morgan révèle à ce propos une anecdote étonnante : après la mort de Virginia, la famille Clinton ne sait où l'enterrer. Auprès de quel mari faut-il qu'elle repose, sachant qu'elle en a perdu trois ? « Bill m'a appelé, on s'est donné rendez-vous

1. David Maraniss, « The woman who shaped the president », *The Washington Post*, 7 janvier 1994.

2. Bill Clinton, *My Life*, *op. cit.*

avec toute la famille à Hot Springs, avec Roger Clinton, son demi-frère, et Dick Kelley, le dernier mari de Virginia. Comme j'étais celui qui avait reçu en quelque sorte ses dernières volontés, le président m'a demandé où sa mère voulait être inhumée. J'ai répondu qu'elle aurait certainement souhaité reposer auprès de William Blythe[1]. C'est là qu'elle fut enterrée[2]. »

William Blythe était un aventurier. Avec lui, les femmes valsaient. Il avait l'habitude d'offrir des fleurs à celles qu'il quittait. En juin 1993, six mois après l'arrivée de Bill à la Maison-Blanche, le *Washington Post* révèle dans une longue enquête[3] que son père avait déjà été marié trois fois avant de rencontrer Virginia, et qu'il avait probablement deux autres enfants. Le président a donc un demi-frère et une demi-sœur qu'il ne connaît pas, mais qu'il finira par rencontrer, quelques années plus tard. Les mauvaises langues, mais également Hillary elle-même, qui n'ignore rien de la psychologie de son mari, ne peuvent s'empêcher d'établir un parallèle entre les infidélités chroniques de Bill et la vie dissolue de son père biologique.

Virginia a rencontré William Jefferson Blythe Jr. en 1943. Elle est infirmière de nuit, à l'hôpital Tri-State de Shreveport, en Louisiane. Lui amène aux urgences sa *girlfriend* du moment, qui a des douleurs. Coup de foudre. Le flirt commence dès que la fille part entre les mains du docteur pour se faire soigner. Peu après sa sortie de l'hôpital, elle va recevoir un bouquet de fleurs : son cadeau d'adieu. De fait, deux mois après l'avoir rencontré, Virginia épouse William. Mais celui-ci doit partir au front : c'est la guerre, tous les hommes de sa génération sont recrutés d'office pour servir dans l'armée. Dès

1. Au cimetière Rose Hill de Hope, la ville natale de Bill, N.D.A.
2. Entretien avec l'auteur.
3. Gene Weingarten, « The First Father », *The Washington Post*, 20 juin 1993.

son retour, en 1945, elle tombe enceinte. Ils décident de s'installer dans la banlieue de Chicago où il a trouvé un job de vendeur et acheté une maison. Mais, un jour, alors que Virginia attend son mari qui doit venir la chercher pour l'emmener, elle apprend qu'il s'est tué sur la route au volant de sa Buick. Un pneu a éclaté alors qu'il fonçait sur la Highway 60, vers l'Arkansas, la voiture a fait des tonneaux et s'est retrouvée dans le fossé. Le chauffeur, s'il a réussi à s'extraire dans la nuit, n'a pas vu cette sorte de puits où il s'est noyé. Un coup du sort tragique, stupide. Virginia se retrouve donc veuve à vingt-cinq ans alors qu'elle est enceinte de cinq mois. Elle a perdu l'amour de sa vie, mais donne à son fils les prénoms William et Jefferson (surnommé Bill) de ce père qu'il ne connaîtra jamais.

Quand il naît, Bill est l'enfant prodige. Virginia se dispute pour le materner avec sa mère, qui l'héberge. Elle se remarie avec Roger Clinton, qui donnera son nom de famille au futur président des États-Unis. Celui-ci se montre particulièrement attentif et généreux envers l'enfant, mais il s'avère aussi alcoolique, violent et jaloux. Sans être forcément un mauvais gars. « Je l'aimais et je lui ai pardonné[1] », écrira Bill. À l'époque Roger, concessionnaire Buick, claque tout au casino de Hot Springs, cache à sa famille que son frère est derrière lui pour éponger ses dettes de jeu, et frappe sa femme, qu'il accuse d'être « trop aimable » avec la gent masculine. De fait, Virginia adore attirer le regard des hommes, ce qui rend son mari fou de rage. Bill, alors âgé de cinq ans, le voit la menacer avec un flingue et tirer dans le mur. Il a quatorze ans, quand sa mère, à terre, reçoit des coups et qu'il la défend avec un club de golf. Elle finit par demander le divorce, mais, se sentant coupable, se remarie avec Roger trois mois plus tard, par pitié.

1. Bill Clinton, *My Life*, *op. cit.*

Dans la maison de Scully Street, le conjoint est alors relégué dans une petite chambre, tandis que Bill, qui désapprouve le retour de son beau-père, prend la grande. C'est lui, désormais, l'adulte de la famille, l'homme de la maison, le protecteur de sa mère.

Voilà pourquoi, quand Hillary arrive dans cette maison, quelques années plus tard, il impose sa loi. Et enjoint à tout le monde d'être sympa avec elle. Alors chacun obtempère, son frère Roger Junior le premier, homme très perturbé par cet environnement familial qui ne saurait dire non à Bill, son modèle et mentor.

*

Parce qu'il a vu les ravages de l'alcool de près pendant ses enfance et adolescence, Bill ne boira pour ainsi dire jamais de toute sa vie. Il aurait pu mal tourner, mais il a été comblé d'amour. Il a surtout trouvé son salut au lycée, le Hot Springs High, où il se distingue très vite en accumulant les meilleures notes sans trop se fatiguer. Il s'épanouit aussi bien dans les salles de classe que dans la cour de récréation. Bill réalise vite l'effet qu'il a sur les autres, sa capacité à s'entourer et cristalliser des petits groupes d'amis dont il devient le centre. Quand ses parents achètent un poste de télévision, il n'a que dix ans, mais se passionne pour les meetings électoraux retransmis par les grandes chaînes.

Dès l'âge de seize ans, il a trouvé sa destinée : la politique. Démocrate, comme tout le monde dans sa famille, il aime les gens, le débat, la conquête de fonctions électives au lycée, où il est élu délégué de sa classe. À dix-sept ans, Bill Clinton est sélectionné pour représenter son État à Washington dans le cadre du programme d'éducation civique appelé « *Boys State* ». À cette occasion, il a le privilège d'aller à la Maison-Blanche serrer la main de John F. Kennedy. Un moment-clé et une photo symbolique, dont il se servira beaucoup pendant ses campagnes successives. Sa mère le voit déjà prendre la suite, à la Maison-Blanche… Quelques années plus tard, Hillary dira la même chose.

Bill part ensuite étudier à Georgetown University, à Washington. Il envoie de nombreuses lettres à sa mère, qui va les conserver jusqu'à sa mort dans des sacs à… couches-culottes, courriers étonnants qui montrent que Bill, alors âgé de dix-huit-dix-neuf ans, a déjà une « connaissance et une ouverture étonnante sur le monde[1] ».

Quand, dix ans plus tard, il présente Hillary à sa mère, une fois le choc de la première rencontre passé, Virginia fera beaucoup d'efforts pour sauver les apparences. Mais, au fond d'elle-même, elle n'a jamais aimé Hillary. Son biographe James Morgan en est persuadé. « Les deux femmes étaient trop différentes pour s'apprécier[2] », estime-t-il.

*

Il faut se rendre à Little Rock pour comprendre le choc qu'a dû ressentir Hillary en y arrivant. Encore aujourd'hui, cette ville est l'une des rares capitales d'un État américain à ne pas être reliée par un vol direct à New York ou Washington. Il faut faire escale, en général par Atlanta, en Géorgie. Et quand on arrive à l'aéroport, rebaptisé en 2012 « Bill and Hillary Clinton National Airport », on est surpris d'entendre parler français dans les haut-parleurs des terminaux, qui diffusent des annonces automatisées sur les arrivées et départs des vols. La voix diffusée est la même que celle qui résonne sous les voûtes de Roissy-Charles de Gaulle. Une faveur accordée à l'avionneur Dassault qui a implanté un site industriel à Little Rock au

1. Entretien avec James Morgan.
2. *Ibid.*

début des années quatre-vingt. C'est dire le provincialisme du lieu, qui ne croule pas sous les usines et court derrière les investisseurs.

L'Arkansas est un État rural de trois millions d'habitants, l'un des plus pauvres de l'Amérique, dont les habitants ont coutume de dire : « Heureusement, il y a le Mississippi ! », parce que le niveau de revenu par habitant y est… encore plus bas que le niveau du fleuve ! Les locaux parlent avec un accent prononcé, parfois difficile à comprendre pour ceux qui ne sont pas du coin. « Aux États-Unis, le Sud est un endroit à part. Ça va prendre beaucoup de temps pour s'y faire, et pour Hillary, cela n'a pas été facile au début », reconnaît Bobby Roberts, natif de la région, qui a passé dix ans aux côtés de Bill comme conseiller quand celui-ci était gouverneur[1]. Élevée dans un milieu plutôt aisé, par un père réactionnaire petit-bourgeois, elle a grandi dans un environnement aux antipodes de celui du futur président. Ces deux-là n'étaient pas vraiment faits pour se rencontrer.

Hillary, brillante fille du Midwest américain, promise au plus bel avenir grâce à ses études et son activisme, a donc attendu le début d'été 1973 pour se rendre chez Bill, dont elle est pourtant amoureuse depuis l'été 1971. Elle n'était guère pressée d'aller découvrir le passé de l'homme qu'elle aime, voir sa chambre d'enfant et d'adolescent, décorée par sa mère avec un mur entier rempli de photos à la gloire du fils adoré…

*

Quelques semaines avant la visite à Hot Springs, Bill emmène Hillary découvrir l'Europe, qu'il connaît. Pendant ses deux années à Oxford, de 1968 à 1970, il a sillonné tout le vieux

1. Entretien avec l'auteur, 29 février 2016.

continent, seul, en lisant d'innombrables livres. C'était pour lui un grand bol d'air, durant lequel il a découvert les capitales d'Europe Paris, Munich, Prague et Madrid et, au-delà, Oslo et Moscou. Il a envie d'en faire profiter Hillary.

Ce printemps 1973, elle le suit donc jusqu'aux rives du lac d'Ennerdale, dans cette magnifique région de Grande-Bretagne. C'est l'un des endroits les plus romantiques du monde. Un soir, il lui demande si elle veut l'épouser. Ce moment, elle l'attendait depuis longtemps. Mais elle sait aussi qu'il veut revenir en Arkansas. Cette perspective ne l'enchante pas. Le courant est si mal passé avec la mère de Bill ! Et puis, à Little Rock, elle devrait dire adieu à ses ambitions. Incapable de se décider, elle répond qu'elle l'aime, mais s'avoue incapable de dire oui[1]. Bill encaisse. Il s'y attendait. « Je ne pouvais pas lui en vouloir, mais je ne voulais pas la perdre. Alors je lui ai demandé de venir chez moi juste pour voir si elle aimait. Et, aussi, de tenter le barreau de l'Arkansas, au cas où[2]... »

1. Bill Clinton, *My Life*, *op. cit.*
2. *Ibid.*

Chapitre 3

Le mariage

Fin août 1975 : le jour où elle a dit oui

Hillary n'a pas voulu d'un grand mariage en blanc. Elle n'a pas fait imprimer de cartons d'invitation, ni n'a jugé nécessaire de commander des alliances. Sa robe de mariée, griffée Jessica McClintock, a été achetée la veille, à la demande pressante de sa mère, inquiète. Elle a choisi la première qui lui est tombée sous la main, chez Dillard's, une marque de vêtements n'ayant rien d'exceptionnel.

Ce 11 octobre 1975, Bill et Hillary se disent oui dans leur petite maison située 930 California Boulevard. Une cérémonie simple, entre intimes, suivie d'une grande fête chez leurs amis Morriss et Ann Henry dont la demeure est plus spacieuse. Parmi les deux cents invités, se trouvent de nombreux donateurs du parti démocrate de l'Arkansas et des élus locaux. Tous misent sur l'avenir de Bill et Hillary, le couple qui va bientôt faire parler de lui.

*

Elle a longtemps hésité avant de s'installer dans l'Arkansas où elle n'a ni famille ni amis. Après la rencontre peu concluante en juin 1973 avec la mère de Bill, chacun a décidé de vivre séparément, loin l'un de l'autre. Hillary a décroché un job à Cambridge, la banlieue universitaire de Boston dans le Massachusetts, au Children's Defense Fund, organisme spécialisé dans la défense du droit des enfants, une cause qui lui tient à cœur depuis toujours. L'association est dirigée par Marian Wright Edelman, qu'elle a rencontrée sur le campus de Yale durant l'hiver 1969-1970. Hillary, ravie de cette nouvelle aventure, voue une grande affection et une immense admiration à sa nouvelle boss, première femme noire admise au barreau du Mississippi. Mais, à l'époque, elle se cherche. Et n'a jamais vécu seule de sa vie. L'absence de Bill lui pèse.

Lui est revenu dans son Arkansas natal, où l'université de Fayetteville lui a offert un poste de professeur de droit. Dans cette ville du nord-ouest de l'État, il loue une petite maison construite par le célèbre architecte local Fay Jones, qu'il arrange avec goût, ayant toujours eu un certain talent pour la déco, contrairement à sa compagne. La maison est proche d'un bois où, enfant, il allait faire des campements de boy-scout. Il est chez lui. Heureux, donc. Sa nouvelle carrière lui plaît. Il ne lui manque qu'Hillary.

Entre eux, les sentiments sont forts, mais l'indécision totale, comme le résume Bill dans ses Mémoires : « J'avais déjà, à l'époque, rencontré les gens les plus talentueux de ma génération. Je pensais qu'Hillary les dépassait de la tête et des épaules. Elle avait une immense intelligence, du cœur, un don pour l'organisation supérieur au mien et un sens politique presque équivalent, mais c'était juste parce que j'avais plus d'expérience qu'elle. Je l'aimais, donc je la voulais avec moi, mais je voulais aussi le meilleur pour elle[1]. »

Bill est le premier à pousser Hillary à se lancer en politique. Sur ce point-là, il n'a jamais varié. À l'en croire, elle est la meilleure. Il n'est pas le seul à le penser. Ses amies de fac voient

1. Bill Clinton, *My life, op. cit.*

en elle une digne représentante du courant féministe capable de se faire élire un jour première présidente des États-Unis. Hillary ne sait pas encore ce qu'elle veut faire à l'époque. Ils se parlent tous les jours au téléphone.

Elle tente le concours d'avocat dans deux États : Washington et l'Arkansas. Si Bill est élu député, ils s'installeront dans la capitale des États-Unis, songe-t-elle. Elle travaillera là-bas, il fera des allers-retours dans sa circonscription. Et s'il opte pour un mandat local, il restera à Little Rock, la capitale de l'Arkansas, où elle le rejoindra. Une seconde option qui la réjouit beaucoup moins.

Mais Hillary échoue au barreau de Washington. Une humiliation pour la bête à concours qu'elle est, doublée d'une cruelle déception qui brouille ses projets personnels. Il faut croire que cet échec a été dur à avaler puisque, jusqu'à la parution de ses premiers Mémoires, en 2001[1], elle n'en a parlé à personne en dehors de Bill, pas même à ses plus proches amis qui l'ont découvert en lisant l'œuvre[2].

En revanche, elle réussit au barreau de Little Rock. Elle s'y inscrit donc – à contrecœur. Ellen Brantley se souvient encore de leur rencontre, le jour de l'examen. Ellen a croisé Hillary sur les bancs de Wellesley College. Comme elle, elle est tombée amoureuse d'un natif de l'Arkansas, Max Brantley, qui deviendra plus tard rédacteur en chef de l'*Arkansas Times*, à ce titre l'un des chroniqueurs les plus influents de la vie politique locale. Comme elle, Ellen tente le barreau de l'Arkansas, ignorant que sa camarade de fac en faisait autant. En la voyant par hasard, grande est donc sa surprise. Lorsqu'elle lui demande ce qu'elle fait là, Hillary minaude, évasive, sans vraiment répondre,

1. Hillary Rodham Clinton, *Living History*, *op. cit.*
2. Carl Bernstein, *A Woman in Charge*, *op. cit.*

ni évoquer le nom de Bill Clinton. « Elle était énigmatique[1] », raconte Ellen Brantley.

Bill Clinton, lui, a les idées beaucoup plus claires sur sa carrière comme sur celle qu'il veut épouser. C'est d'ailleurs sans doute la seule fois de sa vie qu'il paraît plus organisé qu'Hillary. En novembre 1973, il vient la voir à Cambridge dans le Massachusetts pour passer Thanksgiving avec elle. Et il lui explique qu'un poste de *congressman* (député) est peut-être à prendre, celui de John Paul Hammerschmidt, le seul Républicain représentant l'Arkansas au Congrès. L'homme est très bien implanté localement, notamment auprès des artisans, lui-même étant président de la Hammerschmidt Lumber Company, petite entreprise spécialisée dans le bois de charpente. Chaque week-end, il sillonne sa circonscription, et son attitude sympathique et sans prétention passe auprès de l'électeur. Mais il est l'un des grands défenseurs de Richard Nixon, alors empêtré dans l'affaire du Watergate, ce qui constitue un handicap vue l'impopularité grandissante du président. Aussi, Bill dit chercher des volontaires pour se présenter contre Hammerschmidt et le renverser, mais les candidats ne se bousculent pas. Hillary comprend très bien que son mari en fait ne voit qu'une seule personne capable d'oser affronter Hammerschmidt : lui-même. Il est alors âgé de vingt-huit ans, ce jeune homme pressé. À Noël 1973, quand Hillary vient le voir dans l'Arkansas, il lui lance : « J'y vais. » Elle avait vu juste.

*

Quelques jours plus tard, elle l'accompagne dans une visite de courtoisie faite à Orval Faubus, l'ancien gouverneur de l'Arkansas. Ce rendez-vous, qui va durer cinq heures, constitue un point de passage obligé pour qui veut entamer une carrière

1. *Ibid.*

en politique dans cet État aux traditions enracinées, car Bill Clinton vient prendre une leçon de politique locale chez un homme de pouvoir, certes, mais à des années-lumière de ses convictions. Orval Faubus est en effet tristement célèbre pour avoir refusé, en 1957, d'ouvrir le collège de Little Rock Central High School aux enfants et adolescents noirs, obligeant le président Eisenhower à envoyer les troupes de l'armée fédérale faire appliquer les nouvelles lois abolissant la ségrégation dans les établissements publics. Mais, détenteur du record de longévité au poste de gouverneur de l'Arkansas, il a d'innombrables contacts et relais aux quatre coins de l'État. Il connaît comme sa poche le parti démocrate local et le terrain électoral.

Bill lui pose donc maintes questions et écoute religieusement les réponses du mandarin, visiblement flatté qu'un jeune espoir surdiplômé connaissant le monde vienne le consulter dans son fief. Faubus lui parle de la Seconde Guerre mondiale et se sent obligé de justifier son refus d'ouvrir l'école de Little Rock aux Noirs. Hillary, assise à côté de son compagnon, écoute en silence, sans broncher. L'ancienne icône de la contestation sur les campus universitaires, l'intello féministe qui semble avoir toujours besoin de prendre le dessus sur la gent masculine, a cette fois, perdu sa voix. Elle estime que ce n'est ni l'endroit ni le moment de perturber une conversation entre hommes.

Le 25 février 1974, à l'hôtel *Avanelle* de Hot Springs, où Virginia, sa mère, vient prendre le café tous les matins avant d'aller au travail, Bill annonce officiellement sa décision de se présenter à la députation. Son oncle Raymond lui avance 10 000 dollars, lui trouve un petit QG et lui ouvre son large carnet d'adresses. Bill fait campagne en famille.

Au même moment, à Washington, le scandale du Watergate prend de l'ampleur. La Chambre des représentants crée une commission judiciaire chargée d'enquêter sur l'*impeachment* du président Nixon. John Doar, le président de cet organisme, a besoin de fins juristes pour mener l'instruction. Ayant rencontré Bill et Hillary sur le campus de Yale quand ces derniers étaient étudiants et ayant conservé un excellent souvenir d'eux deux, il appelle Bill, qui décline l'offre puisqu'il a décidé de se présenter, mais le renvoie sur Hillary, à laquelle Doar avait également songé. L'offre tombe bien, Hillary se morfond à Cambridge. Elle adore sa patronne Marian Wright Edelman – qui demeurera une fidèle parmi les fidèles –, mais face à une telle proposition, impossible d'hésiter une seconde. Enquêter sur une procédure qui pourrait aboutir à la destitution d'un président, voilà une manière de vivre au cœur de l'Histoire.

*

Le job est harassant. Hillary travaille nuit et jour pendant huit mois, jusqu'à la démission de Richard Nixon, le 5 août 1974. L'équipe de John Doar compte quarante-quatre juristes dont trois femmes, qui œuvrent dans la discrétion la plus totale, installés au *Old Congressional*, un hôtel réquisitionné pour servir de siège à la commission. Les chambres, suites et salles de bains ont été transformées en bureaux. John Doar ne veut aucune fuite dans la presse, donc se montre exigeant et drastique avec ses équipes, auxquelles il interdit de prendre des notes personnelles.

Hillary se lance corps et âme dans cette nouvelle mission, et son exigeant patron considère Hillary comme l'une des meilleures de l'équipe. Il a tendance à lui donner plus de responsabilités qu'à ses collègues. Mais ces derniers notent aussi qu'elle semble obsédée par Bill. Son humeur change en fonction des conversations téléphoniques qu'elle a avec lui. S'il vient la voir à Washington, elle débarque radieuse au bureau le lendemain. S'il ne l'a pas appelée la veille, elle arrive avec sa mine des mauvais jours.

À cette époque, Hillary rencontre Kay Goss, jeune assistante d'un député membre de la commission judiciaire. Kay, native de l'Arkansas, est, depuis, devenue une proche du couple. « Hillary m'a fait rencontrer Bill. Nous sommes allés déjeuner ensemble pour parler de politique, de l'avenir de notre État, ainsi que de celui de l'Amérique. Nous étions d'accord sur tout, et je l'ai aidé dans sa campagne à monter des dossiers sur ses opposants. Quand je l'ai quitté, j'ai annoncé à tout le monde au bureau : "Je viens de déjeuner avec le futur président des États-Unis[1]" ! »

Hillary est, alors, amplement d'accord avec elle. Et le répète à qui veut l'entendre, selon les témoignages de l'époque, même si plus tard, elle s'en défendra. Elle se dispute même avec son supérieur hiérarchique, Bernard Nussbaum, à ce propos, quand ce dernier lui fait remarquer que le garçon est, quand même, encore bien jeune[2].

Malgré sa charge de travail, Hillary trouve le temps de s'impliquer dans la campagne de Bill, qui mène un combat difficile. Elle n'a aucune expérience dans le domaine électoral, mais n'hésite pas à donner ses avis et à exprimer sa déception lorsqu'elle constate que ses recommandations ne sont pas suivies d'effet. Elle est persuadée qu'elle peut, voire qu'elle doit, l'aider. Lui ne demande pourtant rien, mais Hillary vit son engagement à ses côtés dans cette bataille comme une mission. Les mauvaises langues y voient, aussi, un moyen de contrôler la vie du candidat et de faire le vide autour de lui.

Car, déjà, beaucoup de femmes entourent le jeune homme. Bill s'est ainsi entiché d'une petite stagiaire brune. Et a demandé à son chef de cabinet de l'avertir lorsque Hillary arrive au QG de campagne avec suffisamment d'avance pour laisser le temps à

1. Entretien de l'auteur avec Kay Goss, 8 février 2016.
2. Carl Bernstein, *A Woman in Charge*, *op. cit.*

la demoiselle de décamper. La fiancée n'est pas dupe, et les crises de jalousies éclatent fréquemment devant les membres médusés, et gênés, de l'entourage du candidat.

Afin d'« aider » son *boyfriend*, Hillary réquisitionne... son père et son frère Tony, qui débarquent de l'Illinois pour planter des affichettes à la gloire du candidat. À Little Rock, on les appelle les « Yankees en Cadillac[1] »... Hugh Rodham fait de son mieux, à sa façon, et démarche les retraités républicains de l'Arkansas.

*

Quand Nixon démissionne, en août 1974, Hillary se retrouve sans emploi. La commission judiciaire est dissoute. Elle décide donc de rejoindre Bill à Fayetteville. Comme ils ne sont pas mariés, ils habitent séparément : l'électorat ne comprendrait pas qu'ils vivent sous le même toit. 1968 n'a pas encore complètement porté ses fruits dans le sud des États-Unis.

Bill a présenté Hillary au doyen Wylie Davis de l'université de l'Arkansas, qui lui a tout de suite proposé un poste d'enseignante. Elle est probablement surqualifiée, mais accepte pour se rapprocher de l'homme qu'elle aime. Il est ravi, le président de la faculté de droit aussi, n'ayant pas l'habitude de décrocher des profils de ce calibre.

Voici le premier grand tournant de la vie de sa femme. Diplômée de Yale, passée par la commission judiciaire d'enquête sur l'*impeachment*, toutes les portes à Washington lui sont grandes ouvertes. Elle n'a qu'à choisir. Faire fortune dans un cabinet d'avocats, ou entrer en politique, l'un n'excluant pas l'autre. Mais la jeune femme décide d'aller s'enterrer à Fayetteville, dont l'université est incapable de rivaliser avec le prestige de ses

1. *Ibid.*

concurrentes « *Ivy League* ». « J'ai choisi de suivre mon cœur plutôt que ma tête[1] », écrira-t-elle plus tard.

Dans son entourage, c'est la consternation. « Tu es folle[2] ? », lui demande Sara Ehrmann, alors l'une de ses meilleures amies. Toutes deux se sont rencontrées au Texas pendant la campagne de George McGovern en 1972. Et Hillary vit chez elle à Washington pendant qu'elle travaille à la commission judiciaire chargée d'enquêter sur l'*impeachment*. Sara fait donc tout pour la dissuader de partir. En vain. Sara accepte donc de conduire son amie à Fayetteville, à près de deux mille kilomètres de Washington, dans une Volkswagen sur le toit de laquelle a été accrochée une bicyclette. Durant tout le trajet, elle tente un dernier baroud d'honneur, en vain. « Mes amis et ma famille pensaient que j'avais perdu la tête. J'étais moi-même un peu inquiète[3] », confiera plus tard Hillary.

Cette dernière a compris qu'elle ne pouvait se passer de Bill. Vivre seule, à Cambridge puis à Washington, n'était pas dans son mode de pensée. Mais elle croit pouvoir éviter l'installation dans l'Arkansas. Lorsqu'elle quitte la capitale des États-Unis pour rejoindre son futur mari, elle garde le secret espoir d'y retourner rapidement, une fois Bill élu à la Chambre des représentants.

*

Lorsqu'elle arrive à destination, la campagne bat son plein. Bill prononce un discours lors d'un meeting sur la place principale de Bentonville qui impressionne Hillary. Même l'amie Sara commence à comprendre que, finalement, un tel trajet en

1. Hillary Rodham Clinton, *Living History*, *op. cit.*
2. *Ibid.*
3. Donnie Radcliffe, *Hillary Rodham Clinton : A First Lady for Our Time*, Warner Books, 1993.

valait peut-être la peine. Un charme indéfinissable habite cette région du Sud qui prend aux tripes. Comme dans toutes les élections en Amérique, les candidats doivent d'abord gagner les primaires de leur parti avant d'affronter le camp d'en face. Et Bill va emporter l'investiture démocrate. Mais battre le Républicain Hammerschmidt relève du défi total, tant ce dernier paraît une forteresse imprenable. Or, l'adversaire se révèle plus coriace que prévu.

Désormais physiquement présente au QG de campagne, Hillary devient de plus en plus intrusive avec les conseillers de celui qui n'est même pas son fiancé officiel. Elle les snobe, ce dont certains prennent ouvertement ombrage. On trouve que « l'étrangère » a des idées sur tout, sème la zizanie dans l'équipe, est facilement irritable. Pas facile d'être la *girlfriend* de Bill Clinton ! Il y a donc des hauts et des bas, avec quelques humiliations à la clé.

Elle entend par exemple les ragots qui courent sur ses infidélités, les rumeurs allant bon train. Le camp adverse ne se prive pas de les relayer en les amplifiant, inventant même des orgies. Dans l'équipe de Bill, les conseillers s'interrogent : comment répondre ? L'entourage est divisé entre ceux qui privilégient une riposte coup pour coup, et Hillary qui estime au contraire qu'il faut ignorer et laisser dire, ne pas donner d'importance aux ragots.

Le staff se déchire, et Bill perd l'élection à six mille voix près, victime d'un « sabotage électoral » et d'une campagne mensongère, enragera plus tard la future First Lady[1].

Pour elle, le choc est rude. Envolés, les rêves de vie commune à Washington au sein des lieux de pouvoir dont elle avait la ferme intention de forcer les portes. La femme qui s'était imaginé former un « *power couple* » avec le député Bill Clinton se

1. Hillary Rodham Clinton, *Living History*, *op. cit.*

retrouve reléguée au rang de professeure de droit en poste à la modeste université de Fayetteville, mariée à un universitaire comme elle, plein d'espoir certes, mais déjà plombé par un revers électoral.

Dur pour elle, plus encore pour lui. Bill est sonné par l'échec, littéralement terrassé même. Six semaines durant, il déprime, ruminant la défaite, étendu à longueur de journée sur son tapis. Hillary, qui ne l'a jamais vu dans un tel état, découvre, effarée, les fragilités de celui qu'elle aime. Elle comprend que « son » homme vit et respire par et pour la politique. Affectée, mais moins que lui, elle réalise aussi qu'elle peut jouer le rôle de « *booster* » auprès de ce surdoué. En le remettant sur son cheval une fois tombé à terre. En décembre, elle l'emmène danser à une fête de l'université. Bill va mieux.

Et elle aussi. Car, contre toute attente, Hillary s'intègre bien à Fayetteville. Cette ville étudiante, la troisième de l'État, lui plaît. Elle se lie rapidement d'amitié avec d'autres enseignants, notamment Diane Kincaid qui deviendra sa plus proche amie et la confidente des bons et mauvais jours, notamment lors de l'affaire Lewinsky. Diane lui ressemble : elle est venue dans l'Arkansas enseigner les sciences politiques afin de suivre Jim Blair, l'homme qui deviendra son mari.

Pour autant, à Fayetteville, Hillary détonne. À son entretien d'embauche avec le doyen Wylie Davis, son look guindé a fait rire tout le monde, mais personne ne lui en a voulu. Oui, cette fille n'est pas d'ici, ont pensé les membres de la faculté. Et alors, c'est rare dans le coin. Très rapidement, ses étudiants notent qu'elle commence à prendre l'accent de l'Arkansas. Et Hillary passe vite pour un « gros poisson dans un petit bocal », ainsi que le disent les Américains. On la considère comme meilleure professeure que Bill, étant du genre à pointer les erreurs de ses étudiants sans ménagement quand lui les laisse prendre le contrôle de ses cours lors de discussions sympathiques, mais pas forcément productives. Ayant la réputation d'être plus sévère et exigeante, on la dit aussi plus rigoureuse.

Tandis qu'il était en campagne, Bill, un jour, a réussi l'exploit de perdre dans une voiture un paquet de copies qu'il devait noter. Parmi les étudiants concernés, figurait une certaine Susan Webber Wright, laquelle, bien plus tard, deviendra la juge principale dans l'affaire Paula Jones, dont les accusations de harcèlement sexuel pollueront la présidence Clinton jusqu'à son dénouement en 1998. Bill est persuadé que cette étudiante lui en a toujours voulu et que, ce jour-là, s'il lui avait donné un « A », la meilleure note, il aurait peut-être eu un scandale de moins à gérer !

*

Lorsque l'année universitaire 1974-1975 s'achève, Hillary s'interroge : et si cet État n'était pas aussi déprimant que ce que toutes ses amies lui avaient prédit ? Elle décide de prendre un peu le large, afin de mûrir sa décision et voyage seule durant l'été, visitant sa famille à Chicago, ses amis à Boston, Washington et New York. Quand Bill l'emmène à l'aéroport, elle remarque sur le chemin une petite bicoque, située au 930, California Boulevard, ornée d'un panneau « À vendre » planté sur le gazon. « Oh, elle est jolie, cette maison », lâche-t-elle, avant de penser au vol qui l'attend.

L'été passe. Hillary a réfléchi. Quand elle revient, pour la rentrée universitaire de septembre, Bill l'attend à l'aéroport. Il n'est sûr de rien. Elle ne lui a rien promis, posé aucune question, demeure indécise, même si elle sait au fond où son destin la mène. Or son *boyfriend* a une surprise – de taille – pour elle. « Tu te souviens de la maison que tu aimais[1] ? » demande-t-il. Eh oui, Bill vient de l'acheter pour un peu plus de 17 000 dollars. Pour eux. Sans lui en parler.

1. Bill Clinton, *My Life*, *op. cit.*

Une fois garé devant la bâtisse, il coupe le contact du véhicule et lui lâche : « Maintenant, tu as intérêt à m'épouser, parce que je ne vais pas vivre tout seul là-dedans ! » L'endroit est aujourd'hui un musée, classé monument historique. Les autorités locales ont juste changé le nom de la rue, passée de California Boulevard, à West Clinton Drive.

Bill a compris que, pour arracher le consentement d'Hillary, cette petite maison en brique rouge serait plus convaincante qu'une bague de fiançailles. Mais pour celle qu'il courtise, épouser Bill Clinton ne signifie pas renoncer à qui elle est. Certes, elle sacrifie ses opportunités de carrière washingtonienne, mais en rien sa personnalité. Simplement, elle s'installe là où vit l'homme qu'elle aime.

Pour que les choses soient bien claires, dans leur faire-part de mariage, Hillary Rodham a tenu à préciser qu'elle garderait son nom de jeune fille. Mais ce qui paraît un choix banal aujourd'hui passe mal à l'époque. En apprenant la nouvelle, Virginia, la mère de Bill, s'effondre en larmes. Et Paul Fray, le plus proche de conseiller de Clinton durant sa campagne à la Chambre des représentants, lui jette au visage : « Hillary sera ton Waterloo[1]. »

1. Gail Sheehy, *Hillary's Choice*, Random House, 1999.

Chapitre 4

Hillary sauve Bill (saison 1)

2 novembre 1982 :
le jour où Bill redevient le roi de l'Arkansas

Jour d'élection. Bill attend nerveusement les résultats depuis l'arrière-salle de son QG de campagne sur Central Avenue, à Little Rock en Arkansas. Il est entouré d'Hillary, de sa mère Virginia, et de son frère Roger, qui porte une chemise mexicaine et des chaînes en or sur le torse. L'ambiance est électrique. Betsey Wright, sa future chef de cabinet, hurle les résultats dès qu'elle les reçoit[1], puis les inscrit sur un tableau accroché au mur. Elle essaie de rester calme, mais c'est difficile. La nuit s'annonce joyeuse. « Comté de Craighead, 54 %[2] ! » Deux ans auparavant, Bill l'avait perdu, mais ce soir-là, il le gagne et remporte l'élection. Ce qui lui permet de prendre sa revanche sur son rival Frank Lady, celui-là même qui l'avait chassé de son trône, deux ans plus tôt, quand il tentait alors de se faire réélire gouverneur. « Clinton ! Clinton ! », hurle la foule à l'extérieur. Un podium est dressé devant la permanence électorale pour le discours de la victoire. Triomphant, Bill sort de la permanence, le poing levé. Dehors, il fait des *high five* (grandes tapes la main levée) à tout le monde et entame son discours, avec à côté de lui

1. David Maraniss, *First in his Class*, *op. cit.*
2. *Ibid.*

une Hillary radieuse. Sans elle, il serait resté un *has been*, ou encore, comme il a pris l'habitude de le dire avec autodérision, « le plus jeune ancien gouverneur de l'histoire des États-Unis[1] ». Cet incroyable *come-back*, c'est à sa femme qu'il le doit. Voici comment.

*

Un type comme lui, on n'en avait pas vu depuis longtemps dans le coin, dit-on alors dans les allées du Capitole de Little Rock, le centre du pouvoir. Depuis très exactement un certain Dale Bumpers, qui a dominé la scène politique locale trente ans durant, et dont la mort récente, en janvier 2016, lui a quasiment valu des funérailles nationales, à l'échelle de l'Arkansas s'entend. Dale Bumpers, gouverneur, puis sénateur de l'État, avait tous les attributs pour avoir un destin national. Élection après élection, son nom revenait sur la liste des présidentiables..., sauf qu'il n'a jamais sauté le pas. Bill est d'une autre trempe. C'est l'ambition faite homme, dotée d'un moteur turbo breveté Hillary Rodham.

Quand il rate à quelques voix près l'élection législative de 1974, Bill a surtout prouvé qu'il pouvait, à trente ans, sérieusement bousculer un briscard bien implanté, John Paul Hammerschmidt. Il devient donc le jeune espoir du parti démocrate local. Toutes les portes lui sont ouvertes. Il bénéficie déjà d'un solide réseau de contacts politiques qu'il sollicite pour tâter le terrain. Et voudrait bien prendre sa revanche sur le congressman Hammerschmidt, qui commence à baisser dans les sondages – mais c'est risqué. Alors il se replie sur une position d'attente. Le poste d'*Attorney General* (procureur général) de l'État, qui est électif aux États-Unis, va bientôt se libérer. Un rôle taillé sur mesure pour lui, fin juriste diplômé

1. *Ibid.*

de la Yale-Law-School et prof de droit. Son ex-attaché de presse, Doug Wallace, lui conseille d'y aller. Être *Attorney General*, c'est traiter de la vie quotidienne des gens et cela donne de la visibilité à son titulaire. Le 17 mars 1976, Bill Clinton annonce donc sa candidature sous la rotonde du Capitole de l'Arkansas, parlement de l'État construit en 1915 dans un style néoclassique. Avec évidemment Hillary à ses côtés. C'est la première fois qu'on les voit ensemble en campagne. Le candidat et l'épouse. L'image se répétera.

Totalement impliquée dans ses cours à la fac, Hillary met alors en sourdine son opposition à la peine de mort, susceptible de faire capoter la candidature de son mari. Bill est facilement élu : le parti républicain ne présente même pas de candidat. Il lui suffit d'éliminer ses deux adversaires aux primaires démocrates, deux aimables fonctionnaires dépourvus d'expérience électorale.

Après la victoire, les Clinton se mettent au vert. Vacances avec Hillary à Paris puis en Espagne où ils vont visiter le village de Guernica, pendant l'été 1976. À leur retour, ils déménagent. Bye bye Fayetteville et sa douce ambiance vaguement bobo (on n'emploie pas encore le terme à l'époque), bonjour Little Rock où se trouve le bureau du nouvel *Attorney General*. Pour 34 000 dollars, le couple Rodham-Clinton achète une petite maison de 80 mètres carrés au 5419 L street, en plein cœur du quartier de Hillcrest, pas très loin du Capitole et des bâtiments officiels du centre-ville. Un premier basculement dans leur vie commune.

Hillary a du mal à se faire à Little Rock, ville compassée où il faut respecter une certaine étiquette, loin de l'ambiance étudiante de Fayetteville, où elle s'était fait des amis rapidement. Elle y retrouve cependant Vince Foster qu'elle avait rencontré quand elle dirigeait la permanence d'aide judiciaire à la faculté de droit[1]. Vince est un ami d'enfance de Bill rencontré à l'âge

1. Hillary Rodham Clinton, *Living History*, *op. cit.*

de quatre ans. Ils jouaient aux billes dans les jardins mitoyens de leurs parents. Les Clinton le retrouvent à Little Rock où Foster est devenu l'un des associés du cabinet Rose Law, le plus prestigieux de la ville. Vince rêve d'y faire entrer une femme. Hillary a le profil idéal, le fait d'être l'épouse du procureur général de l'État ne gâchant évidemment rien. Il lui propose le job, elle accepte.

Entrer dans un cabinet d'avocats d'affaires est un reniement de ses idéaux de jeunesse, car jusqu'alors Hillary a toujours affiché du dédain envers cette catégorie de juristes. À la firme Rose Law, la clientèle est top niveau : ce sont les plus grosses sociétés de l'État (Tyson Foods), les dynasties locales comme les Walton, propriétaire de la chaîne de distribution WalMart (numéro un mondial du secteur connu pour ses pratiques managériales discutables), la famille Stevens (à la tête de la banque d'investissement éponyme et d'une immense fortune aujourd'hui estimée à plusieurs milliards de dollars). Évidemment, le salaire est confortable. Reste qu'Hillary, l'activiste qui, en 1971, faisait un stage d'été chez Robert Treuhaft, avocat radical d'Oakland, en Californie, travaille désormais pour les puissants.

Chez elle, le pragmatisme a pris le dessus sur l'idéalisme. Elle est la fille de son père, Hugh Rodham, cet homme si près de ses sous, épargnant avisé. Dans le couple Clinton, elle est celle qui garde la tête sur les épaules. Le poste d'*Attorney General* est mal payé, mais Bill s'en fiche royalement. L'argent ne l'intéresse pas. Hillary, si. Elle a toujours eu peur de ne pas boucler les fins du mois. « Je suis né à l'âge de seize ans et j'en aurai toujours seize dans ma tête, a un jour lâché Bill, Hillary est née à l'âge de quarante ans[1]. »

Comme son père, Hillary est obsédée par la peur de manquer d'argent. Sur le conseil de Jim Blair, le mari de Denise, sa

1. James B. Stewart, *Blood Sport, the President and his Adversaries*, Simon & Schuster, 1996.

meilleure amie, elle se lance dans des investissements ultra-spéculatifs : des Futures, contrats à terme, sur bovins. Avec succès : elle gagne 100 000 dollars d'un coup, une fortune. Rien d'illégal, mais est-ce bien raisonnable de jouer et gagner au casino agricole quand votre mari fait campagne sur un programme de gauche préconisant plus d'égalité et de justice sociale ? Elle se gardera d'en faire état jusqu'en 1994, quand elle diffusa, à contrecœur, sa déclaration d'impôt. Hillary mise aussi sur l'immobilier pour retraités, en s'associant avec son ami Jim McDougal qui roule en Bentley bleue. Le projet, situé sur la rive sud de la White River, qui devait dégager de juteux bénéfices, se soldera par de grosses pertes pour le couple. Surtout, il sera à l'origine de l'affaire Whitewater, une saga judiciaire interminable qui empoisonna la vie des Clinton pendant plus de deux décennies.

Mais, en 1978, rien ne semble résister au « *Golden Couple* » de Little Rock. Dans son nouveau bureau de procureur, Bill jubile comme un gamin. Les témoins de l'époque se souviennent que, le soir, il se baladait parfois dans les couloirs, à une heure avancée, avec un grand sourire, admirant les hauts plafonds, les moulures. Savourant le pouvoir et son apparat.

En cette période post-Watergate, les vents sont favorables aux Démocrates. Jimmy Carter, un sudiste comme Bill, lui propose de présider sa campagne présidentielle dans l'Arkansas, et offre à Hillary de coordonner les volontaires dans l'Indiana, ce qu'ils acceptent avec enthousiasme. Au final, Bill est élu procureur général le jour même où Carter entre à la Maison-Blanche. Ce qui signifie que, pendant les quatre années qui vont suivre, les invitations pleuvront. Bill et Hillary seront quasiment invités permanents à Washington, eux qui incarnent le renouveau du parti démocrate.

C'est l'Amérique : les carrières se font – et se défont – très vite. À trente ans, Bill est déjà quelqu'un qui compte. À l'époque, tout le monde a compris que sa prochaine étape est l'élection de 1978. Va-t-il se présenter pour être gouverneur ou sénateur de l'État ? Les paris sont ouverts. En vérité, il hésite. Steve Smith, le chef de cabinet de Bill, est harcelé par un drôle de type qui parle de manière saccadée, Dick Morris. Spécialiste en sondages basé à New York, ce mercenaire de la politique offre ses services aussi bien aux Républicains qu'aux Démocrates. Il en faut plus pour émouvoir Bill, qui lui accorde un rendez-vous. Morris accourt : il a lu de nombreux articles et voit en lui un bon cheval sur lequel miser. Le courant passe entre les deux hommes. « Ce que j'aimais vraiment chez lui, c'était qu'il me disait des choses que je n'avais pas envie d'entendre, dira Bill plus tard. Il voulait toujours faire des campagnes agressives et créatives. Beaucoup de gens, surtout dans l'Arkansas, ne supportaient pas son arrogance. Moi, il me stimulait, et je voyais quand il avait raison ou tort[1]. »

Dick Morris est un témoin unique de l'histoire de Bill et Hillary. Il habite aujourd'hui au milieu des arbres du Connecticut, à un peu plus d'une heure de New York, dans une confortable maison en bois blanc, décorée avec goût par sa femme, Eileen. À l'intérieur, tout est parfait. Les vases sont à leur place, la cuisine est décorée d'une grande affiche célébrant une exposition de Van Gogh au musée d'Orsay – Dick étant francophile. La maîtresse de maison, fière de son *home sweet home*, nous fait même visiter la chambre à coucher du couple, une belle pièce d'angle, au plafond surélevé, qui fut autrefois un salon au rez-de-chaussée. On y dort si bien qu'il lui arrive de se réveiller « très tard, le matin. La vue, l'hiver, sur les arbres enneigés, est féerique[2] ».

1. Bill Clinton, *My Life*, *op. cit.*
2. Entretien avec Eileen McGann, 21 mars 2016.

Dans les pièces de réception, il n'y a aucune photo, alors que, souvent, les Américains adorent exposer aux yeux des visiteurs leur bonheur familial ou leur réussite professionnelle. Dans le cas des Morris, les clichés de Dick et Eileen avec les grands de ce monde sont nombreux : ils les ont côtoyés pendant les deux années vécues au cœur du pouvoir, entre fin 1994 et 1996. Mais ils dorment dans les tiroirs. La seule pièce qui trahit la passion du couple pour la politique, c'est le petit bureau en contrebas de la cuisine, derrière la buanderie où un mur est entièrement couvert de livres politiques et historiques, soigneusement archivés. Dans le garage, au milieu d'un capharnaüm de souvenirs, Dick a empilé de nombreux exemplaires de ses propres ouvrages : « Dix-huit en tout, dont de nombreux *best-sellers.* » Son prochain livre doit sortir juste avant les élections américaines de novembre 2016. Titre de travail : « Comment faire perdre Hillary Clinton[1] ». Car si les Clinton ont fait la carrière de Dick Morris, il œuvre aujourd'hui à leur destruction.

Il nous reçoit en tout cas avec une extrême courtoisie. Toujours prévenant, il s'inquiète de savoir s'il nous manque quelque chose, un verre d'eau, une connexion Internet. S'il est tourmenté, animé par un besoin de vengeance, une quelconque animosité à l'égard des Clinton, il ne le montre pas. Son sourire, ses dents blanches impeccablement rangées lui servent de masque.

Dick Morris est un personnage étrange. Quand il rencontre Bill, son premier client, il a quasiment le même âge – trente ans – et exerce le métier de ses rêves d'enfant : consultant politique. Il a mené sa première campagne à l'âge de neuf ans, pour un voisin qui s'appelle Mark Zarro et veut se faire élire délégué des élèves auprès de la direction de leur école. Dick, fan de

1. Le livre s'appellera finalement *Armageddon. How Trump can beat Hillary*, co-écrit par Dick Morris et Eileen McGann.

Zorro, invente alors son premier slogan : « Z comme Zarro. » Facile, mais efficace. Mark est élu. Premier succès politique. À l'âge de douze ans, Dick enfile une veste, noue une cravate et frappe à toutes les portes de l'immeuble de l'Upper West Side à New York où il habite avec ses parents pour convaincre les habitants de voter John F. Kennedy, qu'il vénère. Un point commun avec Clinton.

Dick Morris vient d'une famille ayant beaucoup de connexions dans le Bronx, au nord de New York. Sa mère est une démocrate, féministe engagée, fan d'Hillary, qui la rencontrera pendant « une demi-heure alors que cinq minutes étaient prévues au programme, par pure gentillesse parce que, vraiment, maman était si âgée et fragile qu'elle ne pouvait pas faire grand-chose pour elle[1] », raconte un Dick reconnaissant dans les premières transcriptions de son passage à la Maison-Blanche. Son père, également démocrate[2], est un avocat réputé spécialiste en immobilier, très introduit au sein des milieux politiques de la ville, lesquels font la pluie et le beau temps dans le bâtiment. Il se souvient avoir croisé Donald Trump enfant, qui a presque le même âge que lui, et dit « ne pas en garder un souvenir très précis », mais avoir appris à « bien le connaître par la suite et à beaucoup l'apprécier[3] ». Roy Cohn, le cousin de Dick, est aussi une figure de la politique, dans sa face la plus noire puisqu'il fut l'avocat de Joseph McCarthy pendant la période de l'épuration anticommuniste à Hollywood. Cohn s'est vite fait un nom en tant que ténor du barreau, défendant des clients célèbres comme Aristote Onassis, mais aussi des caïds de la mafia, et se bâtissant une réputation et une carrière qui, *dixit* la mère de Dick, était

1. Entretien avec Dick Morris, 21 mars 2016.
2. Dick Morris, « In remembrace of Gene Morris », *Newsmax*, 26 juillet 2010.
3. Entretien avec Dick Morris, 21 mars 2016.

« exactement ce qu'il ne fallait pas faire ». Roy Cohn, un personnage tragique superbement incarné par Al Pacino au petit écran dans *Angels in America* de Mike Nichols, série télévisée diffusée sur HBO en 2003 (et l'année suivante sur Canal +) qui raconte la vie de cet avocat maudit, richissime, tout-puissant qui, sa vie durant, cacha son homosexualité... et le sida dont il mourut.

Dick Morris parle de son cousin Roy avec le sourire. Dick sourit beaucoup, il faut le dire. Enfant unique, à la table du dîner, ses parents ne parlaient que politique. Pour faire partie de la conversation, il les imitait : il lisait le *New York Times* dès l'âge de huit ans et connaissait la politique internationale. « J'ai grandi vite », se souvient-il.

Enfant prématuré, il prétend être « né avec un complexe d'infériorité ». Pas très grand (1,73 mètre), ayant tendance à rondouiller sérieusement, il affirme que la célébrité lui fait peur – ce qui est étonnant chez un politique – et prétend préférer l'ombre à la lumière. Dans sa jeunesse, il reconnaît volontiers s'être comporté comme un pitbull, en colère contre la terre entière, avant de s'apaiser au début de la trentaine grâce à Eileen, sa seconde épouse, et à sa psy, à laquelle il voue une reconnaissance éternelle comme on le découvre dans ses premiers Mémoires, *Behind the Oval Office*[1].

Quand Dick Morris rencontre les Clinton, en 1977, il ne fait que croiser Hillary. Elle est alors « une épouse d'homme politique comme une autre, totalement absorbée par sa carrière d'avocate, qui ne joue aucun rôle dans la campagne de son mari[2] », témoigne-t-il. Il tombe tout de suite sous le charme de Bill. « J'ai immédiatement senti que je rencontrais un futur président des États-Unis », explique-t-il aujourd'hui. Il se

1. Dick Morris, *Behind the Oval Office*, *op. cit.*, p. 60.
2. Entretien avec l'auteur, *ibid.*

souvient de sa stupéfaction en découvrant la photo d'une pin-up grandeur nature collée du sol au plafond sur le mur des toilettes de son bureau de procureur général de l'Arkansas. « Êtes-vous sûr que cette image a sa place ici ? » lui demande-t-il. « Mais c'est Dolly Parton ! », répond en riant Clinton qui ne voit pas en quoi l'image de sa chanteuse de country préférée pourrait poser problème dans les W.-C. du procureur d'un État aussi conservateur que l'Arkansas. Dick Morris assiste par ailleurs aux incartades de Bill, notamment lors d'un dîner à New York, au *Four Seasons Hotel* de Manhattan, où il le découvre accompagné d'une étudiante de dix-neuf ans, présentée comme une journaliste, avec laquelle il roucoule ouvertement, main dans la main sous la table, devant Morris et sa femme Eileen, éberlués par autant d'imprudence dans un lieu qui est alors la Mecque des repas d'affaires de la ville.

Le candidat au poste de gouverneur est séduit quand le conseiller lui explique ses méthodes de travail particulières et « assez nouvelles pour l'époque ». « J'avais remarqué qu'à Hollywood, les producteurs de James Bond réalisaient des sondages pour demander au public ce qu'ils voulaient voir dans leurs films, le genre de gadget, la fin, etc. Je me suis dit : pourquoi ne pas faire pareil en politique[1] ? » Après tout, une campagne électorale est un long scénario. Bill adore le concept.

À l'époque, David Pryor, le gouverneur démocrate de l'Arkansas, de douze ans l'aîné de Bill, n'est pas candidat à sa succession. Il veut troquer son poste contre celui de sénateur, beaucoup plus confortable et pérenne. Mais il pressent que si Bill se présente, ça sera un bain de sang électoral. Un jour, au détour d'un déplacement, il lui pose franchement la question : « À quoi vas-tu te présenter[2] ? », demande-t-il sur la banquette

1. *Ibid.*
2. Carl Bernstein, *A Woman in Charge*, *op. cit.*

arrière de la voiture officielle. Bill reste évasif. Il n'a pas encore pris sa décision et attend le verdict d'un sondage commandé auprès de Dick Morris. Quand il tombe, c'est très clair : il a beaucoup plus de chances de gagner s'il se présente à la succession de David Pryor au poste de gouverneur qu'à celui de sénateur.

En février 1978, Bill annonce donc sa candidature, avec Hillary à ses côtés, face à des supporters surexcités et des journalistes locaux nombreux. À l'époque, le couple fait figure de bons clients pour les médias. Elle porte un tailleur et un foulard BCBG. Sa coiffure permanentée lui donne un look de « *career woman* ». Comme elle a changé depuis la fac ! Chez lui, ce qui frappe, c'est sa jeunesse. Bill, alors âgé de trente et un ans, a un look seventies, avec une chemise à col « pelle à tarte », un veston à revers larges, une grosse cravate à motifs, des yeux pétillants de gamin et ce grand sourire enthousiaste qui donne l'impression que décidément, dans cet État du Sud conservateur, un nouveau type d'homme politique émerge. Il est « le petit génie de la vie politique de l'Arkansas », comme l'appelle, en juillet 1978, le *New York Times* dans un article monté en Une[1]. Bill explique alors qu'il veut devenir gouverneur plutôt que sénateur, parce que, « à ce poste, on a bien plus d'impact sur la vie des gens qu'avec n'importe quel autre mandat électif ». Après une pause, il reprend : « N'importe quel autre mandat, sauf celui de président des États-Unis. » Hillary approuve d'un signe de tête. Tout le monde comprend que, déjà, ensemble, tous deux voient loin.

Absorbée par son nouveau job d'avocate, Hillary s'implique peu dans la campagne de son mari. Elle se borne juste à donner son avis sur l'orientation politique et sur les collaborateurs qui l'entourent, ce qui est beaucoup, mais, en réalité, pas grand-chose par rapport à la place qu'elle prendra par la suite dans les

1. Howell Raines, « New faces in southern politics : women, young and outsiders », *The New York Times*, 3 juillet 1978.

campagnes. Mais déjà, elle est très critiquée. Parce qu'elle a gardé son nom de jeune fille, elle passe pour une pasionaria, une ambitieuse qui n'aurait rien à faire dans ce petit État rural et traditionnel. À Little Rock, elle tranche : tous les hommes politiques sont mariés à des femmes discrètes, qui, pour la plupart d'entre elles, ne travaillent pas. Il est mal vu de faire de l'ombre à son époux. Hillary se moque de ces conventions et ne fait guère d'efforts pour se couler dans le moule. Frank Lady, le rival républicain, ultra-conservateur, soutenu par le mouvement de la majorité morale qui commence à prendre de l'ampleur, l'attaque aussi sur les conflits d'intérêts entre sa fonction d'avocate, et celle de son mari, *Attorney General.* « Leur plus grosse erreur, c'est d'avoir cru qu'ils pouvaient utiliser ma femme contre moi[1] », affirme Bill dans le *New York Times* en juillet 1978. Il a raison… cette fois-ci. Il a surtout de la chance de ne pas être né au XXIe siècle. Car, à l'époque, il prend tous les risques. À quelques semaines du scrutin, il lui arrive souvent d'aller terminer la soirée dans une discothèque après un meeting, de préférence en agréable compagnie. À la fin des années soixante-dix, on est encore loin de l'ère des Smartphones, d'Internet et autres réseaux sociaux. Aujourd'hui, une photo compromettante serait inévitablement sortie sur la toile et aurait signé l'arrêt de mort de sa campagne. Les rivaux de Bill multiplient d'ailleurs les allusions transparentes aux rumeurs qui entourent ses infidélités, mais tant qu'il n'y a pas de photo, ils ne peuvent rien.

Le 4 novembre, il triomphe donc avec 63 % des voix. Le voilà élu « plus jeune gouverneur de l'histoire de l'Arkansas ». D'emblée, la presse le surnomme le « *Boy Governor*[2] ».

1. *Ibid.*
2. R. Emmett Tyrrell Jr., *Boy Clinton, the Political Biography*, Regnery Publishing, 1997.

Bill et Hillary emménagent dans la résidence du gouverneur, une « mansion » de style néoclassique construite au début des années cinquante sur 900 mètres carrés. « C'était tellement grand qu'on n'avait pas assez de meubles pour tout remplir[1] », note Bill dans ses Mémoires. Pour égayer l'endroit, il va créer une salle de jeux au sous-sol avec des flippers, qu'il utilisera la nuit pendant ses fréquentes insomnies.

Arrivé très vite au sommet, Bill multiplie… les faux pas. Il a été élu en promettant de réveiller l'Arkansas. Une funeste erreur qu'il répétera en entrant à la Maison-Blanche. Il se lance dans une politique d'augmentation des impôts pour financer les infrastructures routières. Des dépenses prévues dans son programme – qui ne recense pas moins de 53 réformes à mettre en place en deux ans ! –, mais qui, rapidement, le font chuter dans les sondages. « Il a réussi à braquer d'emblée beaucoup de monde autour de lui, en s'entourant d'une troïka d'assistants barbus venus d'ailleurs, au look gauchiste, qui ont fait très mauvais effet sur les électeurs[2] », se souvient Bobby Roberts, qui fut lui-même conseiller de Bill en charge des relations avec les élus dans les années quatre-vingt. Il se laisse en outre griser par le pouvoir et ses avantages. Son penchant prononcé pour les blondes décolorées en minijupe et bijoux voyants alimente la chronique. Le moulin à rumeurs tourne à plein régime. Sans oublier sa tendance à inviter tout le monde dans son bureau. Ce qui ne l'empêche pas d'être en permanence sur le terrain, à serrer des mains et rencontrer les électeurs, contact dont il ne peut pas se passer. « Viens me voir quand tu veux », a-t-il coutume de lancer à ceux qui lui racontent leur vie et leurs problèmes[3]. Sympathique, mais chronophage et contre-productif quand on promet monts et merveilles et que

1. Bill Clinton, *My Life*, *op.cit.*
2. Entretien avec l'auteur, 29 février 2016.
3. Gail Sheehy, *Hillary's Choice*, *op. cit.*

rien ne se produit… C'est l'époque où le caricaturiste George Fisher le dessine en bébé dans un landau dans tous ses dessins. Parce qu'on le taxe alors de « narcissisme infantile[1] ».

Hillary, elle, refuse de jouer les « femmes de gouverneur ». Elle est promue associée du cabinet Rose Law, quelques mois après l'élection de Bill – ce qui évidemment fait jaser – et snobe en plus les inaugurations et toutes les obligations dévolues à sa position de première dame de l'État. Ce qui l'intéresse, c'est la politique publique. Bill l'a nommée présidente du comité consultatif chargé de réformer le régime d'assurance-maladie dans l'État. Elle prend ce rôle très à cœur, donne son avis sur toutes les grandes décisions politiques qui vont jalonner le mandat de son mari, tout en poursuivant ses activités d'avocate d'affaires. On la dit hautaine, lointaine, distante dans les dîners en ville. On la voit conduire elle-même son Oldsmobile dans les rues, attitude perçue comme une mauvaise manière, presque de la provocation, par la bourgeoisie de Little Rock.

Entre Bill et Hillary, les tensions réapparaissent. Hillary n'est ni sourde, ni aveugle, même si elle a cessé de lire la presse – une habitude qu'elle gardera dans la suite de sa vie pour se protéger. L'un et l'autre sont de moins en moins en phase. Il est du soir et se couche vers deux ou trois heures du matin. Elle est du matin, éteint la lumière à 22 heures pour être au bureau à 7 h 30 le lendemain. Heureusement, le bébé miracle arrive. Le 27 février 1980, au terme d'une grossesse difficile, Chelsea naît.

*

À cette époque, Hillary la politique se révèle. Bien plus que Bill, elle sent le désastre venir. L'heure est à la révolution

1. *Ibid.*

conservatrice de Reagan qui va être élu président en 1980. La mode des sixties et seventies, avec Bill jouant du saxo à son gala d'inauguration de 1978, est dépassée. La crise des réfugiés venant de Cuba, fuyant le régime de Castro, constitue un sérieux boulet pour Clinton, puisque, sur injonction de la Maison-Blanche du démocrate Jimmy Carter, il a été contraint d'en accepter un grand nombre dans son État au centre militaire de Fort Chaffee. Pour son rival républicain Frank White, en campagne afin de récupérer son siège, c'est du pain bénit.

À quelques jours du scrutin, Hillary tente l'opération de la dernière chance. Elle prend l'initiative de rappeler Dick Morris. Le sondeur, qui a travaillé deux ans plus tôt sur la campagne de Bill avec succès, s'est fait beaucoup d'ennemis. Il a fallu le virer. Plus personne, dans l'entourage des Clinton, ne pouvait supporter sa façon très particulière d'appeler un chat un chat, avec sa voix nasillarde.

New-Yorkais jusqu'au bout des ongles, son style tranchant ne passe pas du tout dans l'indolent Arkansas où l'on dit toujours les choses à moitié. « C'est difficile de travailler avec toi », a déclaré un jour Hillary à Dick. Morris a très mal pris son limogeage.

Comme si rien ne s'était passé, Hillary le contacte chez lui et tombe sur sa femme, Eileen McGann. « Bonjour, est-ce que Dick est là ? Bill est en difficulté, il faut qu'il descende dans l'Arkansas immédiatement[1]. » Eileen lui répond qu'il travaille sur d'autres campagnes et qu'elle doute qu'il puisse entreprendre le déplacement. Mais elle transmet le message à son mari, qui accepte de venir rejoindre les Clinton à Little Rock. Quand Dick arrive, il est déjà trop tard. Les premiers sondages sont catégoriques : Bill va perdre. Et l'expert l'annonce sans

1. Entretien avec Eileen McGann.

fard, comme à son habitude, à Hillary. Or c'est précisément ce qui se produit, le soir du 4 novembre 1978. Le « *wonderboy* de l'Arkansas » cède la place au Républicain Frank White, un gars du coin truculent avec sa grosse voix et sa haute stature, très « ancienne génération », diplômé de la Naval Academy. La défaite a un goût de restauration. Elle n'est pas humiliante, car le score s'est joué à quelques voix près, mais laisse Bill Clinton en lambeaux. Il est tellement abattu que c'est Hillary qui, le soir des élections, vient remercier ses supporters et militants. Son mari les reçoit le lendemain à la résidence du gouverneur, les yeux cernés par une nuit sans sommeil.

C'est probablement à ce moment-là qu'Hillary réalise la vulnérabilité de son mari. Quand il sombre dans la dépression, il est littéralement prostré. Lui, l'hyperactif, capable de faire dix choses à la fois, devient incapable de bouger, « d'une passivité digne d'un bouddha[1] », selon Bill Curry, qui fut plus tard son conseiller présidentiel. Il trouve aussi consolation dans les bras de maîtresses de passage. Gennifer Flowers dira plus tard qu'elle le voyait fréquemment à cette époque-là. Quand il est convaincu que sa carrière est finie – il n'est pas le seul –, Hillary croit encore en lui. Elle comprend surtout, à ce moment, que le combat électoral est vital pour son mari. S'il perd, il ne sera plus jamais le même. Son but est donc « de l'aider à sortir du naufrage et sauver sa famille », note David Brock dans *The Seduction of Hillary Rodham*[2].

Mais, progressivement, l'épouse se transforme en sergent-chef, coach, directeur de campagne et stratège du candidat. « En 1978, analyse Dick Morris[3], ils formaient un couple avec deux

1. Gail Sheehy, *Hillary's Choice*, *op. cit.*
2. David Brock, *The Seduction of Hillary Rodham*, Free Press, 1996.
3. Entretien avec l'auteur.

jobs parallèles ; en 1981, Hillary s'est imposée chef et directrice de leur carrière commune. »

Coup de fil d'Hillary à la fidèle Betsey Wright, la même qui, deux ans plus tôt, annonçait la victoire à Bill dans son QG de campagne. Elle lui demande de venir toutes affaires cessantes s'installer dans la résidence du gouverneur. Une présence qui correspond aux trois mois s'écoulant entre l'élection de novembre 1978 et l'intronisation du successeur, en janvier 1979. Joan Roberts, l'attachée de presse de Bill, également mise à contribution, va utiliser la période de transition où ils sont encore aux commandes pour mettre de l'ordre dans les affaires de Bill, et, notamment, archiver ses contacts, mettre en fiche les cartes de visite de tous ceux qui, durant sa législature, ont manifesté leur soutien, et qui, demain, peut-être, pourront à nouveau se voir sollicités pour financer de futures campagnes (l'heure n'est pas encore aux ordinateurs et à Internet, tout est écrit, sur papier, à la main ou à la machine). Un trésor de guerre qui peut servir. Voilà Bill coaché par celles qu'on appelle alors les trois Valkyries : Hillary, Betsey et Joan.

Bill a toujours aimé les fortes femmes. La confrontation n'est pas son truc, contrairement à Hillary à laquelle il délègue volontiers ce genre de tâche. Les deux se complètent. Elle voit des ennemis partout, il s'entiche de gens qui n'en valent pas forcément la peine. Elle est structurée et organisée, il est intuitif et arrive toujours en retard. Il adore les surprises, elle a tendance à tout prévoir assez tôt. Le matin au réveil, il se demande ce que la journée lui réserve, elle fait déjà le décompte des obligations assommantes qui l'attendent[1].

Alors, quand il se croit devenu tocard de la politique à tout jamais, elle prend le relais, avec le renfort de Dick Morris, le

1. Carl Bernstein, *A Woman in Charge*, *op. cit.*

mauvais génie de Bill, dont elle est proche. Celui-ci pense que la reconquête du pouvoir est possible.

Hillary organise aussi leur nouvelle vie. Ils s'installent dans une maison encore plus petite que celle qu'ils habitaient avant d'occuper l'immense résidence du gouverneur. Bill trouve refuge dans un cabinet d'avocats dirigé par un ami d'enfance, Bruce Lindsey. Payé 34 000 dollars par an – alors qu'Hillary touche 56 000 dollars[1] –, il ne s'investira pas vraiment. Son bureau est minuscule. Il va en réalité passer le plus clair de son temps à sillonner l'Arkansas.

Bill raconte souvent l'anecdote d'une rencontre avec un électeur déçu[2]. Celui-ci lui explique qu'il a voté pour son opposant parce qu'il a augmenté le prix de la vignette de son camion, mais qu'il est prêt à revoter pour lui néanmoins. Clinton cherche à savoir pourquoi. « Parce que je t'ai donné une bonne leçon. Maintenant, on est quittes », répond l'interlocuteur.

Tout espoir est donc permis. Parce qu'un électeur a la mémoire courte, et parce que son concurrent, mal élu, commet des erreurs et voit vite sa popularité s'émousser. Mais, comme le dit Dick Morris : « Il faut y aller avec tact[3]. »

Clinton remonte donc la pente pas à pas, modestement, en s'excusant, sous la forme d'une campagne publicitaire télévisée diffusée début février 1982. « Mon père n'a jamais eu à me fouetter deux fois pour la même bêtise », dit un Bill contrit face caméra. L'idée est d'Hillary, sur la foi des sondages de Dick Morris prédisant que les électeurs sont prêts à passer l'éponge.

1. Déclaration de revenus publiée le 23 juillet 1999.

2. Cette anecdote est notamment racontée sur une vidéo diffusée au Clinton presidential center, la librairie présidentielle du président Clinton à Little Rock.

3. Entretien avec l'auteur.

Puis, le 27 février 1982, jour des deux ans de leur petite fille, il donne une conférence de presse où, à nouveau, il met en avant la jeunesse de son couple, à l'aide d'un slogan-choc : « Le second anniversaire de Chelsea, la deuxième chance de Bill. »

À cette occasion, Hillary apparaît métamorphosée. Elle s'est éclairci les cheveux et a troqué ses grosses lunettes contre des lentilles de contact. Surtout, elle annonce qu'elle a changé de nom. Il était temps d'évacuer ce sujet qui fâche. Dans l'ombre, elle est la directrice officieuse de campagne de son mari, pour le plus grand bien de ce dernier, mais l'électorat ne lui pardonne toujours pas d'avoir conservé son nom de jeune fille. Sur le conseil de Vernon Jordan, célèbre avocat noir ami du couple, elle a consenti à cette grosse concession. Lors de la conférence de presse, Bill est interrogé à ce propos sur le sujet, car la rumeur court. Il passe le micro à Hillary qui répond : « Je n'ai pas besoin de changer mon nom. J'ai toujours été Madame Clinton. J'ai gardé Rodham pour le cabinet d'avocat, mais je vais prendre un congé sabbatique et je serai Madame Bill Clinton. Je pense que les gens vont se lasser d'entendre parler de Madame Bill Clinton[1]. » Du Hillary pur jus. Ne jamais perdre la face. Le 2 novembre 1982, Bill est réélu.

11 janvier 1983. Little Rock célèbre l'installation du nouveau gouverneur, le premier dans l'histoire de l'Arkansas à revenir aux affaires après une défaite. Le moment est historique. Quand Hillary apparaît au gala, à l'hôtel *Excelsior*, on ne l'a jamais vue aussi élégante. Elle porte une robe longue en dentelle de Chantilly « extrêmement féminine, sophistiquée, légère et vaporeuse », qui surprend les convives. Souvent moquée pour ses tenues sans grâce ou ses coiffures hasardeuses, elle s'impose comme « la belle de la soirée »... Elle est désormais une First Lady parfaite, qui demande à l'orchestre de jouer de la

1. David Maraniss, *First in his Class*, *op. cit.*

country, pour le plus grand bonheur des invités. « La vérité m'oblige à dire que c'est une victoire à deux : nous avons gagné cette élection[1] », lance Bill Clinton, sous le regard complice et enamouré de son épouse saluée par un tonnerre d'applaudissements. On ne saurait mieux dire.

1. Gail Sheehy, *Hillary's Choice*, *op. cit.*

Chapitre 5

Maîtres de l'Arkansas

Fin août 1991 :
le jour où Hillary
convainc Bill de se présenter

À Little Rock, un matin, Hillary voit Bill assis sur le rebord du lit conjugal, perdu dans ses pensées. Et devine ce qui le perturbe.

— Je pense que tu dois y aller, dit-elle.

— Tu es vraiment sûre ? Qu'est-ce que qui te fait penser cela ? répond-il.

— Tu es exactement le candidat qu'il faut[1]. »

Hillary songe à tous les sujets d'une campagne électorale qu'ils ont passés en revue durant l'été : la relance de l'économie qui s'essouffle, la lutte pour les droits des minorités raciales, le recentrage du parti démocrate. Bill a quarante-cinq ans. Hillary estime le pays mûr pour élire un « *baby-boomer* ». Son heure est venue, elle en est convaincue.

— Et qu'est-ce qui va se passer ? demande-t-il alors.

— Je pense que tu vas gagner.

— Tu crois vraiment ?

— Oui, vraiment !

---

1. Bob Woodward, *The Agenda : Inside the Clinton White House*, Wheeler Publishing, 1994.

— Tu sais, beaucoup s'attendent à un long chemin semé d'embûches.

— Pas moi. Si tu te présentes, tu vas gagner. Donc tu ferais bien de te décider et de changer deux ou trois choses dans ta vie…

Que veut-elle dire par là ?

*

Voilà dix ans que Bill et Hillary sont les maîtres de l'Arkansas. L'État n'a jamais connu une telle longévité pour son gouverneur, à l'exception de Orval Faubus, qui occupa le poste dans les années cinquante, mais qui reste dans l'histoire comme l'homme ayant voulu prolonger la ségrégation raciale dans le lycée de Little Rock, donc pas vraiment un bon souvenir. La décennie Clinton est plus pacifiste et progressiste, mais elle appartient au passé, l'électorat ayant désormais basculé à droite. « Bill ne serait pas élu aujourd'hui », confie encore Rex Nelson, qui fut des années le rédacteur en chef politique de l'*Arkansas Democrat Gazette* et qui anime aujourd'hui un blog, le RexNelsonSouthernFried.com, consacré aux « ruminations sur le barbecue, la politique, le foot, le blues, la course de chevaux, la malbouffe et autres sujets importants du jour[1] »…

Hillary affiche alors un salaire de 175 000 dollars par an, cinq fois supérieur à celui de Bill (35 000 dollars), l'un des gouverneurs les plus mal payés du pays. « Hillary n'était pas la première First Lady de l'État à avoir du caractère[2] », poursuit Rex Nelson. Avant elle, nous avons eu Barbara Pryor (épouse du gouverneur Pryor), et Betty Bumpers (épouse du

1. Entretien avec l'auteur, 29 février 2016.

2. *Ibid.*

gouverneur puis sénateur Bumpers), deux personnalités brillantes. Mais elles étaient du coin. Hillary non. C'était une Yankee. Une femme du Nord. Son ton était plus dur et direct que celui de son mari. Je fais partie de ceux qui pensent qu'elle n'aurait jamais pu être élue sur cette terre. »

Peut-être, mais, dès la réélection de Bill en 1982, son influence se fait fortement sentir. Le journaliste David Brock, dorénavant un de ses proches après avoir été l'un des grands pourfendeurs du clan Clinton, lui a trouvé un surnom : « Jeanne d'Arkansas [1] ».

Cette candidature correspond-elle à un deal entre eux ? « Sans Hillary, il aurait implosé dès 1982 [2] », poursuit Rex Nelson. Bill sait avoir une dette envers Hillary, il lui devait sa réélection. Il l'a dit et rappelé publiquement, le soir de son investiture, et encore après. Il a toujours poussé sa femme à faire de la politique. Il l'a écrit dans ses Mémoires publiés en 2001, l'a prouvé en 2008 et ces dernières années en la soutenant (parfois très maladroitement) lors de ses deux campagnes présidentielles successives. Bill n'est pas le genre d'homme à vouloir exercer un ascendant sur son épouse. L'inverse ne l'offusque pas. Il a besoin d'Hillary. De sa vision politique. Et de son agressivité, pour faire le vide autour de lui ou « digérer sa pensée comme une enzyme ». « Bill est un cerveau capable de brasser énormément d'informations, explique de son côté Bobby Roberts, qui sillonna l'État seul avec lui pendant la campagne de 1982 puis fut un proche conseiller durant dix ans, chargé notamment des relations avec les élus. Il ne lit pas les livres ou les rapports, il les dévore, en un temps record. Il a une capacité de concentration incroyable, qui fait que lorsque je l'avais au téléphone, il y avait des silences parce qu'il réfléchissait à autre chose en même

1. David Brock, *The Seduction of Hillary Rodham*, *op. cit.*
2. Entretien avec l'auteur.

temps. Souvent, il faut faire le tri entre les bonnes et les mauvaises idées. Et lui y arrivait. » Et, dans ces cas-là, Hillary lui sert de coach.

Dès lors, normal qu'elle soit de toutes les grandes décisions. Ainsi elle a participé à la composition du cabinet de Bill, fait nommer Betsey Wright au poste de chef de cabinet. Les deux femmes se sont rencontrées en 1972 au Texas pendant la campagne présidentielle de McGovern. Hillary l'a fait venir à Little Rock en novembre 1978 pour organiser la reconquête. Catapultée *chief of staff* du gouverneur, Betsey a eu une mission très précise : le surveiller depuis son bureau voisin. Forte femme au caractère volcanique, grosse fumeuse, elle a la haute main sur l'agenda de son patron réputé ingérable et toujours en retard.

En revenant au pouvoir en 1982, il s'est pourtant calmé. Les leçons de la défaite de 1980 ont été tirées. « Il était devenu beaucoup plus prudent, ce qui lui valut des critiques, poursuit Bobby Roberts[1]. Bill est un modéré, au fond. Du coup, Hillary, avec son style et ses manières plus directes, apparaissait plus dynamique. » C'est particulièrement évident un jour de juillet 1983, quand elle rencontre les sénateurs de l'État.

*

À Little Rock, les législateurs n'ont pas l'habitude de rencontrer la First Lady au State Capitole à une réunion de travail. Mais Hillary a été nommée par son mari, fraîchement élu, en charge de la réforme de l'éducation, qui doit être le grand projet de son mandat de gouverneur. Lui-même l'a annoncé dès le soir de son intronisation, six mois plus tôt.

1. Entretien avec l'auteur, 29 février 2016.

Pourquoi elle ? « Sa nomination ne faisait pas l'unanimité, y compris dans l'entourage du gouverneur, se souvient Don Ernst, qui a travaillé en tant que *staff liaison* au cabinet de Clinton. Mais Bill avait besoin de quelqu'un en qui il pouvait avoir confiance, qui ait l'expérience de travailler avec les populations défavorisées, qui s'y intéresse, qui soit efficace et intelligent. Hillary répondait à tous ces critères[1]. » De fait, l'éducation est sa croisade, depuis toujours. À Little Rock, une bibliothèque pour enfants porte d'ailleurs aujourd'hui son nom : Hillary Rodham Clinton Children's Library and Learning Center. Dirigée par Don Ernst, elle a été construite dans un quartier extrêmement défavorisé, à la limite du bidonville. Le contraste entre la pauvreté des maisons où le tout-à-l'égout n'est pas encore arrivé et l'architecture high-tech de ce bâtiment inauguré en 2013 est une bonne illustration d'un de ses slogans de la campagne présidentielle actuelle d'Hillary : « Construire des ponts. »

En 1983, dans les palmarès des écoles, l'Arkansas est classé en queue de peloton, son système scolaire réputé l'un des plus médiocres du pays. Les Clinton ont donc décidé d'y remédier, autant parce que c'est une nécessité pour l'État qu'un moyen pour Bill d'assurer sa réélection au prochain scrutin, l'année suivante (à cette époque, le mandat de gouverneur de l'Arkansas dure deux ans). Et, à la base, ce credo est une idée d'Hillary. Elle a très vite senti l'avantage électoral que le couple peut tirer de cette mission, en analysant les sondages de Dick Morris. Elle est ainsi convaincue qu'en 1978 Bill a perdu le pouvoir parce qu'il s'était lancé dans trop de projets à la fois pour, au final, n'aboutir à aucun résultat visible. Cette fois, il faut se concentrer sur une réforme populaire, qui marquera l'opinion. L'éducation fait l'affaire.

---

1. Entretien avec l'auteur, 3 mars 2016.

Comme d'habitude, Hillary avale des tonnes de rapports et d'études scientifiques sur le sujet. Et, en juillet 1983, elle se présente au « State Capitol », le bâtiment qui abrite la Chambre des représentants et le Sénat de l'Arkansas, devant les sénateurs et députés de l'État, avec un programme en béton armé. S'exprimant sans notes, elle détaille sa liste de recommandations, élaborée par un comité de quinze membres choisis par elle : accent mis sur les maths et la science, classes limitées à vingt étudiants, distinction entre cours et heures consacrées aux loisirs, comme autrefois « quand on savait faire la différence entre la détente et le travail ». Les législateurs – tous masculins – sont bluffés. Une voix tonitruante résonne, celle de Lloyd George, un démocrate, ancien maire de la petite ville de Danville, vétéran qui fréquente le capitole depuis si longtemps qu'il appartient presque aux murs. « Eh bien les gars, je crois qu'on a élu le mauvais Clinton [1]. » Rires dans la salle. Ce jour-là, Hillary est devenue la gouverneure bis de l'État de l'Arkansas.

*

« Hillary était très énergique et intimidante, se souvient aujourd'hui Don Ernst. J'étais tout jeune, je ne pouvais qu'être terrorisé par elle quand je travaillais sous ses ordres sur la réforme de l'éducation. Nous étions tous respectueux à son égard [2]. » Et avec Bill ? « C'était différent. Mon père avait un magasin de chaussures, le *Don Perkey's Shoes*, et il lui en a souvent offert, pendant de longues années. Ils étaient donc très proches. Bill est devenu un mentor pour moi. Il prend toujours des nouvelles de mes enfants. »

Pour faire adopter sa réforme de l'éducation qui passe forcément par une augmentation des impôts, Hillary a trouvé une

1. Hillary Rodham Clinton, *Living History*, *op. cit.*
2. *Ibid.*

recette miracle : l'évaluation des professeurs. L'idée est conservatrice, populaire dans l'électorat, mais pas chez les enseignants qui forment le cœur des votes démocrates. Ce genre de confrontations, Hillary les aime. David Maraniss, son biographe, appelle cette stratégie un brin populiste « la campagne permanente[1] ». Elle consiste à désigner un ennemi à abattre pour provoquer une mobilisation générale autour d'une politique difficile à faire adopter. En l'occurrence, les *bad guys*, ce sont les syndicats d'enseignants, rapidement accusés de bloquer tout changement. Hillary engage un bras de fer qui s'avérera victorieux. En novembre 1983, sa réforme de l'éducation est votée.

Auréolé de cette victoire, en 1984, Bill bat sans difficulté Woody Freeman, son concurrent républicain.

L'élection de 1986 est cependant plus tendue. Car cette fois, Frank White se présente à nouveau. Avec une revanche à prendre contre Bill : s'il a gagné en 1978, il a perdu deux ans plus tard. Un set partout. Frank White n'a pas oublié qu'Hillary l'a humilié en 1982 en l'interpellant dans ses meetings, l'époque où il n'avait su comment répondre. Ce genre d'hostilité étant une première à Little Rock : on n'avait jamais vu une femme agressive, épouse d'ex-gouverneur, prendre ainsi à partie un adversaire politique en public. Cette fois, le Républicain a trouvé l'angle d'attaque : l'accuser de conflits d'intérêts. À l'en croire, elle profiterait de son statut d'épouse de gouverneur pour ramener du business à son cabinet d'avocat. Du trafic d'influence, en quelque sorte. L'Arkansas est alors connu pour être un petit État « totalement corrompu », nous explique le journaliste d'investigation new-yorkais Murray Weiss, du site internet DNA Info, « où l'on faisait du business entre copains, dans l'opacité la plus complète. Ce qui, vu de Washington et

1. David Maraniss, *First in his Class*, *op. cit.*

des grandes villes du nord de l'Amérique, relève du conflit d'intérêts ne choque personne à Little Rock. » Peut-être. De fait, l'attaque de Frank White se retourne contre son auteur. Les militants de Clinton la tournent en dérision en distribuant des autocollants « *Frank White for First Lady* ». L'intégrité d'Hillary, publiquement mise en cause pour la première fois, n'est pas (encore) un sujet de controverse ni un thème de campagne efficace pour ses adversaires. Et Bill Clinton se voit réélu avec 63 % des voix, pour quatre ans cette fois, la législature ayant voté une réforme du mandat qui double la durée de celui du gouverneur.

Il se sent enfin maître chez lui.

*

À cette époque, les rumeurs relatives aux infidélités de Bill enflent. Il ne se cache guère. Ses gardes du corps (*troopers*) n'aiment pas Hillary, qu'ils trouvent « hautaine », et font circuler des histoires, qui finissent par se retrouver dans la presse, puis sur des procès-verbaux judiciaires. Bien des années plus tard, en 1993, un énorme scandale à ce sujet éclate, le premier de la présidence de Bill. Les faits remontent ainsi au milieu des années quatre-vingt quand il vient précisément de se faire réélire gouverneur. Selon deux *troopers*, Larry Patterson et Roger Perry, il avait alors l'habitude de solliciter, par leur intermédiaire, des femmes qu'il croise sur son passage[1]. Leur témoignage est publié dans une revue de droite, *The American Spectator*, au terme d'une longue enquête écrite par David Brock, ce journaliste aujourd'hui rallié au clan Clinton après, dit-il, avoir compris qu'il s'était fait manipuler par les opposants de Bill. Les allégations des deux *troopers* sont confirmées par un collègue,

1. David Brock, *The American Spectator*, janvier 1994.

L. D. Brown, qui déclare plus tard, dans le même journal, que Bill « note » même ses cibles.

En public, Hillary ne laisse rien paraître. Elle affirmera plus tard que son seul souci, à l'époque, est de protéger Chelsea, alors âgée de six ans, qui peut désormais lire les journaux. La petite fille est le lien qui fait tenir le couple. À l'époque, les époux passent peu de temps ensemble. Elle se couche tôt tandis que lui joue au flipper au sous-sol de la résidence. Le temps qu'ils passent ensemble, ils l'accordent à Chelsea, qu'ils essaient de protéger. Durant des dîners entiers, ils imaginent des débats électoraux, où il prend le rôle de son propre adversaire, et raconte des horreurs sur lui-même. « Mais qui peut dire des choses pareilles ? » pleure Chelsea, au début, puis l'enfant se blinde. Maman est fière d'elle. Elle se revoit à sa place, trente ans auparavant, quand Dorothy Rodham, sa mère, la pressait d'aller donner une bonne gifle à l'une de ses camarades[1].

Et puis, les lie aussi le combat politique. Hillary, sans être naïve pour autant, pense que les rumeurs sont fomentées par leurs ennemis, qui sont déjà nombreux. En 1986, beaucoup prédisent à Bill un destin national. À quarante ans, il vient de se faire élire président de l'association des gouverneurs. Grâce à ce poste prestigieux, il voyage beaucoup, occupe le terrain médiatique et devient de plus en plus visible. L'élection présidentielle approche. Reagan va partir, un renouvellement s'annonce. Côté démocrate, les prétendants sont nombreux, mais, les uns après les autres, ils se retirent. En février 1987, Mario Cuomo, le très populaire gouverneur de l'État de New York, annonce qu'il ne se présentera pas, malgré de nombreux appels du pied. Dale Bumpers, le sénateur de l'Arkansas, autre figure démocrate, se désiste à son tour. Que faire ?

Gary Hart, le sénateur du Colorado, a une belle gueule et du charisme. Bill le connaît bien : il a travaillé pour lui en

1. Hillary Clinton, *It Takes a Village*, Simon & Schuster, 1996.

1972, lors de la campagne présidentielle de George McGovern. Depuis la défection de Cuomo et Bumpers, Hart apparaît en pole position pour remporter la nomination démocrate à la présidentielle. Il a déjà été candidat en 1984 et veut rempiler. Il pense donc son heure venue, comme beaucoup d'analystes politiques. Mais il a un problème : les femmes. C'est un Don Juan. Ça se sait. Un détective privé embauché par une radio locale pour le prendre en flagrant délit d'adultère le suit. Traqué, Gary Hart commet la faute de se croire au temps des Kennedy : il affirme être un mari et père modèle. « Vous pouvez me suivre autant que vous voulez, vous allez vous ennuyer, parce que vous ne trouverez rien », lance-t-il lors d'une conférence de presse. Grave erreur. À l'époque, Gary Hart, c'est du gros gibier. Le plus étonnant, c'est qu'il va être confondu non par un tabloïd, comme Bill plus tard, mais par une presse dite de qualité, le *Miami Herald*, dont les reporters et paparazzis campent devant chez lui – ou devant chez ses maîtresses. Un nom émerge : Donna Rice. Interrogé par une jeune journaliste du *Washington Post*, qui lui demande s'il s'est rendu coupable d'adultère, Gary Hart dément toute relation. Mais, devant l'avalanche d'indices concordants, il est contraint de suspendre sa campagne. Et, en juin 1987, le tabloïd *National Enquirer*[1], en publiant une photo de lui, Donna Rice sur ses genoux, à bord d'un bateau, le *Monkey Business* (qui signifie « affaire louche » en français), l'accable et exit Gary Hart[2].

« Après cette affaire, tous ceux d'entre nous qui n'ont pas eu une vie parfaite se sont posé des questions[3] », confessera plus tard, Bill Clinton. Dire que ce crash en plein vol sème le

1. « Gary Hart asked me to marry him », *The National Enquirer*, 2 juin 1987.

2. Matt Bai, « How Gary Hart's downfall changed forever american politics », *The New York Times Magazine*, 18 septembre 2014.

3. Bill Clinton, *My Life*, *op. cit.*

trouble chez lui est un euphémisme. Il a toujours été léger avec les femmes, a pris des risques considérables frôlant souvent l'inconscience, mais voir un collègue de talent, plein d'avenir, qu'il connaît personnellement, mis plus bas que terre pour des motifs qui pourraient s'appliquer à lui le secoue énormément.

Or Bill veut se présenter. C'est la chance de sa vie, croit-il, comme Hillary. Tous les regards sont tournés vers lui. Jeune espoir du parti, il passe pour être le seul à pouvoir battre le probable candidat républicain, le vice-président George Herbert Bush. « Il est à 72 % d'opinions favorables dans les sondages de l'Arkansas, ce qui situe sa cote de popularité au même niveau que les hamburgers de McDonald's, devant Reagan et le nouveau Coca-Cola[1] », souligne alors son ami Robert Reich, fervent partisan de sa candidature.

Hélas, ce qui est arrivé à Hart constitue une première : jamais dans l'histoire des États-Unis un candidat n'a été poussé vers la sortie pour cause d'adultère. Et jamais la presse américaine, qui fera d'ailleurs un (petit) mea culpa par la suite, n'a été aussi loin dans l'intrusion dans la vie privée d'un homme politique. Bill a donc peur d'être haché menu à son tour. Il ne veut pas non plus faire subir à Hillary et Chelsea la honte d'un scandale public. Déchiré entre ambition et réalisme, il consulte ses amis. Betsey Wright se souvient : « Nous avons eu de longues conversations à ce sujet. Il voulait se convaincre que c'était possible pour lui[2]. » Et le démocrate de s'interroger devant son ami Max Brantley, journaliste réputé en Arkansas, sur la possibilité de se présenter, « même si je n'ai pas eu une vie parfaite ».

---

1. « The latest polls », *The American Oxonian*, hiver 1986.
2. Gail Sheehy, *Hillary's Choice*, *op. cit.*

« J'ai pensé que l'erreur[1], c'était d'avoir mis la presse au défi de trouver quoi que ce soit sur lui », écrit-il dans ses Mémoires, en se disant « triste pour lui ». En d'autres termes, Bill estime que si Hart avait dit la vérité – sans entrer dans les détails –, il serait passé entre les gouttes. Et pour en avoir le cœur net, il demande à Dick Morris, son sondeur attitré, d'anticiper et d'analyser la réaction du public à la « question de l'infidélité ». « Il était paniqué[2] », se souvient Morris.

Bill réfléchit donc et se fixe une échéance pour annoncer sa décision : le 15 juillet 1987, date à laquelle il a fait réserver une grande salle de l'hôtel *Excelsior* de Little Rock, aujourd'hui hôtel *Marriott*[3]. Tous les amis du couple sont conviés à venir les rejoindre. Hillary est dans les starting-blocks. Elle téléphone à son ancien mentor Bernard Nussbaum, à qui elle n'a pas parlé depuis des années, et lui demande de se tenir prêt, au cas où, et, surtout, ne pas s'engager aux côtés de qui que ce soit dans la course à la présidentielle de 1988[4]. De leur côté, ses vieux parents déménagent à Little Rock. Elle leur a acheté un appartement près de la résidence du gouverneur où ils habitent pour s'occuper de Chelsea lorsque papa et maman seront en campagne. En juillet, *Newsweek* croit savoir que les dés sont jetés : c'est décidé, Clinton va se présenter, écrit l'hebdomadaire. Les journalistes locaux sont sur le pied de guerre. Un enfant de l'Arkansas aux portes de Washington, quelle belle histoire !

Mais, après moult hésitations, Bill recule devant l'obstacle. En arrivant à sa conférence de presse du 15 juillet, il affiche sa tête des mauvais jours. « J'ai besoin de me concentrer sur ma famille. Notre fille a sept ans. Faire campagne nous obligerait,

1. De Gary Hart, N.D.A.
2. Entretien avec l'auteur.
3. Bill Clinton, *My Life*, *op. cit.*
4. Gail Sheehy, *Hillary's Choice*, *op. cit.*

Hillary et moi, à nous absenter pendant de longues périodes. Ce serait mauvais pour elle comme pour nous. » Devant l'assistance déboussolée et déçue, il ajoute : « Si, il y a cinq ans, quelqu'un m'avait dit que j'aurais une chance sérieuse de me présenter à la présidentielle et que je ne la saisirais pas, je n'y aurais pas cru. » À côté de lui, Hillary laisse couler une larme. C'est la seule fois qu'on la verra pleurer en public.

Quelle est donc la véritable raison de ce forfait ?

*

« Hillary ne voulait pas que j'y aille[1] », écrit Bill dans ses Mémoires. « Au bout du compte, c'est pour s'occuper de Chelsea que Bill a renoncé en 1988[2] », affirme Hillary dans les siennes. Une version confirmée par Mickey Kantor, alors avocat californien et ami de longue date d'Hillary et futur secrétaire au commerce dans l'administration Clinton. La veille de sa conférence de presse du 15 juillet, le couple Clinton reçoit ses proches à la résidence du gouverneur. Ce jour-là, rien n'est encore décidé. Kantor racontera plus tard avoir vu Chelsea demander à son père où il comptait partir en vacances pour l'été. Selon son récit[3], confirmé par Hillary[4], Bill lui répond : « Il est possible que je ne parte pas, parce que je vais peut-être me présenter à la présidence des États-Unis. » La petite fille est déçue : « Alors maman et moi, on partira sans toi », dit-elle. Bill a eu l'air tellement bouleversé que Kantor a compris qu'il n'irait pas.

1. Bill Clinton, *My Life*, *op. cit.*
2. Hillary Rodham Clinton, *Living History*, *op. cit.*
3. David Maraniss, *op. cit.*
4. Hillary Rodham Clinton, *Living History*, *op. cit.*

Cette explication est possible. Mais incomplète. Difficile de ne pas imaginer que les mésaventures de Gary Hart n'aient pas joué un rôle dans cette décision prise à contrecœur. Car, aux États-Unis, les hommes politiques ne peuvent prononcer un discours sans mettre en avant leur vie familiale, selon le principe solidement établi dans l'électorat américain que, pour faire un bon président, il faut d'abord être un bon père de famille.

Deux jours avant la conférence de presse du 15 juillet, Betsey Wright demande à voir son patron en privé, à la résidence du gouverneur, pour une réunion ultra-confidentielle, dont elle a raconté la teneur plus tard à trois biographes[1]. Betsey peut se permettre ce genre de démarche : Bill est conscient qu'elle sait tout sur tout le monde, qu'elle est à la fois sa vigie et sa surveillante en chef, celle qui le protège contre ses propres excès, quitte à l'exaspérer.

Ce jour-là, sentant que la tentation d'une candidature est très forte, elle choisit de le confronter à ses propres démons. Afin, dira-t-elle plus tard, « qu'il prenne sa décision en connaissance de cause[2] ».

Bill Clinton et Betsey Wright ont toujours entretenu une relation compliquée, voire toxique, faite d'amour et de haine. Comme beaucoup, elle est fascinée par son charisme, son empathie naturelle, ce charme si dangereux qui fait que lorsqu'on se trouve en face de lui, on se sent unique. Elle est bluffée par sa capacité à faire mille choses à la fois, avaler des rapports pointus

1. Il s'agit de David Maraniss, Carl Bernstein et Gail Sheehy. L'auteur a contacté Betsey Wright pour obtenir confirmation. Elle a répondu par e-mail « ne plus être en mesure de donner des interviews », dans un message écrit en lettre capitales. D'abord révélé par David Maraniss, dans son livre *First in his Class* paru en 1993, le contenu de cette réunion secrète provoqua la « fureur de Bill car Hillary n'était pas au courant », affirme Carl Bernstein.

2. Gail Sheehy, *Hillary's Choice*, *op. cit.*

dans des domaines extrêmement différents et toujours retomber sur ses pattes. Mais, féministe assumée, elle lui en veut aussi énormément d'être si léger et imprudent avec les femmes. « J'ai tout misé sur toi et tu mets en danger mon investissement[1] ! », lui lance-t-elle parfois. Betsey connaît la psychologie de son patron et, en particulier, sa propension au déni, sa tendance à compartimenter sa vie, « sa façon incroyable de combattre ses ennemis puis de leur pardonner, comme si rien ne s'était passé », ce qui, dit-elle, la « rendait souvent dingue[2] ». Les mauvais souvenirs, lui, les gomme de sa mémoire. Comme s'ils n'avaient jamais existé. Sa mère faisait pareil pour surmonter les drames de sa vie.

Alors, pour être bien sûre qu'il ne pourra oublier la conversation qu'elle veut avoir, Betsey fait venir un témoin[3], une connaissance commune, qui a été invitée à Little Rock pour le lancement de la campagne. Et ce qu'elle a à demander n'est pas banal : lister les femmes ayant eu une aventure avec Bill, et plus particulièrement celles susceptibles de parler à la presse. Betsey a déjà certains noms en tête, mais, à sa grande surprise, Bill en ajoute d'autres, dont elle n'a jamais entendu parler[4]. Le nombre est si élevé qu'à la fin de cet échange surréaliste, elle lui conseille de ne pas se présenter. « Pour Hillary, dit-elle, et pour Chelsea[5]. »

Betsey lui a sans doute fait prendre la bonne décision. S'il s'était présenté, il aurait été broyé. Ce qui permet à Bill, avec sincérité sans doute, d'écrire qu'il s'est senti soulagé quand il a annoncé son choix de ne pas y aller, « comme si le poids du

---

1. *Ibid.*
2. Conversation de l'auteur avec James Morgan, co-auteur de l'autobiographie de Virginia Kelley, *Leading with my Heart : my Life*, *op. cit.*
3. Carl Bernstein, *A Woman in Charge*, *op. cit.*
4. *Ibid.*
5. *Ibid.*

monde qui pesait sur (mes) épaules s'était envolé[1] ». Il se décrira libre d'être à la fois « un père, un mari et un gouverneur », libre aussi de « s'exprimer sur des questions nationales sans être encombré par des considérations immédiates liées à l'ambition personnelle ».

*

Soulagé ? Déprimé, plutôt. C'est en tout cas le souvenir que la plupart des témoins gardent de cette époque. Selon eux, Bill broie du noir. Hillary ne va pas fort non plus. Leurs rêves de grandeur, pensent-ils, sont partis en fumée. Ils croient avoir laissé passer la chance de leur vie. Depuis quand l'histoire repasse-t-elle les plats ?

La carrière de Bill semble en effet au point mort. Le 21 juillet 1988, il prononce un discours raté à la convention démocrate qui intronise Michael Dukakis, candidat démocrate à la présidentielle. Un an plus tard, Betsey Wright démissionne de son poste de chef de cabinet. Elle n'en peut plus de travailler et ne se sent plus le courage ni la force de le protéger contre lui-même. Absorbée par le travail, elle lui a tout donné, ce qui lui vaut une sévère dépression nerveuse, il est donc temps de prendre du champ. Elle a quitté l'Arkansas et vit aujourd'hui au Texas[2], d'où elle vient. Elle ne donne guère de nouvelles à ses amis de Little Rock, mais on la dit d'une santé fragile.

Selon le récit qu'elle fait de cette époque, Bill se débat dans une vraie crise de la quarantaine. Et drague de plus en plus ouvertement les femmes. Un nom circule, celui de Marilyn Jo

1. Bill Clinton, *My Life*, *op. cit.*
2. Échange d'e-mails avec l'auteur.

Jenkins. Divorcée, mère de deux enfants, cadre chez Entergy Corporation, le grand groupe énergétique de l'Arkansas, cette blonde séduisante est d'une autre trempe que les maîtresses habituelles de Bill, qui ont généralement la vingtaine ou la trentaine. Ayant le même âge que lui, d'une discrétion absolue, elle ne se vante pas d'entretenir une histoire d'amour avec lui. Elle a d'ailleurs toujours démenti la moindre liaison. Mais les relevés téléphoniques diffusés par le *Los Angeles Times* en 1998, en pleine affaire Lewinsky, laissent peu de place au doute, tout comme les procès-verbaux du procès de Paula Jones contre Clinton pour abus sexuels, où elle apparaît sous le nom de « Jane Doe 1 ». Marilyn Jo Jenkins est en fait la seule femme qui ait vraiment menacé le couple Clinton.

Danny Ferguson, le garde du corps, l'aimait beaucoup. C'était « une dame très sympa qui parlait doucement et m'a toujours très bien traité[1] », a-t-il déclaré plus tard. Il se souvient que son patron lui a dit à cette période être épris de « deux personnes à la fois », et que ce n'était pas « facile à vivre ». Selon Betsey Wright, Bill lui aurait confié vouloir divorcer, mais Hillary aurait refusé. Celle-ci est, par principe, contre le divorce parce que sa mère Dorothy, qui n'a pas toujours connu un mariage heureux, affirmait qu'il fallait s'accrocher. Chez les Rodham, on traverse les épreuves en attendant que ça passe. En 1992, Hillary s'en explique d'ailleurs dans le magazine *Glamour* : « Il n'y a pas de mariage parfait, dit-elle, et ce n'est pas une raison pour tout laisser tomber à la moindre épreuve. Plus d'une fois, il m'est arrivé de serrer les dents. Un divorce est toujours douloureux pour les enfants. Ça devient un enjeu au tribunal. Des décisions déchirantes doivent être prises. Il faut tout faire pour l'éviter. »

Bill et Marilyn Jo Jenkins vont continuer à rester proches jusqu'à l'élection de 1992 : les diverses investigations menées

1. Gail Sheehy, *Hillary's Choice*, *op. cit.*

plus tard sur les maîtresses supposées du président indiquent qu'entre 1989 et 1991 ce dernier l'a appelée cinquante-neuf fois chez elle ou au bureau. Mais il est resté avec Hillary. Quant à Betsey Wright, elle affirme les avoir mis en contact avec un thérapeute de couple.

*

Pendant ce temps, l'élection comme gouverneur de 1990 approche. Bill n'a aucune envie de se représenter, voilà huit ans qu'il est gouverneur et s'ennuie. Devant cinq cents personnes réunies sous la rotonde du Capitole de Little Rock, il admet : « La passion de gagner une élection ne brûle plus en moi[1]. » Aussi stupéfiant que cela puisse paraître, Dick Morris a affirmé avoir effectué, à l'époque et sur demande du couple Clinton, un sondage consacré aux chances de victoires si... Hillary se présentait à la place de Bill. « Il y a eu des conversations à ce sujet », se souvient Rex Nelson, rédacteur en chef politique de l'*Arkansas Democrat Gazette*, le grand quotidien local. Hillary, de son côté, aurait confié à plusieurs amies proches qu'elle se verrait bien reprendre le flambeau, avec l'accord de Bill bien sûr. Serait-ce le résultat de négociations d'alcôve ?

Ce scénario rocambolesque s'est rapidement heurté au mur de la réalité. Le sondage de Dick Morris s'avère décevant : Hillary est perçue comme « l'épouse de », non comme une femme politique capable de devenir gouverneure elle-même. Elle est déçue, et « Bill encore plus », selon Dick Morris[2]. D'après Rex Nelson, il s'est finalement présenté « par calcul politique par rapport à la présidentielle de 1992, estimant qu'il avait plus de chance d'être élu en étant en place plutôt qu'ancien gouverneur ».

---

1. *Ibid.*
2. Entretien avec l'auteur.

Une belle campagne électorale se prépare : Sheffield Nelson rêve de se faire élire gouverneur de l'Arkansas et obtient l'investiture républicaine. Bill le connaît bien, le déteste et est prêt à tout pour le faire tomber. Une aversion réciproque. La bataille le stimule. Finis les états d'âme. Voilà M. Clinton reparti à l'attaque, en campagne, son terrain de chasse préféré.

Désormais, les frasques de Bill sont davantage qu'un secret de Polichinelle : elles appartiennent quasiment au domaine public. Et elles deviennent, pour la première fois dans la longue vie politique des Clinton, un enjeu électoral. Le 19 octobre 1990, Larry Nichols, ancien employé de l'Arkansas Development Finance Authority qui s'est fait virer pour malversations, tient une conférence de presse dans laquelle il accuse le gouverneur Clinton d'avoir utilisé des fonds publics pour entretenir cinq maîtresses qu'il nomme publiquement. Parmi elles, se trouve Gennifer Flowers, chanteuse de cabaret, qui se vante depuis un bon moment d'entretenir une relation avec le gouverneur. Le pourfendeur n'apporte aucune preuve. La presse locale s'abstient de relayer l'accusation, niée aussitôt par Bill. Sheffield Nelson, qui adore les ragots, donne l'ordre à ses militants de faire circuler l'info, mais si les accusations de Nichols paraissent fantaisistes. Parmi les femmes qu'il pointe du doigt, certaines sont des amies proches du couple dont on voit mal comment elles pourraient avoir entretenu une liaison avec Bill. De son côté, Hillary les met en contact avec Vince Foster et Webb Hubbell, les plus proches associés de son cabinet d'avocats, pour leur faire signer des démentis sous serment. Ce ne sera pas la dernière fois pour défendre son mari. Gennifer Flowers nie elle aussi l'accusation, qui va finir par tomber dans les oubliettes. En novembre 1990, Bill est réélu avec 57 % des voix, gagnant même quelques bastions républicains dans l'État.

*

Bill est de retour et Hillary croit plus que jamais en ses chances pour la présidentielle de novembre 1992. « Elle pensait que l'élection était gagnable, et comme d'habitude, elle avait raison[1] », écrit-il dans ses Mémoires. Lui, de son côté, hésite. Il n'a que quarante-cinq ans et peut attendre quatre nouvelles années, le temps que Bush achève son second mandat. George Bush père est encore auréolé de la victoire en Irak de 1990, qui l'a propulsé à des niveaux stratosphériques de popularité. Battre un président en exercice est toujours difficile.

Pendant l'été 1991, Bill pèse le pour et le contre avec Hillary. Mi-août, ils assistent à la conférence annuelle des gouverneurs à Seattle. Plusieurs de ses homologues démocrates se pressent pour l'assurer de leur soutien au cas où il se présenterait. Hillary en prend bonne note. « Je n'étais pas étonnée », écrira-t-elle plus tard dans ses Mémoires. Après la conférence, les Clinton s'accordent de courtes vacances à Victoria et à Vancouver, au Canada. Chelsea est là. « À onze ans, elle était beaucoup plus mûre que quatre ans auparavant. Elle exprimait déjà ses opinions. Elle et moi n'en doutions pas : Bill ferait un bon président[2] », témoigne Hillary.

Mais, comme elle le lui dit ce matin-là, fin août, au réveil, dans la chambre de la maison d'amis parce que la résidence est en travaux, il faut qu'il change « deux ou trois choses ». Bill va l'écouter, et se calmer durant quelques années. Mais le passé va ressurgir forcément.

1. Bill Clinton , *My Life*, *op. cit.*
2. *Ibid.*

Chapitre 6
Hillary fait élire Bill

3 novembre 1992 : le jour où Bill et Hillary sont élus à la Maison-Blanche

3 novembre 1992, 10 h 30. Bill et Hillary atterrissent à l'aéroport de Little Rock. Chelsea les accueille. Fourbus, ils ont passé les vingt-quatre dernières heures de la campagne présidentielle à sillonner le pays, enchaînant Philadelphie (Pennsylvanie), Cleveland (Ohio), Detroit (Michigan), Saint Louis (Missouri), Paducah (Kentucky), McAllen et Fort Worth (Texas), puis Albuquerque (Nouveau-Mexique) et enfin Denver (Colorado)[1]. Un marathon. Dès leur arrivée dans la capitale de l'Arkansas, ils se précipitent à leur bureau de vote pour déposer leur bulletin dans l'urne, puis passent le reste de la journée dans leur résidence. Là, ils allument la télé, regardent tous les trois un vieux film de John Wayne[2] et s'offrent une sieste de deux petites heures. Dans l'après-midi, Bill sort faire un jogging avec Chelsea en centre-ville et s'arrête au McDonald's pour avaler un verre d'eau, comme il le fait depuis des lustres. À son retour, toujours en tenue de sport, les premiers résultats tombent dès 18 h 30 ; et ils sont encourageants.

---

1. Hillary Rodham Clinton, *Living History*, *op. cit.*
2. Bill Clinton, *My Life*, *op. cit.*

À 22 h 47, les chaînes de télé le donnent vainqueur. Bill Clinton l'emporte avec 370 délégués contre 168 pour son rival. « C'est un raz-de-marée[1] ! », lui annonce au téléphone George Stephanopoulos, son directeur de la communication. Le téléphone sonne : George Bush père appelle pour concéder sa défaite et féliciter son successeur. « Je pensais que nous gagnerions, mais je me sentais néanmoins submergée[2] », écrira plus tard Hillary.

Après avoir raccroché, Bill et elle s'enferment dans leur chambre et prient ensemble. Puis ils se rendent à trois au Old State House, ce vieil édifice flanqué de colonnes blanches qui servit autrefois de Capitole à Little Rock, aujourd'hui transformé en musée. Le vainqueur y prononce son premier discours de chef de l'État élu devant cinquante mille supporters enthousiastes, fans qui n'en reviennent pas de voir l'un des leurs devenir l'homme le plus puissant du monde.

*

16 septembre 1991, hôtel *Capitol Hilton*, Washington. La campagne n'est pas encore lancée, mais Bill et Hillary profitent du Sperling Breakfast pour se roder. Ce petit-déjeuner est organisé par le très austère Godfrey Sperling aujourd'hui décédé et alors éditorialiste du non moins sérieux *Christian Science Monitor*. Il rassemble les grandes plumes politiques du pays qui viennent écouter religieusement, en *off the record*, les hommes politiques du moment, entre pancakes et œufs brouillés. C'est l'endroit idéal pour tester des arguments de campagne, faire passer des messages et… désamorcer des bombes. Bill a beaucoup hésité avant de s'y rendre. Mais Hillary l'y a poussé, sur

1. Documentaire *The War Room* de Chris Hegedus et de D. A. Pennebaker, décembre 1993.

2. Hillary Rodham Clinton, *Living History*, *op. cit.*

les conseils de Frank Greer et Stan Greenberg, ses deux principaux conseillers de la campagne en gestation[1].

Quand ils arrivent en *guest stars*, la question que tout le monde se pose est, bien sûr, celle des infidélités de Bill. Va-t-il se laisser, lui aussi, emporter par une histoire d'adultère, comme Gary Hart quatre ans plus tôt ? Les journalistes attablés n'osent aborder le sujet tabou. Alors Bill s'y colle. « C'est gentil de votre part de ne pas me poser la question, mais je sais que vous y pensez tous... Hillary et moi sommes ensemble depuis presque vingt ans. Comme beaucoup de couples, nous avons connu des difficultés. Nous sommes attachés l'un à l'autre ainsi qu'à notre fille, Chelsea. Nous avons l'intention de rester ensemble pour les trente ou quarante années à venir, que je me présente à la présidence ou pas[2]. » À son côté, Hillary le couve du regard, en faisant oui de la tête avec insistance. C'est la première fois qu'elle s'affiche publiquement pour le défendre sur le terrain de la vie privée.

Encore aujourd'hui, Bill semble s'interroger sur le bien-fondé de cette initiative. « Mes réponses ont satisfait certains, mais ma candeur a simplement confirmé à d'autres que j'étais une cible facile à abattre. Je ne suis toujours pas totalement convaincu d'avoir bien fait d'aller à ce petit-déjeuner. La force de caractère est un critère important pour choisir un président, mais en 1992, déjà, l'infidélité n'était plus disqualifiante[3]. »

En France, tout le monde serait d'accord, mais Washington n'est pas Paris. Le fait d'avoir abordé très tôt dans la campagne le sujet épineux de ses « problèmes de couple », comme il dit pudiquement, est sans aucun doute l'une des raisons de la

---

1. Peter Goldman, Thomas M. DeFrank, Mark Miller, Andrew Murr, Tom Matthews, *The Quest for the Presidency : the 1988 Campaign*, Simon & Schuster, 1989.

2. *Ibid.*

3. Bill Clinton, *My Life*, *op. cit.*

victoire de Bill à la présidentielle, lui qui avait toutes les chances d'être englouti par les scandales. Hillary a compris à quel point la rumeur pouvait être mortelle si on la laissait courir. « Nous devons annihiler cette menace », lui dit-elle alors. Selon l'organisateur Godfrey Sperling, la manœuvre s'est soldée par un vrai succès[1]. Pendant le petit-déjeuner, personne n'a relancé Bill sur ses frasques, ni n'a tenté d'en savoir plus. Les journalistes présents étaient décidément très bien élevés, même si, plus tard, ils n'ont parlé que de cela entre eux dans les dîners en ville, ce qui était précisément le but recherché par les Clinton. La version des faits que Bill leur a livrée est un doux euphémisme, mais elle n'est pas complètement fausse non plus, juste vague comme il faut. Il n'a pas cherché à mentir ni à jouer au mari idéal comme le fit Gary Hart, quatre ans plus tôt, de manière bien imprudente.

*

Trois semaines après le Sperling Breakfast, le 3 octobre 1991, Bill annonce sa candidature devant les colonnes blanches du « Old State House », à Little Rock. Hillary est à ses côtés, prête à jouer un rôle déterminant dans son accession au pouvoir.

Au QG de campagne, elle dispose de son propre staff, du jamais-vu pour une épouse de candidat. Rien ne se fait sans son feu vert. Elle reçoit en copie toutes les demandes d'interview et dès qu'il s'agit d'embaucher un conseiller important, elle est consultée. Selon Mickey Kantor, le « *chairman* » de la campagne : « Les décisions n'étaient jamais prises sans sa

1. Godfrey Sperling, « Why Clinton came to breakfast », *Christian Science Monitor*, 6 juillet 2004.

contribution car elle connaît Bill mieux que personne et sait exactement ce qu'ils veulent[1]. »

Tous les témoignages recueillis par Diane Blair, la meilleure amie d'Hillary, qui a interviewé chacun des cent vingt-six membres du staff dans l'optique d'écrire un livre sur l'accession de Bill à la Maison-Blanche (qui ne paraîtra jamais), vont dans le même sens : c'est grâce à Hillary que cette campagne de 1992 sera, plus tard, décrite comme un modèle d'efficacité. « Elle voit les problèmes venir, sait prendre les décisions et trouve les bonnes personnes pour les résoudre. Et Bill l'écoute[2] », affirme Nancy Hernreich, plus tard assistante du président à la Maison-Blanche.

Tous deux sont à la fois complices et partenaires. George Stephanopoulos, le directeur de la communication d'alors, a assisté à des moments de tendresse entre eux. « Un soir, après une réunion épuisante, je suis monté les voir dans leur suite pour faire le point sur les rendez-vous du lendemain. Ils étaient assis dans un canapé, elle ses jambes posées sur ses cuisses et lui donnant des rondelles de citron trempées dans du miel[3] », témoigne-t-il. Mais tout n'est pas toujours aussi rose. Les scènes de ménage peuvent se révéler violentes. Hillary sait canaliser l'énergie de son mari qui a souvent tendance à s'éparpiller, mais n'hésite pas, en retour, à l'engueuler quand elle considère qu'il n'est pas assez dur ou exigeant avec son entourage. « Un matin, poursuit Stephanopoulos, je suis entré dans leur salle à manger. Elle était debout, le doigt pointé vers lui. Il était assis, le nez plongé dans son bol de céréales… » Dans ces cas-là, l'entourage se demande qui est le patron.

Hillary est perçue comme celle qui fixe la stratégie. David Yepsen fut plusieurs décennies durant le rédacteur en chef politique du *Des Moines Register*, le grand quotidien de l'Iowa.

1. Jeff Gerth et Don Van Natta Jr., *Her Way : the Hopes and Ambitions of Hillary Rodham Clinton,* Back Bay Books, 2008.
2. Diane Blair Trust. Université de Fayetteville.
3. George Stephanopoulos, *All Too Human*, Back Bay Books, 2000.

À ce titre, il figurait parmi les journalistes les plus influents des États-Unis à chaque primaire dans cet État crucial. Et se souvient de ses interviews avec elle : « Quand on était *on the record*, elle maîtrisait ses éléments de langage. Il n'y avait pas moyen de l'en faire sortir. En revanche, quand elle parlait en *off*, elle était fulgurante. C'est une joueuse d'échecs. Elle voit à trois coups d'avance[1]. »

De toute l'équipe, Hillary est celle qui défend Bill avec le plus de force et de détermination, en particulier quand sa candidature est à deux doigts de sombrer dans les scandales. Toute son action tend vers un seul objectif : répondre aux accusations, mettre en sourdine la machine de guerre du camp d'en face, et recentrer le débat sur le slogan de Clinton : « *Putting People First* » (« les gens d'abord »).

*

La première alerte tombe en novembre 1991, avec la publication dans la revue *Penthouse* des confidences d'une certaine Connie Hamzy, surnommée « Sweet », qui s'autoproclame « groupie numéro un aux États-Unis ». Sa cible : les leaders de groupes de rock'n'roll, dont elle se vante d'en avoir mis un nombre respectable dans son lit. Dans son « interview confession », elle affirme avoir été abordée par Bill Clinton dans le hall d'entrée de l'hôtel *Hilton* à North Little Rock, en 1984. À l'en croire, il lui aurait fait des avances.

En apprenant la parution de l'interview, George Stephanopoulos se précipite sur son téléphone et appelle Clinton. « Je me souviens très bien de cette rencontre, mais cela ne s'est pas passé du tout comme elle le raconte[2] », lui dit-il

1. Conversation avec l'auteur, 25 janvier 2016.
2. George Stephanopoulos, *All Too Human*, *op. cit.*

émoustillé par le souvenir de la scène et prenant un malin plaisir à donner sa propre version en détail. Assise à côté de lui, Hillary lâche, glaciale : « Il faut tuer cette histoire. » Stephanopoulos est d'accord.

Heureusement, trois témoins contredisent la version de « Sweet ». Alors il les contacte et leur fait signer des démentis sous serment, devant avocat. Muni de ces précieux documents, l'expert arrive avec succès à convaincre CNN de laisser tomber l'affaire, qui part ainsi dans les oubliettes.

Mais le pire est à venir.

La bombe Gennifer Flowers éclate deux mois plus tard, en janvier 1992, à quelques semaines des primaires du New Hampshire, sous la forme d'une interview-choc de cette jeune femme au tabloïd *Star*, qui l'a payée 100 000 dollars pour publier ses révélations.

Dans les sondages, Bill Clinton mène alors la course. Et ne rate pas une occasion de mettre Hillary en avant. C'est l'époque où il lance comme un slogan « *Buy one, get one free* » (« Pour le prix d'un Clinton, vous en aurez deux »), qui va faire beaucoup de tort à Hillary aux yeux des électeurs rejetant d'emblée l'idée d'une « coprésidence ».

Gennifer Flowers est une ancienne journaliste de télé que Bill a rencontrée en 1977. Enfin, journaliste est un bien grand mot. Elle a réalisé quelques interviews, c'est tout. Après des années de galère, elle a obtenu un petit boulot à temps partiel payé par l'État de l'Arkansas, grâce à l'aide de son ami gouverneur. La nuit, elle chante dans des cabarets, sans grand succès. En 1990, elle figure dans les cinq maîtresses supposées de Bill Clinton, liste diffusée par Larry Nichols, employé licencié de l'État de l'Arkansas qui cherchait à se venger du gouvernement. Elle a alors signé un démenti officiel. Cette fois, dans le tabloïd, elle revient sur ses propos et donne une tout autre version. En réalité, affirme-t-elle,

elle aurait entretenu une liaison avec Bill pendant douze ans, entre 1977 et 1989, date à laquelle elle prétend y avoir mis fin. Plus embarrassant : elle dit aussi disposer de preuves, sous forme d'enregistrements de conversations téléphoniques.

Face à ces accusations accablantes, le candidat Clinton est au bord du gouffre. Mais lui ne semble pas s'en rendre totalement compte. Ou peut-être tente-t-il de se protéger mentalement en se convainquant que tout cela n'est pas si grave. À ce stade, pourtant, sa survie politique est menacée. Une seule personne peut le sauver : Hillary. De l'aéroport de Manchester, dans le New Hampshire, il l'appelle depuis une cabine téléphonique, puisqu'elle est en campagne à Atlanta. Et il nie avoir eu la moindre liaison avec Gennifer Flowers. Après avoir raccroché, il semble « apaisé[1] », témoignera plus tard George Stephanopoulos, qui se trouve à ses côtés en cet instant précis.

Hillary croit son mari. Du moins, c'est ce qu'elle dit. « Cela fait des années que les gens racontent des choses pareilles sur lui[2] », lance-t-elle devant les journalistes deux jours après la parution de l'interview, dans ce qui apparaît comme sa première réaction publique après les propos de Gennifer Flowers. James Carville, présent, jurera plus tard que sa réaction est venue « spontanément », et qu'elle a « scotché tout le monde[3] ». À la journaliste Gail Sheehy, qui lui demande si elle est sûre que son mari lui dit tout, elle répond par l'affirmative, sans hésiter, « parce que sinon, je ne pourrais pas m'asseoir devant vous et répondre à vos questions[4] ».

Mais, autour d'eux, plus personne n'y croit. Ni aux dénégations de Bill, ni à ses chances de gagner. Sa femme le sait.

1. George Stephanopoulos, *All Too Human*, *op. cit.*
2. Carl Bernstein, *A Woman in Charge*, *op. cit.*
3. *Ibid.*
4. Gail Sheehy, *Hillary's Choice*, *op. cit.*

Alors, pour resserrer les rangs, elle organise une conférence téléphonique[1] avec l'ensemble de l'équipe de campagne. Elle s'exprime avec une double casquette : celle de l'épouse du candidat et celle d'une générale en chef à la détermination sans faille. « Nous nous sommes lancés dans cette aventure parce que nous savons tous que Bill peut faire la différence pour ce pays. C'est aux électeurs de décider de son sort. On se remet au boulot ! » Chacun comprend : si elle soutient son mari dans de telles circonstances, c'est donc que rien n'est perdu. Seule Hillary pouvait obtenir cette mobilisation de supporters déçus et découragés. Elle arrive à leur faire comprendre que le moment est venu de garder ses interrogations pour soi et de passer à l'action. Ça marche : tout le monde reprend le travail.

Puis, elle organise la contre-attaque. Qui aura lieu dans l'émission *60 Minutes* sur CBS, juste avant le Super Bowl, compétition sportive la plus regardée des États-Unis, de quoi garantir une audience maximale. Pour des millions de téléspectateurs, c'est la première fois qu'ils voient le couple Clinton ensemble, à la télévision. Pendant les séances de préparation, Hillary est à la manœuvre. Pour détendre l'atmosphère, elle laisse Bill, qui a pris du poids depuis le début de la campagne, commander un cheeseburger, tout en gardant un œil sur les frites[2]. Elle passe des heures avec lui et ses conseillers à peaufiner le discours à tenir, sondages en main. Les experts affirment que le public n'est pas prêt à entendre le mot « adultère ». Il ne sera pas prononcé. L'interview ressemble à une opération de la dernière chance, aussi risquée qu'une « chimiothérapie expérimentale[3] », dira plus tard Stephanopoulos.

L'enregistrement est prévu à 11 heures du matin le dimanche 26 janvier. En arrivant sur le plateau, dans une chambre de

1. Hillary Rodham Clinton, *Living History*, *op. cit.*
2. George Stephanopoulos, *All Too Human*, *op. cit.*
3. *Ibid.*

l'hôtel *Ritz-Carlton* de Boston transformée en studio, Hillary manque de se prendre un spot lumineux sur la tête[1], mais son calme impressionne l'équipe de tournage. « On aurait cru qu'elle était sa conseillère en image. Elle vérifiait personnellement le cadrage et les lumières, dira plus tard Steve Kroft à Gail Sheehy. Tout le monde était sous le charme. Mais pendant l'interview, elle a tellement parlé qu'il a fallu la couper au montage[2]. »

Durant l'entretien, Bill reste fidèle au message préalablement défini la veille : Oui, il a causé du tort à son mariage, non, il n'y a pas eu de romance entre Gennifer Flowers et lui pendant douze ans, c'est une histoire banale qui arrive à des millions d'Américains, et ce ne devrait pas être un sujet de conversation ni un critère de jugement pour choisir le prochain président des États-Unis.

Quand on regarde le reportage, vingt-quatre ans après sa diffusion, il est frappant de constater que, des deux, c'est lui, le « pécheur », qui, paradoxalement, paraît le plus sympathique. Il parle doucement, reconnaît ne pas être un saint, se pose en victime d'un complot ourdi par ses adversaires politiques sans en faire des tonnes : il est modeste, tout en contrition retenue, et, au final, incroyablement convaincant. Hillary, elle, avec ses joues creuses et son regard dur, passe beaucoup moins la rampe. Elle défend Bill avec trop d'ardeur et se laisse emporter dans son élan. Elle affirme ne pas agir comme si elle était une « faible femme derrière son mari coûte que coûte façon Tammy Wynette », l'interprète de la célèbre chanson *Stand by Your Man* (« Défends ton mari »). La référence lui a échappé, elle n'aurait pas dû citer la chanteuse, qui va être très vexée, mais il s'agit d'un cri du cœur probablement. Or, aussi injuste que cela puisse paraître, le propos se retourne contre elle car Tammy

1. Hillary Rodham Clinton, *Living History*, *op. cit.*
2. Gail Sheehy, *Hillary's Choice*, *op. cit.*

Wynette fait savoir sa colère. Il faudra des trésors de diplomatie et l'entremise de l'acteur Burt Reynolds[1], soutien et ami des Clinton, pour qu'elle accepte, quelques jours plus tard, les excuses d'Hillary, dont l'image restera durablement affectée par cette phrase de trop. Toujours est-il que lorsqu'elle cogne, elle y va parfois un peu trop fort.

Durant cette interview à *60 Minutes*, Bill a sauvé sa peau, elle s'est, au contraire, carbonisée.

Le lendemain, Gennifer Flowers donne une conférence de presse. La jeune femme est sanglée dans un tailleur rouge vif qui lui donne un air de clown. Elle admet avoir été approchée par les Républicains pour dire du mal de Bill, lève les yeux au ciel quand un journaliste lui demande s'il a mis un préservatif[2], n'est ni à l'aise ni crédible. Mais les fameux enregistrements de conversations téléphoniques, diffusés à la fin de son intervention, sont dévastateurs pour Bill. Sa voix est reconnaissable entre toutes. Et on l'entend se réjouir, en termes vulgaires, d'avoir « bien roulé » Larry Nichols en 1990…

À ce moment-là, Hillary se tient devant une télé, dans un petit motel de Pierre, un bled du Dakota du Sud, entre deux meetings de campagne. Elle a branché CNN, qui diffuse en direct la conférence de presse. Après avoir entendu les enregistrements audio, elle appelle Bill. Il affirme encore, contre toute évidence, que personne ne va croire Gennifer Flowers. « Tout le monde sait bien qu'on peut dire n'importe quoi quand on est payé , répond-il. — Non, Bill, rétorque Hillary. Ceux qui ne te connaissent pas vont dire : "Mais comment se fait-il que tu parlais avec cette personne ?" »

1. George Stephanopoulos, *All Too Human*, *op. cit.*
2. Documentaire *The War Room*, *op. cit.*

En remontant dans l'avion de campagne, un petit coucou de six places, elle explose devant la journaliste Gail Sheehy, qui la suit pour un portrait dans *Vanity Fair*[1]. « Si j'étais au tribunal, lance-t-elle, je demanderais : "Mademoiselle Flowers, est-il exact que lorsque *Associated Press* vous a interrogée en juin 1990 à ce sujet, vous avez dit qu'il ne s'était rien passé ? Et quand le *Arkansas Democrat Gazette* vous a posé la même question, vous avez bien donné la même réponse ? Je la crucifierais !" » Persuadée que le Tout-Washington est contre son mari, Hillary s'interroge à voix haute sur les raisons pour lesquelles les médias font les gros titres sur lui alors qu'une rumeur court dans la capitale concernant une certaine Jennifer, avec un J, censée être la maîtresse de George Bush père, le rival de Bill, et déplore que personne n'enquête dessus. La confidence est *off*, mais tellement énorme, compte tenu du contexte, que Gail Sheehy la publie quelques semaines plus tard dans *Vanity Fair*[2], faisant ainsi la Une des tabloïds new-yorkais...

Persuadée d'être la victime d'un complot, Hillary va alors inscrire la journaliste sur sa liste noire personnelle pendant des années. Elle voit des ennemis partout et n'a qu'une obsession : les démolir avant qu'il ne soit trop tard.

*

Début avril 1992, Betsey Wright, la fidèle chef de cabinet de Bill quand il était gouverneur, fait appel à Jack Palladino, détective privé à San Francisco, pour déminer les « *bimbos eruptions* », comme elle appelle les maîtresses qui, les unes après les autres, sortent de l'anonymat avec une histoire salace à raconter[3]. Selon

1. Gail Sheehy, « What Hillary wants », *Vanity Fair*, 30 avril 1992.

2. *Ibid.*

3. Michael Isikoff, « Clinton team works to deflect allegations on nominee's private life », *The Washington Post*, 26 juillet 1992.

plusieurs journalistes – dont Michael Isikoff, alors au *Washington Post*, qui a beaucoup travaillé sur les enquêtes judiciaires liées à la vie privée de Bill –, Hillary est derrière cette initiative[1]. Quand elle étudiait à Yale, elle a effectué un stage d'été au cabinet d'avocats de Robert Treuhaft, un proche de Charles Garry qui travaillait avec Palladino. Le personnage est folklorique. Ce fin limier au look de Kojak mène ses enquêtes avec sa femme, Sandra Sutherland, depuis San Francisco. Lorsqu'on fait appel à ses services, « c'est qu'il y a le feu dans la maison[2] », dit-il dans un reportage qui lui est consacré. Et la maison Clinton menace alors d'exploser à tout instant, malgré la popularité de Bill et ses succès aux primaires, État après État. Les tabloïds sont à l'affût, en particulier le *National Enquirer*, prêt à signer « entre 100 000 et 500 000 dollars[3] », dit son rédacteur en chef, pour recueillir les confidences des maîtresses supposées. Les enquêtes du détective permettent d'ailleurs d'identifier dix-neuf femmes, approchées par les journalistes. Cela ne fait pas d'elles forcément des maîtresses. Car il s'agit souvent de ragots invérifiables. Jack Palladino a donc une mission très claire : tuer la rumeur avant qu'elle ne tue Bill, en la discréditant.

Parmi elles, il y a une ancienne Miss Arkansas de cinquante-trois ans, Sally Perdue, qui finira par raconter son histoire à un talk-show télévisé, mais que personne, pas même le *National Enquirer*, ne reprendra. Le détective met en évidence des incohérences, que le staff de campagne de Clinton se charge de transmettre aux reporters intéressés. Au total, le fin limier parvient à obtenir six démentis officiels de la part de femmes qui seront, plus tard, questionnées par le procureur Kenneth Starr

1. David Brock, *The Seduction of Hillary Rodham*, *op. cit.* ; Gail Sheehy, *Hillary's Choice*, *op. cit.*
2. Seth Rosenfeld, « Watching the Detective », *SFGate*, 31 janvier 1999.
3. Michael Isikoff, *The Washington Post*, 26 juillet 1992.

dans le cadre de l'affaire Paula Jones/Monica Lewinsky[1]. Selon Betsey Wright, le recours à Palladino est un cas de « légitime défense ». Ni plus, ni moins.

*

Reste que, sans la stratégie de riposte préventive imaginée par Hillary, les Américains, dont on connaît le puritanisme, n'auraient jamais pardonné à Bill ces scandales à répétition. Il ne serait jamais arrivé en deuxième position aux primaires du New Hampshire, ce qui était alors totalement inespéré et fut salué comme un spectaculaire come-back. Au fil des mois, sa candidature aurait probablement été engloutie par les révélations embarrassantes. Or, les unes après les autres, celles-ci finissent par faire pschitt – pour reprendre l'expression popularisée par Jacques Chirac en 2001. Que Bill soit accusé d'avoir tenté d'échapper au service militaire dans les années soixante-dix pour éviter la guerre au Vietnam, que certains racontent qu'il s'est réfugié en Russie, que d'autres affirment qu'il a couvert un trafic de cocaïne à l'aéroport de Little Rock, que des rumeurs d'orgies avec des prostituées noires, d'enfant caché avec l'une d'entre elles, soient colportées, rien n'y fait.

Hillary est donc indispensable à tous les niveaux. Mais elle le paie au prix fort.

Son image, positive au début de la campagne, se dégrade peu à peu. La chute de sa popularité a commencé par la gaffe de l'interview dans *60 Minutes* sur la chanteuse Tammy Wynette. Elle s'est accentuée avec une autre bourde restée célèbre, celle des cookies.

En mars 1992, le couple Clinton est attaqué sur son implication présumée dans la faillite d'une caisse d'épargne en

1. Gail Sheehy, *Hillary's Choice*, *op. cit.*

Arkansas, la Madison Guaranty Savings and Loan, dirigée par leur ami Jim McDougal, dans le cadre de l'affaire Whitewater, interminable saga judiciaire. Leurs détracteurs les accusent de s'être rendus coupables de conflit d'intérêts. Hillary a accepté d'être l'avocate de cette caisse d'épargne, qui est contrôlée par l'État de l'Arkansas (via le Arkansas Securities Departement) gouverné par Bill. Non seulement elle n'aurait jamais dû accepter, mais en plus elle aurait obtenu des faveurs pour la Madison Guaranty grâce à son statut d'épouse du gouverneur, affirment les ennemis du couple. L'affaire aboutira à un non-lieu judiciaire, mais, à l'époque, elle fait sérieusement tanguer la candidature Clinton. Bill doit défendre son épouse lors d'un débat télévisé particulièrement animé à quelques jours de la primaire de l'Illinois. Le lendemain, Hillary est à son tour interrogée sur la question durant un meeting à Chicago, dans un café le *Busy Bee*. On lui demande ce qu'elle a à répondre aux accusations de conflit d'intérêts. Elle balaie la question en rétorquant que « peut-être, elle aurait pu rester à la maison faire des cookies et servir le thé » toute la journée, mais qu'elle a choisi « d'avoir une vie professionnelle, bien avant que son mari soit élu gouverneur de l'Arkansas ». Bref, elle est avocate, son conjoint est gouverneur, et ce n'est pas cela qui va l'empêcher d'avoir une carrière à elle.

Tel est le sens du propos, mais il est mal interprété et provoque un grand émoi dans le pays, notamment parmi les femmes au foyer qui se sentent visées et insultées. Et la tirade « féministe » va tourner en boucle sur toutes les chaînes de télé. Une mini-conférence de presse est organisée à la hâte pour rectifier le tir, en vain. William Safire, chroniqueur légendaire du *New York Times*, trempe sa plume dans du vitriol et signe un éditorial qui fera date, intitulé « The Hillary Problem [1] ».

1. William Safire, « The Hillary problem », *The New York Times*, 26 mars 1992.

Stan Greenberg et Celinda Lake, deux spécialistes des sondages de la campagne, rédigent, quelques semaines plus tard, une note confidentielle[1], qui constate une grosse chute de la popularité d'Hillary, décrite par les personnes interrogées comme « impitoyable et ambitieuse », alors que Bill passe pour « rusé ». Dans le couple, ce serait elle le « *bad guy* », quand Bill serait le « *good guy* »… Un caricaturiste du *New York Post*, tabloïd new-yorkais, le croque même en marionnette de sa femme, surnommée la « Lady Macbeth de l'Arkansas ». En raison de cette impopularité croissante, Hillary risque donc de faire du tort au candidat. Il faut d'urgence adoucir son image, la rendre plus discrète, conclut la note rédigée par les deux experts en sondage.

Sans barguigner, elle obtempère, change de look, abandonne son serre-tête qui lui donne un air trop sérieux, se tait en public et se tient bien sagement derrière son mari pendant ses meetings politiques. On la voit même tenir un parapluie pour le protéger au milieu d'un discours. Le magazine *Time* parle d'une greffe de personnalité[2]. Avec l'aide de son amie Linda Bloodworth-Thomason, productrice à Hollywood, elle pose en star pour la revue chic et glamour, *W*, coiffée et habillée par trois stylistes mobilisés pour la séance photo. Hillary n'a jamais été coquette. Les journalistes qui la suivent en campagne n'en croient pas leurs yeux.

Si elle n'avait pas eu l'intelligence de se réfugier dans cet exil, Hillary Clinton serait devenue un boulet pour Bill. C'est donc bien joué de sa part.

1. *The Washington Free Bacon*, 9 février 2014.

2. Margaret Carlson, « A Different kind of First Lady », *Time*, 16 novembre 1991.

Leur adversaire ultra-conservateur, Pat Buchanan, croit alors qu'il peut la prendre pour cible. Il l'accuse d'avoir écrit autrefois que le mariage était « une sorte d'esclavage » et qu'il faut donner aux enfants « le droit d'attaquer leurs parents en justice ». Elle n'a jamais tenu de telles positions, mais peu importe, le but est d'effrayer l'électeur attaché aux valeurs traditionnelles de la famille. La stratégie échoue : Hillary, avec son nouveau look, passe pour une victime... Et sa cote de popularité remonte.

Ses adversaires tirent sur elle à boulets rouges lors de la convention républicaine de Houston (Texas), mi-août 1992. Mais « en s'attaquant à elle plutôt qu'à Bill, ils se sont trompés d'adversaire [1] », affirme aujourd'hui Dick Morris.

*

Il n'empêche. Hillary divise plus que jamais. Le soir de la victoire, le 3 novembre 1992, une blague circule. Le couple présidentiel se balade près de Park Ridge, là où elle a grandi. Il s'arrête à une station essence. Le pompiste reconnaît la First Lady. « Hey, Hillary, tu me reconnais ? On sortait ensemble au lycée. » En repartant, Bill rigole : « Tu étais vraiment avec ce type ? Tu imagines ta vie aujourd'hui si tu l'avais épousé... » Du tac au tac, Hillary répond : « Eh bien, dans ce cas, ce serait lui qui serait président et toi pompiste ! »

1. Entretien avec l'auteur.

Chapitre 7

« Bienvenue dans la cour des grands ! »

Le jour où ils entrent à la Maison-Blanche

20 janvier 1993, grand jour d'investiture du nouveau président des États-Unis. Ce doit être leur apothéose, mais Bill et Hillary sont de mauvaise humeur, en ce début de matinée. Lui a attendu la veille pour écrire son discours et s'est couché à 4 heures du matin alors qu'il ne l'avait pas achevé. Après une très courte nuit, il a voulu le retravailler, puis est allé avec Hillary à la messe dans une église fréquentée par des Afro-Américains, la Metropolitan African Methodist Episcopal Zion Church. Un symbole destiné à montrer qu'une page se tourne à Washington. Mais quand ils arrivent sur le perron de la Maison-Blanche, sous le portique nord, Bill, Hillary et Chelsea Clinton ont vingt-sept minutes de retard[1]. Un jour comme celui-ci, la ponctualité n'est pas seulement une marque élémentaire de politesse envers le vaincu, ne pas la respecter c'est bousculer le protocole puisque le président doit être investi des pleins pouvoirs à midi précis le vingt et unième jour du mois de janvier en vertu du vingtième amendement de la Constitution américaine. Mais ce qui provoque surtout la stupéfaction

1. Ann Devroy et Ruth Marcus, « Clinton takes oath as 42nd president asking sacrifice promising renewal », *The Washington Post*, 21 janvier 1993.

muette de George et Barbara Bush, qui poireautent avec flegme dans le froid glacial (les hivers sont rudes à Washington), c'est de voir les Clinton débarquer avec Harry Thomason et Linda Bloodworth-Thomason, leurs amis de Hollywood, auxquels ils veulent montrer la Lincoln Bedroom, chambre qu'ils occuperont le soir même. Comme si la Maison-Blanche était une colonie de vacances[1] ! Une autre grosse entorse au protocole.

Les Bush font comme si de rien n'était. Le président sortant laisse sur son bureau une lettre pleine de classe à son successeur – lettre dont le contenu sera révélé en 2011. « Il y aura des moments difficiles, qui seront d'autant plus durs parce que la critique vous paraîtra injuste. Je ne suis pas très bon pour donner des conseils, mais ne vous laissez pas décourager par les détracteurs[2] », écrit-il. Barbara y va aussi de sa petite suggestion amicale à Hillary, dirigée contre les journalistes : « Méfiez-vous d'eux comme de la peste ». Elle prêche une convaincue : « Je sais ce que c'est[3] ! » répond Hillary.

*

Pendant les galas marquant cette intronisation, Hillary fait diffuser une vidéo qui ridiculise les grands journaux nationaux. Ces derniers se sont trompés : au début de la campagne, ils annonçaient que Bill n'avait aucune chance d'être élu. Elle le leur rappelle. Hillary n'a jamais aimé la presse. Elle ne la lit pas, ni ne regarde la télévision. Pour se protéger. « Un candidat ne peut diffuser son message sans couverture média, un

1. Gail Sheehy, *Hillary's Choice*, *op. cit.*

2. Natasha Lennard, « Bush's letter to Clinton revealed », *Politico*, 11 janvier 2011.

3. Hillary Rodham Clinton, *Living History*, *op. cit.*

journaliste ne peut rapporter les faits sans avoir accès au candidat. C'est une relation empreinte à la fois d'adversité et de dépendance mutuelle. C'est compliqué et délicat, et je ne l'ai pas tout de suite perçu[1] », analyse-t-elle presque à regret dans ses Mémoires.

Toujours est-il que, dès l'investiture, la presse ne va pas la rater. Elle critique sa robe de gala à 14 000 dollars et le coût des festivités qui atteint 25 millions de dollars. Ceci dit, Nancy Reagan, dont la tenue ne coûtait « que » 10 000 dollars en 1981, avait eu droit au même traitement, mais Nancy n'avait jamais été attaquée sur son style. Au contraire, l'épouse de Ronald Reagan était devenue une icône de la mode, au même titre ou presque – selon les goûts – que Jackie Kennedy. Alors qu'avec Hillary, c'est une autre histoire. Son désintérêt affiché et assumé envers les fringues et ce genre de futilités se voit comme le nez au milieu de la figure. Tout le monde moque le bibi bleu qu'elle porte en ce jour historique ainsi que les tenues qu'elle porte habituellement, signées Connie Fails, sa styliste de Little Rock qui l'habille depuis des lustres.

Une anecdote montre le gouffre entre les Clinton et les médias, où chacun a sa part de responsabilité. Décembre 1992. Un mois avant l'intronisation, Katharine Graham, la propriétaire du *Washington Post*, organise un dîner chez elle en l'honneur du président élu et de la première dame, avec le Tout-Washington. C'est une sorte d'adoubement par l'*establishment*. Il y a là des journalistes influents, des avocats, des lobbyistes qui font la pluie et le beau temps au Congrès, des diplomates de haut rang… Tout le monde est fasciné par ce couple si jeune, si brillant, si prometteur… « Mais Bill et Hillary ne leur ont jamais vraiment tendu la main en retour. Ils semblaient

1. *Ibid.*

décidés à cultiver leur statut d'*outsider*[1] », note le journaliste Carl Bernstein.

*

À peine Bill Clinton élu, la composition du futur gouvernement se mitonne... dans la cuisine de la résidence du gouverneur de l'Arkansas[2]. Et c'est là, pendant ces trois mois de transition qui séparent l'élection et l'installation du président, que sont prises des décisions qui s'avéreront calamiteuses par la suite.

Pour tous ceux conviés à ces tractations, il apparaît évident qu'une coprésidence est en train de s'installer. Le slogan « Vous en aurez deux (Clinton) pour le prix d'un », testé durant la campagne dans le New Hampshire, est à nouveau à l'affiche. Le public semble moins réticent qu'à l'époque. Un sondage réalisé par l'institut Gallup pour *Newsweek*, publié le 28 décembre 1992, demande à un panel de 750 femmes si elles souhaitent voir Hillary jouer un rôle important dans l'administration Clinton. 46 % des interrogées répondent par l'affirmative, 40 % par la négative. Hillary bénéficie donc d'une bonne cote de popularité : 49 % ont une opinion favorable d'elle, contre 17 % non, selon la même enquête[3]. À une *Christmas Party* (fête de Noël) organisée à la Maison-Blanche mi-décembre, une blague circule : Bill va nommer sa femme ministre et garder Barbara Bush (encore en poste pour quelques semaines) comme First Lady[4]...

Lors du « sommet économique » organisé à Little Rock pour fixer les grandes orientations stratégiques du mandat qui va

1. Carl Bernstein, *A Woman in Charge*, *op. cit.*
2. Hillary Rodham Clinton, *Living History*, *op. cit.*
3. Eleanor Clift et Mark Miller, « Hillary : behind the scene », *Newsweek*, 28 décembre 1992.
4. *Ibid.*

bientôt commencer, c'est Bill qui parle. Hillary se tait. Mais, dans la coulisse, elle est de toutes les discussions[1], donne son avis sur tout – et froisse pas mal d'egos au passage. Elle dirige même des entretiens d'embauche avec de futurs ministres[2]. Certains d'entre eux sont bluffés par sa connaissance des dossiers.

Elle insiste aussi pour que les amis fidèles de l'Arkansas soient nommés. Dans l'entourage du futur chef de l'État, quelques-uns, comme son ami d'Oxford, Robert Reich, s'inquiètent : ils font valoir que Bill a, au contraire, besoin de s'entourer de vétérans rompus aux us et coutumes en vigueur dans la capitale américaine. Le nouveau président n'a que quarante-six ans, vient d'un petit État, son équipe de campagne est encore plus jeune que lui, l'élection est pliée, donc maintenant il faut gouverner et bien. Or les enjeux sont tout autres : pour faire passer des réformes difficiles, il doit pouvoir compter sur des pointures rompues aux rouages du pouvoir au Capitole. Washington n'est pas Little Rock.

Mais Hillary ne veut rien savoir. Elle veut travailler avec des personnes de confiance, non des vétérans de ce qu'elle appelle « l'ancien système » qu'elle abhorre. Erreur classique des bleus de la politique quand ils accèdent au pouvoir : croire que tout est possible ! Grâce à Bill, l'Amérique va passer de l'ombre à la lumière, comme la France socialiste en 1981.

Les proches de l'Arkansas sont donc nommés à des postes clés. Mack McLarty et Bruce Lindsey, deux amis d'enfance du nouvel élu, le rejoignent à la Maison-Blanche, l'un comme *chief of staff*, l'autre comme conseiller. Vince Foster, confident d'Hillary, est nommé adjoint au conseiller

1. *Ibid.*

2. Entretien avec Dick Morris, qui affirme qu'Hillary a notamment joué un rôle clé dans la nomination du ministre de la Justice (*Attorney General*). Voir aussi son livre *Rewriting History*, Harper, 2004, p. 89.

juridique de la présidence. Webb Hubbell, l'associé du cabinet d'avocats Rose Law à Little Rock, casé procureur général associé (*Associate Attorney General*), ce qui fait de lui le numéro trois du département de la Justice. Etc.

*

Et pourtant, les Clinton ne se sentent pas chez eux à Washington. Hillary ne croit pas aux fantômes, mais elle a, au début du moins, la désagréable impression d'une Maison-Blanche hantée. Comme si les esprits de ses prédécesseurs, les Bush et les Reagan, rôdaient. « Parfois, ils laissaient même des notes[1] », écrit-elle dans ses Mémoires.

Après la folle soirée des galas d'inauguration organisés en leur honneur, les Clinton entrent dans leur nouvelle demeure, les appartements privés du premier et deuxième étage de la résidence présidentielle, en compagnie de la famille et de quelques proches. Harry Thomason et Linda Bloodworth-Thomason vont passer la nuit dans la Lincoln Bedroom. On imagine leur excitation à l'idée de dormir dans cette chambre historique, mais aussi leur stupeur, en s'asseyant sur le lit et en découvrant un petit papier plié discrètement glissé sous un oreiller : « "Chère Linda, j'étais ici le premier, et je reviendrai." Signé : "Rush Limbaugh[2]". »

Voilà les Clinton prévenus. Car Limbaugh, animateur de radio ultra-populaire dans les milieux conservateurs, est l'un de leurs pires ennemis. Et a juré leur perte, son antenne étant entièrement consacrée à les démolir, jour après jour. Qui a déposé ce mot sur le lit ? Dans quel but ? Qui savait que Linda Bloodworth-Thomason allait passer la

1. Hillary Rodham Clinton, *Living History*, *op. cit.*
2. *Ibid.*

nuit dans cette pièce, dormir dans ce lit centenaire en bois de rose ?

La réponse ne va pas tarder à venir : le personnel de la Maison-Blanche est truffé de nostalgiques des Bush et des Reagan !

Le 21 janvier, après s'être couchés à 3 heures du matin de retour des festivités, Bill et Hillary sont réveillés à… 5 h 30. Parce que c'est l'heure à laquelle George et Barbara se levaient tous les jours, réglés comme des métronomes. Leur emploi du temps ne variait jamais, ou alors, quand c'était le cas, ils prévenaient. Les Bush étaient *old school*, prévisibles, un bonheur pour le personnel chargé des tâches domestiques et de la sécurité.

Les Clinton, évidemment, c'est autre chose. Ils viennent du Sud, sont habitués à être entourés de gardes du corps, certes, mais pas de cerbères omniprésents et entraînés à ne jamais leur adresser la parole. Bill et Hillary ne s'attendaient pas à subir une telle intrusion dans leur vie privée. Ce qu'ils vivent encore plus mal, c'est l'hostilité à peine feinte manifestée à leur endroit par un personnel dont un membre, par exemple, n'a pas pris la peine de retirer l'autocollant « *Re-elect Bush* » du pare-chocs de sa voiture[1] !

*

Un soir, Harry et Linda accourent chez Bill et Hillary pour rapporter ce qu'ils ont entendu dans un dîner en ville avec des journalistes : certains membres du Secret Service, corps d'État chargé de la sécurité de la « Première Famille », alimenteraient la presse en tuyaux et ragots sur les habitudes du couple présidentiel. Et pas en termes favorables, bien sûr. Furieuse, Hillary

1. John F. Harris, *The Survivor : Bill Clinton in the White House*, Randhom House, 2006.

demande à Vince Foster, son meilleur ami et ancien associé au cabinet d'avocat de Little Rock, d'investiguer sur les « espions » et d'obtenir leur remplacement. Autant l'envoyer au casse-pipe : le Secret Service se vit comme une forteresse imprenable. Les patrons de la Maison-Blanche, ce sont eux, les présidents ne font que passer. Opération risquée, aussi : si la chasse aux sorcières commence, ça va se savoir et retomber à nouveau sur Hillary. Il est donc décidé de ne rien faire.

Jusqu'au 19 février. Ce jour-là, le quotidien *Chicago Sun-Times* publie un article qui raconte comment une bagarre entre Hillary et Bill s'est soldée par une lampe brisée contre un mur[1]. Bill Zwecker, l'auteur, affirme avoir rédigé cet article sur la foi de deux sources dont l'une vient du fameux corps des Secret Service. Il écrit aussi que Bill et Hillary font chambre à part alors que c'est inexact. Nul ne sait si l'article dit vrai, mais tout le monde en parle et, à Washington, le buzz est énorme. Les Clinton sont mortifiés. Cette fois, Hillary donne l'ordre à Vince Foster de faire le nécessaire. Celui-ci obtempère, la peur au ventre : il a l'impression d'avoir failli à sa mission première, qui est de protéger son amie. À partir de ce moment, il ne l'appellera plus par son prénom : quand il parlera d'elle, il la qualifiera de « ma cliente » (comme le font les avocats). Les choses ne traînent pas : le patron du corps des Secret Service est « promu » et l'équipe chargée de la protection rapprochée de la « First Family » intégralement renouvelée.

*

L'incident montre à quel point les Clinton sont perdus quand ils débarquent à la Maison-Blanche. Dans leur chambre à coucher, Bill déteste la tapisserie murale chinoise – des

1. Bill Zwecker, « Hot'Rumors Dog Clintons », *Chicago Sun-Times*, 19 février 1993.

oiseaux peints à la main – choisie par Nancy Reagan au début de son règne, provoquant à l'époque une grosse polémique en raison de son coût exorbitant. L'effet est artistique certes, mais il déprime Bill, qui, en allant se coucher le soir, a la désagréable impression d'être cerné par les volatiles terrifiants et bruyants du fameux thriller de Hitchcock, *Les Oiseaux*.

Dans le Bureau ovale, il fait effectuer quelques menus changements. Son prédécesseur travaillait sur le « *C&O desk* », une table de travail créée dans les années vingt pour une compagnie ferroviaire, qu'utilisait George Bush quand il était vice-président. Bill fait revenir le mythique *Resolute Desk*, le bureau de John F. Kennedy, au-dessous duquel jouait John-John dans une célèbre photo.

Quant à Hillary, dès sa première semaine, elle va prendre conseil chez la veuve de JFK, dans son vaste appartement de Manhattan sur Central Park. De cette entrevue, elle restera à jamais reconnaissante des conseils prodigués par sa devancière, qui lui furent précieux pour l'éducation de Chelsea[1].

Mais depuis l'épisode du « scandale de la lampe brisée », la première dame est obsédée par les fuites dans la presse. Elle veut les éviter à tout prix. Les journalistes brocardent sa *bunker mentality*, sa tendance à vouloir contrôler tout ce qui se dit. Dans un premier temps, elle nourrit le projet de déménager la salle de presse de la Maison-Blanche vers l'immeuble voisin, l'Executive Office Building. Elle ne l'a jamais reconnu, mais c'est ce qu'affirme George Stephanopoulos, le porte-parole de la Maison-Blanche[2], à qui serait revenue la tâche ingrate d'annoncer la nouvelle aux membres de la presse présidentielle si le projet avait vu le jour. L'objectif serait double : éloigner les médias du Bureau ovale, et rouvrir la piscine que Franklin

1. Hillary Rodham Clinton, *Hard Choices*, Simon & Schuster, 2015.
2. George Stephanopoulos, *All Too Human*, *op. cit.*

Delano Roosevelt avait fait construire sous la salle de presse. Devant la levée de boucliers prévisible, Hillary recule.

En revanche, ce qu'elle obtient, c'est la fermeture du couloir qui mène au bureau du « press secretary », le porte-parole de la Maison-Blanche, traditionnellement accessible à tous les journalistes. Bill Clinton reconnaîtra plus tard que cette décision fut une énorme erreur, mais selon Stephanopoulos, c'est – encore – la First Lady qui fut à la manœuvre. L'opération a provoqué la colère d'Helen Thomas, de l'agence UPI, aujourd'hui décédée. Cette journaliste était alors la doyenne de la presse présidentielle. On la voyait tous les jours assise au milieu du premier rang des correspondants accrédités dans la *briefing room*, à quelques centimètres du podium du *press secretary*. Elle a lancé, en vain, la charge contre le « scandale de la porte fermée », véritable « coup de canif » dans les rapports entre médias et le président : « Je suis ici depuis Kennedy, le bureau du porte-parole n'a jamais été fermé aux journalistes. Jamais. Bienvenue dans la cour des grands [1] ! »

1. George Stephanopoulos, *All Too human*, *op. cit.*

Chapitre 8

Hillary fait plonger Bill

26 septembre 1994 :
le jour où le Hillarycare est enterré

Il pleut à torrents sur la Maison-Blanche. Ce lundi 26 septembre 1994, Hillary est seule et s'y ennuie. Son agenda officiel est léger alors que celui de Bill déborde : il est à New York pour l'assemblée générale des Nations unies, où il doit rencontrer les chefs d'État du monde entier. Il rentre à Washington tard dans la soirée. Pendant cette longue journée, Bill vise un communiqué de presse présidentiel qui lui fend le cœur. Il s'agit de prendre acte de l'abandon de la réforme d'assurance-maladie. Le sénateur en charge de la tentative de compromis, George Mitchell, vient de jeter l'éponge. Cette loi devait être le grand œuvre d'Hillary, mais voilà le projet enterré. Sans fleurs ni couronnes. Et sans même faire l'objet d'un vote au Congrès. Hillary y a travaillé nuit et jour pendant ses vingt premiers mois à la Maison-Blanche, en vain. La « pasionaria de gauche », dixit ses détracteurs, est épuisée et affiche une mine livide. Bill essaie de la réconforter. « Il y a des erreurs plus graves dans la vie qu'être pris en flagrant délit de vouloir donner l'accès à la sécurité sociale à 40 millions de personnes qui en sont privées[1] », lui a-t-il répété tout l'été. Mais ses encouragements ne

1. Bill Clinton, *My Life*, *op. cit.*

suffisent pas. Hillary est à bout. Et la présidence Clinton au bord du précipice.

Comment en est-on arrivé là ?

*

Dès l'élection de Bill, le grand sujet qui préoccupe Hillary, c'est celui de son propre sort. Quel rôle la First Lady va-t-elle tenir dans la future administration Clinton ? Aux États-Unis, l'épouse du chef de l'État a un statut officiel, un staff et des bureaux. Comme pour le président et le vice-président, son agenda est public et le moindre de ses déplacements officiels suivi par des journalistes en *pool*, c'est-à-dire membres de la presse présidentielle (*White House Press Corps*) qui diffusent à leurs confrères accrédités le compte rendu détaillé de ses faits et gestes (*pool reports*). Tout y est mentionné : ce qu'elle dit, ses vêtements, l'heure de son entrée, son départ, etc.

Mais, depuis toujours, la première dame est aussi en retrait. On raconte que, le jour de l'investiture de son mari, Eleanor Roosevelt, l'héroïne d'Hillary, s'est effondrée en larmes : « Je n'ai plus d'identité », se serait-elle écriée. La femme du président reste toujours un pas derrière son homme. Elle n'a pas d'existence propre en tant que décisionnaire : elle est là pour organiser les galas de charité, représenter parfois son mari à des funérailles, et si elle peut se lancer dans une cause humanitaire ou fédératrice, tant mieux, mais ce n'est pas nécessaire. L'ultrapopulaire Michelle Obama a excellé dans ce rôle avec sa campagne « *Let's Move !* » contre l'obésité qui s'attaque à un vrai problème aux États-Unis sans faire de l'ombre à son époux. Nancy Reagan a lancé le programme « *Just Say No* » contre la drogue, ce qui lui a permis d'adoucir son image : on lui reprochait, à tort ou à raison, d'avoir trop de pouvoir sur Ronald. Hillary n'est donc pas une pionnière dans ce domaine, mais Nancy n'a jamais vraiment reconnu publiquement l'influence qu'elle exerçait. Il a fallu qu'on attende ses Mémoires pour qu'elle l'avoue officiellement : « Ai-je donné mon avis à Ronnie ? Bien sûr que oui ! J'étais celle qui le connaissait le mieux à la Maison-Blanche, et aussi la seule dont l'unique priorité était de l'aider[1] ! »

Hillary n'a jamais eu ces pudeurs. Question de génération, sans doute, mais aussi de tempérament. Dans la société américaine, les vieux réflexes sexistes ont toujours la vie dure. Née en 1947, elle est le produit des années soixante-dix et de la révolution sexuelle. Le féminisme d'Hillary Rodham est assumé et revendiqué quand celui de sa devancière, née en 1921, était discret. Elle aime le pouvoir, mais, contrairement à Nancy qui respectait les convenances de la bonne société bourgeoise et conservatrice, elle veut que ça se sache.

Donc elle exige un gros poste.

Mais lequel ?

*

Chef de cabinet du président ? « Clinton a besoin d'un *chief of staff* fort, et Hillary est la mieux positionnée pour ce rôle[2] », écrit *Time Magazine*, dans son numéro historique publié juste après l'élection de novembre. Elle possède les qualités que lui n'a pas. « Hillary est plus rapide pour clarifier les choses et prendre des décisions que lui[3] », explique Carolyn Huber, l'une des plus anciennes amies de Bill. « Il fait traîner les choses, alors qu'elle est ultra-organisée et suit personnellement

1. Nancy Reagan, *My Turn : the Memoirs of Nancy Reagan*, Randhom House, 1989.

2. Michael Kramer, « What he will do », *Time Magazine*, 16 novembre 1992.

3. *Ibid.*

l'évolution des dossiers de près. Pour tout ce qui concerne l'organisation, Bill se repose sur son staff. » Selon Betsey Wright[1], sa proche collaboratrice à Little Rock, « elle sait le protéger contre les interventions extérieures et se faire l'avocat du diable quand il le faut ».

Flatteur ! Hillary évoque donc très sérieusement l'hypothèse de devenir la *chief of staff* de son mari, l'homme le plus puissant de la planète. Mais plusieurs proches, dont Dick Morris, pensent que c'est une très mauvaise idée. Un chef de cabinet est, par définition, sur un siège éjectable, explique-t-on. Le président doit pouvoir le limoger dans l'heure, le moment venu. Difficile de virer sa propre femme…

Quoi d'autre, alors ? Elle vise haut. Pas question, pour elle, de jouer les utilités. À Dick Morris, elle confie qu'elle se verrait bien à un poste régalien. *Attorney General* (ministre de la Justice), par exemple, comme Robert F. Kennedy, nommé par son frère John F. Kennedy en 1961. Pourquoi pas ? Elle a été avocate pendant quatorze ans dans un gros cabinet d'affaires. Le poste de ministre de l'Éducation l'intéresse aussi, compte tenu de ses états de service dans ce domaine, quand elle était membre du board du Children's Defense Fund, l'organisation de défense de l'enfance. Que l'épouse du président cumule son rôle de First Lady avec un maroquin ministériel est déjà une transgression en soi[2], mais il en faudrait plus pour freiner Hillary dans ses ambitions. Seul problème : est-ce légalement possible ? Elle fait plancher les juristes de son équipe sur la question. Verdict : c'est *niet.* Une loi « anti-népotisme » a été votée sous Nixon pour, précisément, empêcher ce cas de figure (en l'occurrence, c'était une vengeance de Nixon contre le clan

1. *Ibid.*

2. Même s'il y a un précédent quand John F. Kennedy nomma un membre de sa famille (son frère) *Attorney General.*

Kennedy qui l'avait privé de victoire à la présidentielle de 1960). Pas de chance.

Dick Morris conseille alors à Hillary de se rendre utile en pilotant un projet important, comme la mise en place d'une sécurité sociale aux États-Unis, l'une des principales promesses de campagne de Clinton. Elle connaît le sujet à fond. Sur le papier, elle est légitime pour prétendre diriger cette réforme qui doit changer l'Amérique. Comme elle l'avait été, en 1982, pour mener celle de l'éducation dans l'Arkansas. Mais voici l'un des pêchés originels de ce début de présidence : à leur arrivée, Bill et Hillary « sous-estiment Washington », observera plus tard Ann Stock, conseillère chargée des événements sociaux (*White House Social secretary*), « et ce que cela signifie de travailler avec le Congrès », lequel est pourtant à majorité démocrate, dans les deux chambres. « Ils se croient encore dans l'Arkansas[1]. »

Hillary est partante pour piloter la réforme de l'assurance-maladie, qui, bientôt, portera (officieusement) son nom : HillaryCare[2] (comme, en 2010, ObamaCare). Bill trouve l'idée excellente. Ils sont bien les seuls. Autour d'eux, tout le monde, ou presque, y compris de proches amies d'Hillary comme Donna Shalala, la future secrétaire à la Santé et aux Services Sociaux, s'y oppose. Les raisons sont diverses. Al Gore, le vice-président, est contre car il aimerait s'occuper lui aussi du projet. Les « experts économiques » de l'équipe Clinton (le député Leon Panetta et le sénateur Lloyd Bentsen, notamment) pensent qu'Hillary est beaucoup trop ambitieuse dans

1. *Ibid.*

2. Pendant sa campagne présidentielle de 2016, Hillary ne perd pas une occasion de rappeler dans ses meetings que, avant de s'appeler « ObamaCare », la sécurité sociale pour tous mise en place par le président Obama en 2010 s'appelait « HillaryCare », histoire de souligner le rôle important qu'elle a joué dans ce long combat pour la justice sociale aux États-Unis.

son approche par rapport à ce sujet hypersensible, qui divise profondément l'électorat : une grande partie des Américains refuse que le gouvernement les oblige à s'assurer contre le risque de maladie. Elle ? Elle est vexée que sa candidature à ce poste ne fasse pas l'unanimité. Surpris par l'opposition soulevée, Bill fait traîner les choses. Il a d'autres candidats en tête. Mais aucun ne fait vraiment l'affaire. Va pour Hillary.

*

C'est la première fois qu'une First Lady occupe un poste stratégique à la Maison-Blanche.

Autre nouveauté : Hillary va travailler à quelques mètres de son mari. Dans l'aile ouest de la Maison-Blanche.

Si cela ne tenait qu'à Bill, il ferait abattre un mur entre le Bureau ovale et celui de son épouse[1]. C'est en tout cas ce qu'il déclare à Maureen Dowd, à moitié sérieux, en contemplant ses cartons prêts à quitter Little Rock pour Washington, début janvier 1993. « Mais ils ne me laisseront jamais faire !, poursuit-il, avant d'ajouter : Le plan des bureaux dans la Maison-Blanche n'est pas idéal. On essaie de trouver des solutions… »

Comme dans n'importe quelle entreprise, à l'occasion d'un déménagement tout le monde s'épie : qui sera le mieux loti ? Qui sera le plus proche du patron ? À la Maison-Blanche, la question est exacerbée par l'exiguïté des lieux. L'endroit n'est pas aussi lumineux et aéré que dans la série *The West Wing*, tant s'en faut. Et Hillary veut pouvoir mener la mise en place de la sécurité sociale en Amérique, « sa » réforme, et celle qui

1. Maureen Dowd, « The new presidency : boxes bulging with decades of Clinton's life await journey into history », *The New York Times*, 13 janvier 1993.

doit illustrer le premier mandat de son mari pour permettre sa réélection en 1996, dans des locaux dignes de ce nom.

Pas question, pour Hillary, de s'installer dans les bureaux dévolus à la First Lady, depuis toujours situés dans l'aile est de la Maison-Blanche, sur deux étages avec une grande salle de réception destinée aux invités et une salle de cinéma. Ils sont certes confortables, mais trop éloignés du centre du pouvoir, qui se trouve à l'opposé, dans l'aile ouest. Là encore, elle se heurte à une très forte opposition de certains très proches du couple, dont l'ami avocat Vernon Jordan. Selon lui, cette guerre des bureaux sera un mauvais symbole, qui fera d'Hillary une cible pour tous ceux qui ne l'aiment pas. Et ils ne manquent pas. Mais Bill a tranché : il veut sa femme près de lui. « Je ne veux pas qu'elle prenne un job en dehors de la Maison-Blanche, déclare-t-il à Maureen Dowd. Je souhaite qu'elle m'aide. Et je veux la soutenir aussi. Pendant quinze ans, c'est elle qui le faisait. Ça va être mon tour. On est mariés depuis 1975 et la seule fois où j'ai gagné plus d'argent qu'elle, c'est la première année de notre mariage. Donc j'ai du chemin à rattraper[1]. » Du grand Bill !

Interrogé sur la question de savoir si elle aura ou non sa place dans l'aile ouest, il se garde alors de répondre. La rumeur, pourtant, court. Et le sujet, il le sait, est miné. En fait, dans ce cas-là, Hillary avance masquée. Elle envoie ses proches en éclaireurs. Il ne lui a pas échappé que les locaux d'Al Gore, qui sont bel et bien dans l'aile ouest, sont très beaux. Normal, il est vice-président des États-Unis, on ne va pas le reléguer dans un placard. Mais Roy Neel, le directeur de cabinet de Gore, est persuadé qu'Hillary a essayé de les lui chiper, via sa conseillère Susan Thomases, venue en décembre 1992 à Washington récupérer les plans des locaux. Cette dernière

1. *Ibid.*

dément et affirme que c'est un malentendu[1], mais l'incident laissera des traces.

Finalement, Hillary se retrouvera dans un petit bureau à l'étage, exigu, bas de plafond, mais proche de celui de son mari, la seule chose qui compte à ses yeux. Son staff de vingt personnes sera, lui, localisé dans un immeuble adjacent, séparé de la Maison-Blanche par une allée, l'Executive Office Building, imposant bâtiment néo-classique gris construit en 1871, et il se réunira dans une salle de réunion appelée « *Intensive Care Unit*[2] » (unités de soins intensifs).

Le 21 janvier 1993, c'est donc officiel : Hillary aura son bureau dans l'aile ouest de la Maison-Blanche, annonce un communiqué de presse. Ce qui, note alors le *New York Times*, « va à l'encontre d'une tradition de plusieurs décennies[3] ».

Et quatre jours plus tard, Bill officialise la création d'une *task force* chargée de mener à bien la réforme de l'assurance-maladie[4] avec sa femme à sa tête. « Je suis certain que, dans les mois à venir, les Américains réaliseront à quel point leur First Lady est extraordinaire – comme, autrefois, les citoyens de l'Arkansas l'ont constaté[5] », déclare-t-il ce jour-là. La coprésidence est en marche.

*

1. Carl Bernstein, *A Woman in Charge*, *op. cit.*

2. George Stephanopoulos, *All Too Human*, *op. cit.*

3. http://www.nytimes.com/1993/01/22/us/settling-in-first-lady-hillary-clinton-gets-policy-job-and-new-office.html?pagewanted=all

4. http://www.nytimes.com/1993/01/26/us/hillary-clinton-to-head-panel-on-health-care.html

5. Déclaration du président Bill Clinton à la Maison-Blanche, 25 janvier 1993.

Samedi 30 janvier 1993, à Camp David. Sur le coup de midi, Hillary prend la parole pour expliquer aux convives sa vision de la politique et la façon dont les choses doivent désormais fonctionner au sein de l'administration Clinton. À l'invitation de Bill, tous les principaux ministres ainsi que quelques conseillers influents sont là. C'est un séminaire gouvernemental d'un nouveau genre, consacré à un *brainstorming* sur les débuts chaotiques de l'ère Clinton. Depuis qu'il a découvert que le déficit budgétaire laissé par son ancien rival, George Bush, allait être très supérieur à celui qu'il escomptait, Bill est désemparé. Pendant toute la période de transition, les couacs et déclarations contradictoires se sont multipliés, donnant l'impression d'une confusion extrême, amplifiée par le mode de fonctionnement propre à Bill, adepte des réunions décidées au pied levé, à toute heure du jour et de la nuit ou presque. Mais surtout, la question est de savoir comment les grandes réformes annoncées pendant la campagne, et en particulier la mise en place de la Sécurité sociale, vont être financées. C'est tout l'enjeu de ce séminaire.

Dire que les participants s'y rendent en traînant des pieds relève de l'euphémisme. « Tout le monde était crevé, se rappelle George Stephanopoulos, et voilà qu'on se retrouve entassés à 6 h 30 du matin dans un bus pour aller à Camp David[1] » situé à deux heures de Washington. À l'origine, cette idée un peu « *scout New Age* » vient d'Al Gore. Quand les choses sont mal engagées, rien de tel qu'une retraite à la campagne pour recadrer et « créer des liens » entre les uns et les autres. « Mais je n'étais pas sûr d'avoir envie de faire plus ample connaissance avec mes camarades[2] », écrit Robert B. Reich, le ministre du Travail.

Hillary, elle, y croit. À fond. À midi, quand vient son tour de parler, elle explique, de manière professorale, comment

1. George Stephanopoulos, *All Too Human*, *op. cit.*
2. Robert B. Reich, *Locked in the Cabinet*, Vintage, 1998.

Bill a été battu dans l'Arkansas en 1980 « pour avoir tenté trop de réformes en même temps », et comment il a été réélu quatre fois à partir de 1982 grâce à une stratégie claire. « Je vais vous expliquer comment ce type travaille[1] et comment on s'y est pris dans l'Arkansas[2], lance-t-elle, comme si les convives ne le savaient pas. Pendant son premier mandat de gouverneur, il a voulu résoudre tous les problèmes d'un coup. La presse de gauche l'adorait. Mais il n'a pas expliqué sa vision de l'avenir, ni décrit le voyage dans lequel il voulait emmener les électeurs de l'État. Ce manque de cohérence lui a coûté sa réélection en 1980. Son retour en 1983 s'est fait sur un discours simple, centré sur un objectif (la réforme de l'éducation), avec un début, un milieu et une fin. » Tout tient dans le *story-telling*, explique donc doctement Hillary : il faut « des ennemis et des méchants, qu'il faut noircir ». En l'occurrence, les *bad guys* étaient les syndicats d'enseignants, bastions démocrates, opposés à la réforme. « Mais, théorise alors Hillary, c'est en combattant ses propres amis qu'on montre aux électeurs qu'on veut vraiment se battre pour eux. » C'est ainsi que, alors que la réforme allait prendre des années à produire des effets visibles, les gens ont « cru à la sincérité de l'engagement de Bill » et l'ont réélu à trois reprises. Tout serait aussi simple que cela : à Washington, il suffit de refaire la même chose parce que, souligne Hillary, « l'héritage de douze années républicaines ne va pas se solder en une nuit ».

Comme le reconnaîtra pudiquement Bill, le séminaire « n'a pas plu à tout le monde[3] ». En réalité, la plupart des invités sont atterrés par la naïveté d'Hillary, qui demande dans la foulée de son discours à sa directrice de cabinet, Maggie Williams,

1. Elle parle de Bill, N.D.A.
2. Bob Woodward, *The Agenda, Inside the Clinton White House*, *op. cit.*
3. Bill Clinton, *My Life*, *op. cit.*

de consigner par écrit, séance tenante, une feuille de route pour les mois à venir…

*

Après ce week-end surréaliste, Hillary se retrouve très rapidement en conflit avec les trois principaux économistes du président : Lloyd Bentsen (secrétaire du Trésor), Leon Panetta (directeur du Budget), Robert Rubin (directeur du National Economic Council, le conseil économique national). Le problème du déficit budgétaire hante Bill, beaucoup plus que la sécurité sociale dont il s'est toujours méfié tant il en redoute la complexité. « Bill est un modéré au fond[1] », dit son vieux compagnon de route de l'Arkansas Bobby Roberts. Aussi Hillary, qui se sent investie d'une mission, passe pour la gauchiste du couple et se retrouve de plus en plus seule. Bill ne va pas l'aider à mettre en place sa réforme.

Dès février 1993, les problèmes abondent : l'AAPS (American Association of Physician and Surgeons), puissante association de médecins, porte plainte devant un tribunal fédéral et réclame la levée du secret des délibérations au sein de la *task force* travaillant sur le projet, la publication des noms des cinq cents consultants et experts qui en font partie et l'ouverture de ses réunions de travail au public et à la presse. La méthode d'Hillary est en cause. Mais elle, voit uniquement dans ce recours en justice une manœuvre pour tuer sa réforme.

Vince Foster est chargé de mener la contre-attaque judiciaire. Il mobilise cent cinquante juristes du département de la Justice. En vain : le juge Royce Lamberth (nommé par Ronald Reagan) donne raison à l'AAPS, dans un verdict aux attendus très durs envers l'administration Clinton, ce qui affaiblit

1. Entretien avec l'auteur.

considérablement le projet. Mais Hillary fait appel et finira par obtenir gain de cause en… 1999, soit cinq ans après l'enterrement de sa réforme.

Elle a cent jours pour présenter son projet de loi au Congrès. Un objectif fou qu'elle ne tient évidemment pas. Ce n'est pas forcément de sa faute, mais sa « *bunker mentality* », son obsession de vouloir tout verrouiller, porte un tort énorme à la mise en place de sa réforme, et *in fine*, à Bill lui-même. « On ne nous faisait pas confiance », se plaint Mary Jo O'Brien, qui travailla dans la *task force*. « On se serait crus au FBI. C'était stupide parce qu'il n'y avait rien de vraiment confidentiel ni nouveau dans les documents sur lesquels nous travaillions[1]. »

Hillary omet aussi de mettre dans la boucle les précieux alliés démocrates au Congrès dont elle a besoin pour faire passer son texte. Une grosse erreur politique car certains en prennent ombrage, comme le sénateur Robert Byrd qui refuse d'associer la réforme au vote du budget au printemps 1993. Hillary fait donc l'unanimité contre elle, mais cela ne l'empêche pas, dès qu'on lui propose un compromis, de sortir sa phrase toute faite : « Je ne suis pas venue à Washington pour faire comme les autres[2]… » Dick Morris rigole : « Je l'appelais Mme Mao[3] », se souvient-il.

Bill, de son côté, la ménage, mais voit la catastrophe arriver. Il devient de plus en plus évasif dès qu'elle lui parle de la réforme. Elle tente de le convaincre en faisant passer des messages via ses conseillers, qui se sentent mal à l'aise : comment expliquer à la femme du président que son projet va droit dans le mur ? Comment lui dire que son mari n'y croit plus ? Comment lui

1. Carl Bernstein, *A Woman in Charge*, *op. cit.*
2. Gail Sheehy, *op. cit.*
3. Entretien avec l'auteur.

faire comprendre que tout le monde souhaite qu'elle se fasse un peu oublier ?

À la fin de la campagne de 1992, Hillary a prouvé qu'elle savait se plier aux règles quand l'avenir du couple était en jeu. Elle a su jouer les épouses attentionnées, rester dans l'ombre pour laisser la lumière à son mari.

La politique les unit depuis toujours. Nul n'a réussi à glisser une feuille de papier à cigarettes entre eux, sur ce sujet. Mais pour la première fois depuis leur mariage, les voilà désormais en désaccord idéologique. C'est Hillary contre Bill : la doctrinaire contre le pragmatique, mais aussi la conseillère contre le patron. L'équilibre de leur couple n'a jamais été aussi bancal. Et, dans certaines réunions, cela devient humiliant pour elle.

*

C'est d'autant plus difficile pour Hillary que, à cette époque, les drames se succèdent. Le 7 avril 1993, Hugh Rodham, son père, meurt terrassé par une crise cardiaque. Elle doit s'absenter plusieurs jours pour rejoindre Little Rock et s'occuper des funérailles. Quand elle remonte à Washington, elle apprend que, pendant son absence et malgré le deuil, Bill a organisé une fête à la Maison-Blanche avec Barbra Streisand. Furieuse, Hillary bannira la diva des lieux. Un matin, Bill apparaît dans le Bureau ovale avec une cicatrice le long de la mâchoire. « Il s'est coupé en se rasant », tente d'expliquer, contre toute évidence, Dee Dee Myers lors du briefing quotidien à la presse. Leurs disputes sont un secret de Polichinelle.

Quelques mois plus tard, le 20 juillet 1993, le corps de Vince Foster, le meilleur ami d'Hillary, est retrouvé mort dans un parc fédéral en Virginie, le Fort Marcy Park. Les enquêteurs concluent rapidement au suicide, mais, très vite, les rumeurs d'assassinat émergent. Son bureau aurait été « nettoyé » par les proches d'Hillary avant l'arrivée des investigateurs chargés d'enquêter sur les conditions de son décès. Y auraient-ils trouvé des secrets inavouables sur l'affaire Whitewater s'ils avaient pu passer plus tôt ? Aux yeux des anti-Clinton, Vince Foster devient l'homme qui en savait trop. Cette nauséabonde théorie du complot sera reprise en juin 2016 par Donald Trump, qui a décidé d'attaquer les Clinton en exhumant, les uns après les autres, tous les scandales ayant agité les années quatre-vingt-dix.

On l'a vu, Hillary avait chargé Vince Foster de virer les membres du Secret Service après la publication dans la presse d'indiscrétions relatant ses disputes avec Bill. Elle lui avait aussi confié la gestion du procès intenté par l'association de médecins AAPS contre le projet Hillarycare en février 1993, ainsi que la défense du couple dans le scandale Whitewater. Vince Foster, qui a passé toute sa vie dans l'Arkansas avec sa femme et ses trois enfants, n'était en fait pas de taille à subir une telle pression. Dès son arrivée à Washington, il s'est vite senti dépassé par les événements. Alors il s'est enfermé dans ses dossiers, se sentant coupable d'avoir perdu le procès des médecins contre Hillarycare. Impuissant à aider sa meilleure amie, avec laquelle les liens s'étaient distendus, il a sombré dans la dépression. Hillary et Vince Foster étaient autrefois si proches et complices que les rumeurs d'une liaison entre eux avaient fleuri, sans qu'aucun élément de preuve soit apporté. Son suicide constitue un nouveau drame personnel pour la First Lady, après le décès de son père.

*

Le début de la présidence Clinton est aussi plombé par deux gros scandales qui visent directement le couple Clinton. Le 31 octobre 1993, l'affaire Whitewater refait surface, avec la publication d'un article dans le *Washington Post*[1], qui révèle

1. Susan Schmidt, *The Washington Post*, 31 octobre 1993.

que Bill Clinton est désormais soupçonné de financement politique illégal dans le cadre de ce dossier. Une agence du département du Trésor, la *Resolution Trust Corporation*, chargée de liquider les actifs de caisses d'épargne en faillite, s'interroge sur d'éventuels détournements de fonds chez Madison Guaranty, l'institution financière de Jim McDougal, ami et associé des Clinton. La RTC a demandé aux procureurs fédéraux d'enquêter pour savoir si cet argent aurait pu atterrir sur les comptes de campagne du gouverneur Clinton dans les années quatre-vingt, notamment celle qui a permis sa réélection en 1986. Ce nouveau tournant dans l'affaire prend totalement de court le couple présidentiel. Après les soupçons de conflit d'intérêts et de copinage, les voilà sous le coup d'une enquête qui relève du pénal. Ils doivent prendre un avocat, Me David Kendall, pour se défendre. « J'étais persuadée que les choses n'iraient pas plus loin », écrit Hillary dans ses Mémoires, avant de reconnaître avoir péché par optimisme : « Bill et moi n'avons pas saisi l'impact potentiel de cette résurgence soudaine de l'affaire Whitewater. » Pour elle, pas de doute : il s'agit de « discréditer le président, de perturber le travail de l'administration et de ralentir son élan. Whitewater marque l'irruption d'une nouvelle tactique dans la guerre politique : l'enquête comme arme de destruction[1] », poursuit-elle. L'affaire va en effet polluer toute l'ère Clinton, coûter 70 millions de dollars au contribuable américain et se solder par un non-lieu en... septembre 2000, à quatre mois de leur départ de la Maison-Blanche !

Le 6 mai 1994, un autre scandale resurgit : l'affaire Paula Jones. Deux jours avant l'expiration du délai de prescription, cette ancienne fonctionnaire de l'Arkansas porte plainte contre Bill pour harcèlement sexuel, pour des faits qui remontent à

1. Hillary Rodham Clinton, *Living History*, *op. cit.*

mai 1991. Il est alors gouverneur. Elle affirme que Bill l'aurait repérée dans le hall d'entrée de l'hôtel *Excelsior*, à Little Rock, alors qu'elle distribuait des badges aux participants à une conférence. Selon elle, il aurait dépêché un *state trooper* (garde du corps) pour la faire monter dans une chambre où il lui aurait fait des avances très crues, qu'elle aurait repoussées. En janvier 1994, son témoignage est publié de manière anonyme dans une revue de droite, *The American Spectator*[1]. Mais, le 11 février, Paula Jones apparaît à visage découvert au grand public, lors d'une conférence de presse où elle est entourée d'ennemis déclarés de Clinton. Dans sa plainte, elle réclame sept cent mille dollars de dommages et intérêts. « Manifestement, quelqu'un s'employait à faire monter les enchères[2] », écrit amèrement Hillary. Mais, pour le couple présidentiel, c'est surtout en termes d'image que cette nouvelle affaire est dévastatrice.

*

Dans ce contexte, quand arrivent les élections législatives de mi-mandat (les « *Midterms* »), Bill et Hillary savent que les résultats vont être mauvais. Mais ils sont pires que prévu. C'est une véritable « vague rouge », couleur fétiche du parti républicain emmené par un orateur hors pair, historien, à l'ego surdimensionné : Newt Gingrich.

Pour la première fois depuis 1954, les Démocrates perdent le contrôle de la Chambre des représentants. À la Maison-Blanche, Bill et Hillary sont assommés par la défaite. « Ce jour-là, on s'est pris une bonne raclée[3] », reconnaît le chef

1. David Brock, *The American Spectator*, « Living with the Clintons », janvier 1994.

2. Hillary Rodham Clinton, *Living History*, *op. cit.*

3. Bill Clinton, *My Life*, *op. cit.*

de l'État dans ses Mémoires. Une cohabitation s'installe entre un président de gauche et une chambre parlementaire de droite, bien décidée à faire la peau au péquenaud de l'Arkansas.

Le couple Clinton est au fond du trou… mais Hillary a l'habitude de sortir son mari de l'ornière.

Chapitre 9

« Allô Charlie »

20 janvier 1997, « Inauguration Day » : le jour où Bill et Hillary reprennent le pouvoir à Washington

Ciel bleu, temps glacial, et des centaines de milliers de personnes à leurs pieds. Quatre ans après l'élection de Bill, Hillary et lui se retrouvent sur la terrasse du Capitole qui domine le National Mall, cette immense esplanade qui va jusqu'au Lincoln Memorial et à la rivière Potomac. Ce 20 janvier 1996, Washington célèbre en grande pompe la réélection de William Jefferson Clinton, quarante-quatrième tenant du titre.

Comme en 1992, il est en retard. Mais cette fois tout le monde s'en moque. On a pris l'habitude des libertés que le toujours jeune président (il vient de fêter ses cinquante ans) prend avec les horaires. Les prières à la messe du matin en l'église méthodiste afro-américaine, comme en 1992, étaient si ferventes qu'il n'a pas su résister au bonheur d'un bain de foule plus long qu'envisagé. Une fois au Capitole, autre imprévu : alors que les douze coups de midi retentissent, la cantatrice Jessye Norman s'apprête à interpréter un pot-pourri de chansons patriotiques, mais son prompteur est en panne. « L'orchestre était derrière moi, je me dis : j'espère qu'il me voit, parce que pour moi, c'est le saut dans l'inconnu[1] », se souvient-elle. Grande admiratrice de Bill et Hillary Clinton, la diva noire, qui enflamma la place de la Concorde en 1989 lors du bicentenaire de la révolution française, improvise sans que le public s'en rende compte. Le show est parfait. Bill peut prêter serment. Les vingt et un coups de canon résonnent au loin. Le président réélu embrasse Hillary sur les deux joues, enserre Chelsea, puis revient à son épouse, qu'il prend à nouveau dans ses bras. Quelle tendresse ! Et quel contraste avec la cérémonie d'inauguration de 1992, où il avait à peine effleuré les joues de sa femme[2]. Une telle complicité entre le président et la première dame, affichée devant les dizaines de millions de téléspectateurs, on n'avait jamais vu cela depuis longtemps.

L'heure est donc à la réconciliation. Sous toutes ses formes. Le discours de Bill a changé : finies les envolées sur les grandes réformes. Le président est à l'aise dans son rôle de père de la nation. Il cite la Bible pour appeler de ses vœux la fin des hostilités entre les deux camps qui s'affrontent : en novembre 1994, le parti républicain a pris le contrôle du Congrès. Depuis, la guerre est incessante. Bill réclame une trêve, sous l'œil approbateur d'Hillary. Habillée en Oscar de la Renta, celle-ci semble avoir reconquis les faveurs du public. « Ouf, elle n'a pas mis de chapeau[3] ! », titre la rédactrice mode du *Washington Post*, arbitre des élégances dans la capitale, qui l'avait étrillée quatre ans plus tôt à cause du bibi bleu qui cachait son front et lui donnait un air de provinciale perdue dans ses nouveaux habits présidentiels.

1. Entretien avec l'auteur, 27 février 2015.

2. Alison Mitchell, « Clinton, sworn in for 2nd term, assails "bickering and extreme partisanship" », *The New York Times*, 21 janvier 1997.

3. Robin Givhan, « Hillary, suited for the occasion », *The Washington Post*, 21 janvier 1997.

*

C'est, en vérité, l'histoire d'un incroyable *come-back*. Ce jour frisquet de janvier 1997, Bill et Hillary sont revenus au faîte de leur puissance. Leur cote de popularité est au top, à 62 %, pour Bill[1] comme pour Hillary[2]. Ce pouvoir reconquis semble aussi les avoir réconciliés. Comme s'il servait de carburant à leur histoire d'amour. Depuis quelque temps, Bill et Hillary ont l'air d'être à nouveau complices. « Tout mariage est un mystère, mais il m'a semblé que leur lien s'est renforcé avec l'expérience de la Maison-Blanche[3] », témoigne George Stephanopoulos, conseiller du président tout au long de son premier mandat, jusqu'à décembre 1996. « J'ai eu l'impression qu'Hillary était retombée amoureuse de ce garçon de l'Arkansas qu'elle avait rêvé de voir accéder aux plus hautes destinées. Les derniers mois avant mon départ, les rumeurs sur les scènes de ménage du premier étage[4] étaient devenues moins récurrentes. Hillary avait même suggéré au magazine *Time* que Bill et elle cherchaient à adopter un enfant. Une révélation totalement inattendue, à laquelle je n'aurais porté aucun crédit si je n'avais moi-même entendu des bruits du côté de l'aile ouest[5] selon lesquels ils essayaient d'en avoir un par les voix naturelles. »

Que s'est-il passé ?

---

1. Sondage *Gallup*, David Moore « Clinton leaves office with mixed public reaction », 12 janvier 2001.
2. Sondage *Gallup*, Wendy Simmons, « Eight dramatic years ending on a positive note for Hillary Clinton », 3 janvier 2001.
3. George Stephanopoulos, *All Too Human*, *op. cit.*
4. Celui de la résidence présidentielle, N.D.A.
5. Le centre du pouvoir à la présidence, N.D.A.

*

Le coup de fil est arrivé mi-septembre 1994. À l'époque, les portables sont encore rares. Quand on veut appeler quelqu'un qui n'est pas chez lui, on lui envoie un signal sur son « *pager* », instrument aujourd'hui relégué au rayon des antiquités. Le 14 septembre 1994, le *pager* de Dick Morris vibre. C'est la présidence. Il rappelle aussitôt. « Vous appelez d'où ? demande l'opératrice au bout du fil. — De Danbury, répond-il. — Comment vous écrivez ça ?, ajoute-t-elle d'une voix laconique. — DANBURY », épelle-t-il distinctement. « Je bouillais intérieurement », confie-t-il. « Je vous passe le président[1] », lâche l'interlocutrice.

Dick Morris attendait ce coup de fil depuis l'âge de... huit ans[2], écrira-t-il plus tard dans l'une de ses nombreuses autobiographies. Travailler pour le président des États-Unis, il en a toujours rêvé. Pour lui, c'est le Graal, le couronnement de sa carrière de consultant politique. Il est républicain, ce président-là démocrate, mais peu importe, l'essentiel est d'entrer dans le saint des saints. Le pouvoir rend fou paraît-il et chez Dick Morris, il a certainement agi « comme une drogue[3] ». Quand il reçoit le coup de fil de Bill, il plane donc, comme s'il avait reçu un shoot. Pendant les deux années qui vont suivre, les shoots vont se succéder, au-delà de ses espérances, car, ainsi que le dit George Stephanopoulos, l'un de ses pires ennemis au sein de l'entourage du président, « de tous les conseillers de Bill Clinton, le plus influent de 1994 à 1996, c'était lui[4] ».

Sans Hillary, jamais Bill n'aurait passé ce coup de fil qui a sauvé sa présidence. Car la première dame est le trait d'union

1. Dick Morris, *Behind the Oval Office*, *op. cit.*
2. *Ibid.*
3. *Ibid.*
4. George Stephanopoulos, *All Too Human*, *op. cit.*

entre ces deux hommes riches d'une histoire compliquée, faite d'amour et de haine (du moins du côté de Dick Morris), d'admiration et de mépris, de fascination et de répulsion. « Hillary a toujours été mon alliée, raconte aujourd'hui Morris. Nous fonctionnons pareil. À l'efficacité. De façon agressive. On ne passe pas trois heures à retourner un problème dans tous les sens comme Bill aime tant à le faire. Contrairement à lui, nous n'avons aucun problème pour attaquer nos rivaux quand il s'agit de nous défendre[1]. » Lorsque Bill appelle Dick à l'aide, celui-ci accourt, et Hillary se met en quatre pour lui faciliter la vie, comme elle le confie dans ses propres Mémoires[2].

Pendant treize ans, Dick Morris est l'homme qui a murmuré à l'oreille du gouverneur de l'Arkansas, sans jamais apparaître dans les organigrammes officiels[3]. Quelques proches du couple Clinton, comme Betsey Wright, la future chef de cabinet du gouverneur, étaient au courant de son influence. De fait, pendant des années le nom de Dick Morris n'a jamais figuré dans la presse, ni dans les livres alors consacrés au *wonderboy* de la politique, promis à un destin national, qu'est déjà Bill Clinton.

De 1982 à 1990, Dick est de toutes les élections au poste de gouverneur dans l'Arkansas, comme mentor de l'ombre, le gourou invisible. Un mauvais génie que Bill a du mal à assumer car il n'aime pas ses méthodes ni ses relations. Dick travaille en effet aussi avec des candidats républicains. Il est en outre un adepte de la « publicité négative », autrement dit des campagnes qui tirent à boulets rouges sur l'adversaire. Or Bill Clinton est mal à l'aise avec ce concept. Hillary, au contraire, n'y voit aucun inconvénient. Et réalise tout de suite que Dick

1. Entretien avec l'auteur, 21 mars 2016.
2. Hillary Rodham Clinton, *Living History*, *op. cit.*
3. Voir la rencontre entre Bill Clinton et Dick Morris au chapitre 4.

est l'homme capable de faire gagner son mari et de gommer sa tendance boy-scout.

Dick Morris a constaté les fragilités d'Hillary, cachées derrière son masque de « *career woman* ». Ainsi lors du coup de fil où, dans un sanglot, elle « se demande pourquoi personne n'arrive à croire qu'elle aime ce type[1] », en parlant de son mari. Il a aussi été victime des failles du caractère de Bill. Il se souvient de son explosion de colère un jour de 1990 quand les deux hommes en viennent aux mains. Bill est alors à bout, dans une compétition mal engagée pour garder son sceptre de gouverneur de l'Arkansas. Il accuse son conseiller de ne pas en faire assez pour lui et finit par lui porter un coup qui le renverse à terre. Morris claque la porte. Hillary le supplie de rester, en expliquant que Bill « agit ainsi avec ceux qu'il aime[2] ». À partir de ce jour, les relations entre eux n'ont plus jamais été les mêmes. Aussi quand Bill Clinton le rappelle pour lui demander de mener sa campagne de 1992, Morris refuse car il ne croit plus en lui. Résultat, il rate l'élection de 1992 où Bill s'entoure d'autres conseillers, d'autres *spin doctors*, une bande de trentenaires gauchistes et ultra-talentueux emmenée par James Carville et George Stephanopoulos. « J'en étais malade[3] », écrit Dick.

*

Aussi, quand, ce 14 septembre 1994, Bill Clinton l'appelle, il sait qu'il tient sa chance d'accéder enfin au cœur du pouvoir.

« Bonjour, je dois envahir Haïti. Qu'est-ce que je dois dire à la télé ?

1. Dick Morris, *Rewriting History*, *op. cit.*
2. *Ibid.* ; *Behind the Oval Office*, *op. cit.*
3. Dick Morris, *Behind the Oval Office*, *op. cit.*

— Haïti ? Vous vous trompez d'île, vous devriez intervenir à Cuba », répond Morris

Il ne connaît rien au sujet. « J'étais sûr que ce coup de fil n'était qu'un prétexte[1] »… pour renouer !

*

La confirmation vient quelques semaines plus tard quand, cette fois, Hillary appelle et demande tout de go : « Dick, j'ai l'impression que ces élections se présentent mal. Si je peux convaincre Bill de vous contacter, nous aiderez-vous[2] ? » Aux abois, Clinton est à l'affût d'idées nouvelles, accuse ses « petits génies », les George Stephanopulos et James Carville, de l'avoir mené tout droit dans le mur avec leurs idées à ses yeux trop marquées à gauche.

Quelques jours après, Bill rappelle – pour parler politique cette fois. Le coup de fil va durer trois heures. Dans l'agenda d'un président, c'est long. Mais Clinton est redevenu ce candidat hors pair qui, mieux que personne, sent le pouls des électeurs.

Cette fois, le président demande à Morris d'effectuer un sondage pour essayer de comprendre comment sauver les meubles. Le conseiller obtempère et revient quelques jours plus tard avec de très mauvaises nouvelles.

« Vous allez perdre les deux chambres, prédit Dick.

— Non, pas la Chambre des représentants », répond Bill, sonné.

Dick donne quelques conseils pour limiter la casse, que rejette le président, sous le choc. « Dick a raison, Bill. Écoute-le », lance alors Hillary, comme autrefois, en 1980, quand elle

1. Entretien avec Dick Morris, 21 mars 2016.
2. Hillary Rodham Clinton, *Living History*, *op. cit.*

le remettait sur les rails afin qu'il reconquière son trône perdu de gouverneur de l'Arkansas.

Le 8 novembre 1994, dans la soirée, les résultats dépassent les prédictions les plus sombres de tout l'état-major de la Maison-Blanche. Retranché dans la résidence avec Hillary, Clinton est en état de choc.

Le lendemain, tôt dans la matinée, dans sa maison du Connecticut, Dick est réveillé par le téléphone. « Le président veut vous parler... » Dick le devin a gagné son ticket retour dans la galaxie Clinton. Et son entrée dans l'antichambre du pouvoir.

Mais, comme en Arkansas, il ne faut pas que ça se sache. Plus que jamais, le conseiller de l'ombre sent le soufre. Après avoir voté démocrate au cours des années quatre-vingt, il est devenu républicain depuis sa rupture avec Clinton et n'accepte plus que des clients de droite. Hillary voit ce revirement comme un avantage. Au moins, lui connaît l'adversaire. Et pas des moindres, car Dick Morris conseille alors Trent Lott et Jesse Helms, deux poids lourds du parti conservateur, ennemis déclarés de Bill Clinton.

Lorsqu'il vient à la Maison-Blanche, le rituel est toujours le même : entrée par la porte réservée aux touristes, côté est, loin du Bureau ovale et de la salle de presse. Attente dans la Map Room, au rez-de-chaussée, que le président vienne le chercher. Ensemble, ils vont ensuite dans la Treaty Room, une salle alors décorée de lourdes tentures pourpres où est accroché le sévère portrait du président McKinley, qui a signé le traité de paix avec l'Espagne, lors de la guerre hispano-américaine de 1898.

Leur premier meeting à la Maison-Blanche fut, dira Dick plus tard, « le plus important de [sa] vie[1] ». Il choisit avec soin

1. Entretien avec l'auteur, 21 mars 2016.

son costume, Bill étant sensible à la manière dont les gens s'habillent au point, souvent, de ne pas hésiter à émettre des commentaires à ce sujet. Or Dick aime les costumes voyants et les chaussures en crocodile… cette fois, il se retient…

Le président Clinton lui annonce d'emblée la couleur :

— Je veux que vous reveniez travailler avec moi comme à l'époque de l'Arkansas. J'ai besoin de nouvelles idées et d'une autre stratégie. Je ne fais plus confiance à mon équipe actuelle, je n'arrive pas à obtenir ce dont j'ai besoin.

Hillary assiste à la scène, amusée, se remémorant le bon vieux temps et la résurrection de 1982.

— Il va falloir que tu arrêtes qu'on te sauve la mise à chaque fois que tu vas mal.

— Dernière fois, je le jure, répond Clinton, la main levée[1].

Marché conclu.

En bon Républicain, Dick est persuadé que la présidence de Bill a été trop partisane. La faute à ses conseillers, peut-être, comme Clinton le dit. La faute à Hillary, sûrement, qui a voulu « imiter Eleanor Roosevelt[2] », affirme-t-il aujourd'hui.

En attendant Clinton, Dick a jeté un œil sur sa bibliothèque. Dans une rangée, il tombe sur une biographie – qu'il a beaucoup aimée – de François Mitterrand écrite par Wayne Northcutt.

Quand le président arrive, il lui expose le plan de sauvetage tel qu'il l'envisage. « J'ai beaucoup étudié le retour de Mitterrand pendant la période de cohabitation, entre 1986 et 1988. Jacques Chirac n'avait qu'une obsession : défaire ce que le chef de l'État français avait réalisé entre 1981 et 1986. Privatiser les entreprises que Mitterrand avait nationalisées juste après son arrivée au pouvoir. Eh bien le génie de Mitterrand a

1. *Ibid.*
2. *Ibid.*

été de laisser faire Chirac dans un premier temps, sans s'opposer frontalement à sa politique. Cela lui a permis de se placer audessus des partis. Et de gagner 1988. C'est ce que j'appelle la stratégie de la triangulation : d'un côté la gauche, de l'autre la droite, et au sommet, le président. Si vous l'appliquez, vous avez une chance d'être réélu en 1996. »

Clinton penche la tête et se caresse le front. Hillary, présente à la réunion, approuve tout de suite l'idée. Elle comprend d'emblée que le salut de son mari se trouve dans son recentrage. « Par la suite, elle s'est réinventée elle-même comme une "nouvelle démocrate". Elle m'a beaucoup aidé à convaincre le président de faire voter des lois visant à équilibrer le budget ou réformer l'État-providence, deux mesures essentielles qui ont marqué les esprits, permis de recentrer Bill et, in fine, l'ont fait gagner en 1996[1]. »

*

C'est le retour d'Hillary la pragmatique. Morris est persuadé qu'elle est « idéologue par choix, opportuniste par nécessité[2] ».

Après la bérézina de 1994, elle fait un choix radical, inattendu. Elle qui assistait à toutes les réunions stratégiques au début du mandat de son mari, et qui avait dû lutter pour s'imposer au cœur du pouvoir, se retrouve désormais aux abonnés absents. Un revirement à 180 degrés qui ne doit rien au hasard : les sondages de Dick montrent qu'entre elle et Bill, dans l'esprit des gens, « c'est un jeu à somme nulle. » Quand elle monte, il régresse. Lorsqu'elle est forte, il passe pour un faible. Et cela nuit à leurs courbes de popularité. Celle de Bill est handicapée par le fait qu'un tiers de l'électorat voit en lui un mou. La faute à l'omniprésence d'Hillary, désapprouvée par

1. *Ibid.*
2. Dick Morris, *Rewriting History*, *op. cit.*

40 % des Américains contre 14 % au début du mandat[1]. Les gens ne veulent pas d'une First Lady qui joue les Lady Macbeth. C'est Bill qu'ils ont élu, pas elle.

Quelle est sa légitimité ? Elle un CV long comme le bras, au moins aussi prestigieux que celui des petits génies sortis de Yale ou Princeton qui entourent le président, mais les électeurs ne veulent pas le savoir. Ils voient en elle l'épouse du président, un point c'est tout. Une première dame avide de pouvoir. Une usurpatrice qui va au-delà du rôle qui lui est imparti, strictement délimité par la tradition et l'histoire. Dick Morris lui conseille donc de déserter toutes les réunions stratégiques du cabinet.

« Et c'est ce qu'elle a fait, du jour au lendemain[2]. » Elle ne met plus les pieds à son bureau, au premier étage de l'aile ouest, et se replie sur ceux de l'aile est, dévolus à la première dame.

*

Le 15 décembre 1995, Bill Clinton prononce son premier discours depuis la « raclée » – le terme est de lui[3] – de novembre. Il doit affronter un camp adverse si sûr de lui qu'il se sent obligé de rappeler qu'il existe encore. C'est aussi l'occasion d'amorcer son recentrage avec une proposition-choc qui fait bondir son propre entourage officiel : proposer une « déclaration des droits de la classe moyenne », formule fourre-tout qui annonce une baisse des impôts pour cette catégorie de la population, mais qui va forcément déplaire à l'aile gauche du parti, réticente aux cadeaux fiscaux parce qu'à ses yeux elle va de pair avec la remise en cause des acquis sociaux.

1. Sondage *Gallup*, Wendy Simmons, « Eight dramatic years ending on a positive note for Hillary Clinton », 3 janvier 2001.

2. Entretien avec Dick Morris.

3. Bill Clinton, *My Life*, *op. cit.*

George Stephanopoulos, le *senior advisor* ayant perdu la confiance du président et qui se morfond dans son petit bureau, dresse l'oreille : « Je n'avais jamais entendu cette formule », se souvient-il. Clairement, quelqu'un téléguidait le cerveau du président, mais qui ? L'un des attributs de mon job était d'essayer de savoir qui parlait au président, d'où il sortait ses idées. Bill Clinton discutait avec une foule de gens et venait me voir dans mon bureau pour raconter « j'ai parlé à quelqu'un, qui me dit ceci, cela ». Il ne révélait pas qui lui avait conseillé quoi. J'essayais toujours de remonter à la source pour savoir ce qu'il avait exactement en tête. Mais je ne pouvais pas découvrir avec qui il s'entretenait au téléphone. Et, depuis quelque temps, on le voyait s'absenter de son bureau pour prendre des coups de fil depuis une salle attenante[1]. » C'était Dick. Bill échangeait avec Morris depuis la bibliothèque à côté du Bureau ovale, sur sa ligne privée. Stephanopoulos mit six mois à découvrir qui était ce conseiller de l'ombre, l'homme qui l'avait supplanté. Et de parler plus tard d'un « coup d'État fomenté par Bill contre son propre staff[2] ».

Toujours est-il que l'allocution du 15 décembre rencontre un petit succès : la cote de popularité de Bill frémit.

Résultat, Dick Morris prend de plus en plus de place à la Maison-Blanche. Mais personne ne le sait encore. Stephanopoulos remarque des Post-it écrits de la main de Bettie Curry, la secrétaire particulière du président, sur le *Resolute Desk*, la table de travail présidentielle installée dans le Bureau ovale. « Charlie a appelé. » Charlie ? Qui c'est, celui-là ? C'est le nom de code que Dick s'est choisi pour appeler Clinton en toute discrétion. Pourquoi ce pseudo ? « En hommage à Charlie Black, mon consultant républicain

1. George Stephanopoulos, *All Too Human, op. cit.*
2. *Ibid.*

préféré. Je trouvais piquant de conseiller un président démocrate en utilisant le nom d'un conseiller venu du camp adverse[1]. » Secret et provocation : Dick et Bill s'amusent bien à cette époque. « Il s'agissait des plus beaux moments de ma vie, et Bill semblait en tirer grand plaisir aussi[2] », commente-t-il.

L'ambiance a complètement changé à la Maison-Blanche. On l'a écrit, Hillary n'est quasiment plus là. Depuis la défaite de novembre 1994, elle se cherche un nouveau rôle. Déprimée, elle se réfugie dans sa foi méthodiste et prie beaucoup, prend conseil. Dick Morris est le premier gourou qu'elle a contacté, mais pas le seul. L'épouse du président regarde tous azimuts, rencontrant ainsi Marianne Williamson, conseillère spirituelle spécialisée dans le développement personnel et auteure du best-seller *L'Âge des miracles : Une nouvelle approche de la cinquantaine*. Qui lui présente Jean Houston, auteure et conférencière sur l'histoire des femmes, laquelle organise avec elle des « conversations imaginaires avec Eleanor Roosevelt[3] ». Hillary invite ses nouvelles amies en week-end à Camp David, fin décembre 1994, en compagnie de Bill.

Nancy Reagan avait un astrologue qui indiquait les bons et mauvais jours pour les déplacements de Ronald, Hillary, d'habitude si rationnelle, s'entoure, elle, de gourous New Age. Elle traverse une période difficile. Elle qui a connu peu d'échecs dans sa vie, a raté son chef-d'œuvre : la réforme du système de santé. Aussi se lance-t-elle dans l'écriture de son premier livre : *Il faut tout un village pour élever un enfant*, qui va être un best-seller. En février 1995, elle officialise son

1. Dick Morris, *Behind the Oval Office*, *op. cit.*
2. Entretien avec Dick Morris, 21 mars 2016.
3. Hillary Rodham Clinton, *Living History*, *op. cit.*

déménagement de l'aile ouest de la Maison-Blanche dans une interview à *US New & World Report.* « Son départ m'a contrarié car j'avais besoin d'elle pour coordonner la Maison-Blanche, dit aujourd'hui Dick Morris. Hillary est excellente pour diriger un staff et déléguer aux bonnes personnes : c'est une excellente chef d'équipe, contrairement à Bill. »

*

Pour préparer le discours sur l'État de l'Union, le grand discours annuel de politique générale prononcé par le président au Congrès à chaque fin janvier, Dick et Bill œuvrent à quatre mains sur une vieille machine à écrire. Un appareil non connecté au réseau de la présidence, puisqu'il ne faut pas utiliser un ordinateur de la Maison-Blanche : ça finirait par se savoir. Bill recopie à la main les notes de son conseiller. Ne pouvant les apporter dactylographiées à son équipe officielle, tout le monde le sachant incapable de taper à la machine : le pot aux roses serait découvert.

Rapidement, une réalité s'impose : le changement de cap décidé doit être matérialisé par des actes. Il faut que la machine gouvernementale suive. Vient donc le moment de sortir le conseiller… de l'ombre. Hillary conseille à Bill de « faire les présentations ». Adieu Charlie, bonjour Dick. Mi-mars, les proches du président découvrent, éberlués, que Dick Morris travaille avec leur boss sans qu'ils soient au courant. La pilule passe mal. Le style de l'intrus, appelé « Darth Vador » par ses détracteurs à la Maison-Blanche, est peu apprécié. Beaucoup crient à la trahison des promesses démocrates. Ou se moquent des cravates à motifs criards de celui qui leur fait de l'ombre. Dans ses Mémoires, George Stephanopoulos consacre un chapitre au vitriol à son premier dîner, le 17 mai 1995, avec cet « homme saucisse[1] », allusion à sa corpulence et à sa petite taille.

*

À cette époque, Dick a un autre problème : la première dame ne lui adresse pas la parole durant plusieurs mois. La raison ? Hillary n'a pas supporté que, pour sa première interview au biographe David Maraniss, il ait raconté qu'elle avait envisagé la construction d'une piscine à Little Rock dans la résidence du gouverneur, initiative qu'il lui avait formellement déconseillée, même si elle la voulait financée par les fonds privés de grands donateurs fans des Clinton.

Une distance embêtante pour Dick : il a besoin d'elle car, dans le couple Clinton, c'est d'elle dont il est le plus proche et parce qu'en interne il ne bénéficie d'aucun soutien. Son statut est précaire. Quand Morris suggère à Bill d'intercéder en sa faveur, celui-ci lui répond qu'il aura du mal à l'aider, la biographie de Maraniss ayant causé des ravages dans son couple. Le livre révèle en effet la fameuse liste des « bimbos » que Betsey Wright, sa chef de cabinet, avait dressée pour évaluer ses chances de réussite à la présidentielle de 1988, et le conseil que cette collaboratrice lui avait alors donné : ne pas se présenter. Un événement qu'Hillary a appris dans l'ouvrage. Pour apaiser la situation, Betsey Wright se fend d'un démenti sans conviction avant d'aller confirmer ses propos, quelques années plus tard, auprès d'autres biographes.

Pour échapper à cette ambiance délétère, la première dame prend en effet le large. Elle met le cap sur l'étranger, où elle va multiplier les grands discours et rencontrer un accueil plus que chaleureux. Impopulaire aux États-Unis, Hillary est une star dès qu'elle franchit les frontières de son pays. Au Danemark,

1. George Stephanopoulos, *All Too Human*, *op. cit.*

début mars 1995, elle participe au sommet mondial des Nations unies. Son discours sur « le droit des femmes à accéder aux postes de pouvoir » est particulièrement apprécié par les représentantes des organisations non-gouvernementales venues l'écouter. « Quand une femme donne de l'amour, comme c'est souvent le cas, tout le monde trouve cela normal. Mais quand elle se bat pour accéder à des postes de responsabilité, discrètement ou ouvertement, c'est mal vu ! » *Standing ovation* dans la salle. À Pékin, quelques mois plus tard, elle récidive avec un autre grand discours qui fait date, dans lequel elle proclame que « les droits des femmes sont des droits humains », et ce à l'occasion d'une conférence organisée par l'ONU.

*

Pendant ce temps, Bill est reparti à l'attaque.

Les premiers mois de 1995 sont dominés par les Républicains qui prennent le pouvoir en janvier au Congrès et mettent tout de suite en œuvre leur « Contrat avec l'Amérique », comme ils ont baptisé leur programme, pot-pourri libéral de mesures visant à valoriser l'initiative privée, faire reculer l'importance de l'État dans la vie des gens et, corollaire, à remettre en cause nombre d'acquis sociaux. Bill a presque disparu des écrans radars. Mais le terrible attentat d'Oklahoma City, qui fait cent soixante-huit morts, fomenté par le militant d'extrême droite Timothy McVeigh, lui redonne de la visibilité. Sa cote de popularité repasse au-dessus de la barre des 50 %. Le voilà en position de force pour affronter les Républicains pendant le bras de fer budgétaire qu'ils engagent à l'automne 1995.

Le gouvernement est mis en état de « *shutdown* » (cessation de paiement) à deux reprises (durant vingt-deux jours la deuxième fois !) parce que les Républicains veulent faire passer un certain nombre de réformes, impopulaires pour une majorité d'Américains, mais faisant partie de leur programme.

Clinton met son veto à deux reprises, obligeant ses adversaires à trouver un compromis début 1996, compromis dont il sort victorieux.

Lors du discours annuel sur l'État de l'Union de 1996, il peut donc déclarer triomphalement que « l'ère du gouvernement tout-puissant est terminée », propos salués par un tonnerre d'applaudissements… et pour le plus grand bonheur de Dick Morris. La thèse de triangulation de ce dernier fonctionne à plein : la gauche de la gauche du président est furieuse, la droite embarrassée car dépossédée d'un thème qui lui est cher. Du grand art. Pour Bill, l'élection présidentielle de 1996 se présente sous les meilleurs auspices.

*

Mais l'euphorie, à la Maison-Blanche ne dure jamais car l'affaire Whitewater refait surface.

Et c'est Hillary qui se trouve dans le collimateur de la justice. Elle est convoquée au palais de justice fédéral de l'United States District Court for the District of Columbia de Washington, le 26 janvier 1996. Motif : elle aurait tenté de faire obstruction à la justice en cachant des documents compromettants, soudainement retrouvés par son assistante Carolyn Huber. Il s'agit de dossiers de facturations établies en 1985-1986 au nom d'Hillary Clinton, avocate au cabinet de Rose Law, pour services rendus à la banque Madison Guaranty Savings & Loans de son ami Jim McDougal, depuis soupçonné d'avoir illégalement financé la campagne électorale de Bill Clinton.

Or c'est la première fois qu'une première dame en exercice est convoquée, au palais de justice. Un grand jury et des juges emmenés par le redoutable procureur Ken Starr ne veulent pas la ménager. Hillary arrive sous les flashs des photographes, ayant refusé de passer par la petite porte (le garage) comme le lui proposait son avocat. Avec un certain courage, elle tient à affronter la cohue médiatique. Une fois dans le tribunal, elle lance : « Allons-y ! le peloton d'exécution m'attend ! » Elle a perdu cinq kilos les jours précédents, n'a pas dormi, a potassé à fond sa défense et, face à ses accusateurs, riposte à tout. Résultat : elle ressort du tribunal la tête haute, fait face à la meute des caméras[1], répond à quelques questions et ose même des déclarations. « Oui, ce fut une longue journée[2] », concède-t-elle dans un sourire crispé (l'audition a duré quatre heures).

Ken Starr, à son grand désespoir, n'arrivera jamais à obtenir sa mise en examen. Et, quelques mois plus tard, le vent tourne. Des articles fleurissent sur ce procureur décidément bien inquisitorial, et pas très soucieux lui-même de l'éthique dont il se pare puisqu'il s'avère avoir gardé ses activités privées d'avocat, rémunérées 1 million de dollars par an, parallèlement à sa position de magistrat chargé de l'enquête sur Whitewater contre le président et la First Lady.

À cause de l'affaire Whitewater – et de la crainte persistante d'une éventuelle mise en examen –, Hillary est bannie de la campagne de 1996. Les sondages de Dick Morris sont formels[3] : ce scandale a très peu d'effet sur l'opinion publique, à condition de ne pas en parler. Hillary doit donc rester chez elle quand Bill part à la rencontre des électeurs. Le message à faire passer est simple : l'économie repartie à la hausse. Les 10 millions d'emplois créés, le chômage au plus bas, le déficit budgétaire divisé de moitié depuis 1992 et le salaire minimum qui a augmenté, autant de succès à mettre au crédit de Bill, bien parti

1. Le tribunal est même survolé par des hélicoptères des équipes de télévision qui couvrent l'événement.

2. Hillary Rodham Clinton, *Living History*, *op. cit.*

3. Carl Bernstein, *A Woman in Charge*, *op. cit.*

pour être réélu face au républicain Bob Dole, rival sans charisme.

*

La convention démocrate de Chicago d'août 1996 aurait dû être la consécration de Dick Morris. Ne fait-il pas la couverture du magazine *Time*, qui le salue comme « l'homme qui a l'oreille du président » et publie un long portrait aussi flatteur qu'exclusif ? Lui qui ne donne jamais d'interview sort du bois. Le pestiféré clame sa réussite. Mais cet entretien constitue son chant du cygne.

« La lumière m'a tué », écrit-il dans *Behind the Oval Office*[1], Mémoires écrits dans la foulée des deux années passées à quelques mètres du Bureau ovale. Le livre débute par une lettre d'excuses, adressée à sa femme Eileen et au président. Le jour même où Bill doit prononcer son discours d'investiture à l'élection, Morris fait bien involontairement la Une d'un autre magazine, le tabloïd *The Star*, le même qui avait révélé l'affaire Gennifer Flowers. Une prostituée, Sherry Rowlands, évoque les nuits chaudes qu'elle a passées avec lui plusieurs mois durant dans une suite à quatre cent quarante dollars de l'hôtel *Jefferson* situé à deux pas de la Maison-Blanche et, plus grave, raconte que son client VIP lui a fait écouter des conversations avec le président et montré des discours censés avoir été écrits pour la première dame.

Face à la déflagration, Dick Morris démissionne sur-le-champ. Le voilà harcelé à son tour par les caméras qui filment la façade blanche de sa jolie maison dans le Connecticut. Comme Hillary quand Bill est à terre, Eileen monte au créneau pour défendre son mari, posant pour le magazine *Time*, qui consacre au conseiller une deuxième couverture d'affilée, titrée

1. Dick Morris, *Behind the Oval Office*, *op. cit.*

cette fois : « Après la chute[1]. » Mais l'impact du scandale est minimal sur l'issue du scrutin. En privé, Hillary s'inquiète toutefois : elle craint que le conseiller de l'ombre ne se suicide. Ordre est donné à son entourage de n'émettre aucun commentaire sur la disgrâce de l'artisan de la victoire de Bill[2]. Ce dernier, de son côté, est soulagé : sa dernière bataille électorale vient de s'achever. Comme il ne peut plus se représenter, il n'a plus besoin de ce Dick Morris dont il n'a jamais réellement supporté la présence. Le 5 novembre 1996, il gagne le scrutin haut-la-main, avec huit points d'avance sur son rival Bob Dole. Et entre dans les livres d'histoire comme le seul président démocrate réélu, avec Franklin Delano Roosevelt. Son second mandat s'ouvre sous les meilleurs auspices. Mais une jeune stagiaire à la Maison-Blanche va tout bouleverser.

1. « After the fall », *Time Magazine*, 9 septembre 1996.
2. Carl Bernstein, *A Woman in Charge*, *op. cit.*

Chapitre 10

Hillary sauve Bill (saison 2) et prend sa liberté

18 août 1998. Air Force One se pose sur le tarmac du petit aéroport de Martha's Vineyard. Comme chaque été depuis leur entrée à la Maison-Blanche, les Clinton viennent se ressourcer pendant une dizaine de jours sur cette île chic et bohême au large du Massachusetts. Les habitants ont ressorti les traditionnelles pancartes de bienvenue. Les t-shirts à l'effigie de Buddy, le très populaire « First Dog » (chien du président), ont refait leur apparition dans les étalages des « *gift shops* ».

Bill sort le premier de l'avion, précédé du labrador qui tire sur sa laisse pour aller galoper. Le président est accueilli par un petit comité, avec, en tête, l'ami Vernon Jordan, un habitué de l'île où il possède une maison. Derrière lui, Chelsea émerge, tout sourire, saluant la foule au loin, massée derrière les grillages. Mais l'image la plus surprenante, c'est Hillary[1].

Quelques heures plus tôt, son attachée de presse Marsha Berry a diffusé une déclaration laconique : « De toute évidence, ce n'est pas le plus beau jour de la vie de Mrs Clinton... C'est un moment où elle puise dans sa foi religieuse[2]... » La veille, en effet, Bill Clinton a confessé à la télévision sa « relation

1. Associated Press TV : « USA : President Clinton and family Martha's vineyard vacation », 19 août 1998.

2. Hillary Rodham Clinton, *Living History*, *op. cit.*

inappropriée » avec Monica Lewinsky. Face aux admirateurs venus saluer la famille présidentielle à leur arrivée, Hillary garde la tête haute. Comme si de rien n'était, elle serre les mains, échange des banalités, arrive à sourire. Le seul détail qui trahit sa détresse, ce sont ces larges lunettes noires qu'elle ne quitte pas. Hillary ne cherche pas à être glamour, elle veut juste cacher ses cernes et ses yeux gonflés par la fatigue. Si elle songe à divorcer, elle le dissimule bien.

Ce jour-là, par sa simple présence et sa dignité, elle sauve à nouveau son mari, dont la vie a failli basculer à cause d'une petite stagiaire à la Maison-Blanche.

*

Quand elle débarque à Washington, le 10 juin 1995, Monica Samille Lewinsky ne connaît rien aux us et coutumes de la capitale. Elle n'a aucune ambition politique et est juste une gosse de riches de Beverly Hills, pistonnée par une connaissance de sa mère qui travaille à la Maison-Blanche. Elle travaille bénévolement au service en charge de la correspondance du *chief of staff* du président, Leon Panetta[1]. Le 9 août, à l'occasion d'une rencontre informelle entre des stagiaires et le président, elle arrive à capter son regard et à lui serrer la main pour la première fois. Un moment électrique, décrira-t-elle dans la biographie autorisée d'Andrew Morton[2]. Dès lors, ils vont échanger des œillades complices, qui n'échapperont à personne.

La relation commence en novembre 1995, un soir où il n'y a plus grand monde à la Maison-Blanche. Le gouvernement fonctionne alors à effectifs réduits à cause du « *shutdown* », le bras de fer budgétaire engagé par le Congrès, alors dominé par

1. Andrew Morton, *Monica's Story*, St. Martin's Press, 1999. Cette connaissance s'appelle Jay Footlik.

2. *Ibid.*

les Républicains, qui refuse de voter les crédits nécessaires au bon fonctionnement des services publics, afin d'obliger Bill Clinton à entériner des lois dont il ne veut pas entendre parler. Rapidement, la jeune fille, dotée d'une imagination débordante, se persuade que le président des États-Unis va tout laisser tomber pour elle. En avril 1996, il est grand temps de l'exfiltrer hors des murs de la Maison-Blanche : la campagne présidentielle a déjà commencé, le scrutin a lieu en novembre, Bill est candidat à sa propre succession, il ne faudrait pas que sa relation secrète se retrouve en Une des journaux. On trouve à Monica un point de chute au service de presse du Pentagone. Elle n'a aucune envie d'y aller, mais n'a pas le choix.

Déprimée, elle continue à voir épisodiquement Bill qui met fin à la relation en mars 1997, mais continue à lui répondre au téléphone.

La dernière fois qu'ils se parlent, c'est le 28 décembre 1997. Bill Clinton est inquiet.

Dix jours plus tôt, il a découvert le nom de Monica dans la liste des témoins que lui ont envoyée les avocats de Paula Jones, l'ancienne secrétaire de l'Arkansas qui lui a intenté, en 1994, un procès pour harcèlement sexuel, pour des raisons qui remontent à 1991. La plainte court toujours, et la jeune femme est prête à un règlement à l'amiable, moyennant finance, ce dont les Clinton, Hillary surtout, ne veulent entendre à aucun prix. Or, afin de faire monter les enchères, les avocats de Paula Jones cherchent à avoir le plus de témoins possible pour pouvoir affirmer devant un grand jury que Bill a un profil de prédateur sexuel. Il leur faut des femmes susceptibles de témoigner. Ils ont déjà mis la main sur un certain nombre de maîtresses supposées de Bill (anonymement appelées « Jane Doe » dans la procédure), mais comment ont-ils entendu parler de Monica Lewinsky ? Quelqu'un a dû leur souffler son nom, mais qui ? Bill s'interroge. Il appelle Monica pour lui dire de rester sereine et lui conseiller de signer une « déclaration sous serment[1] » démentant tout harcèlement sexuel de sa part.

Le 17 janvier 1998, il est auditionné par les avocats de Paula Jones qui le cuisinent près d'une heure durant sur la jeune stagiaire. Et lui demandent avec insistance s'il a entretenu une relation sexuelle avec elle. Il répond par la négative. Sentant un mauvais coup venir, il demande, à la fin de l'audition, s'ils ont d'autres questions à lui poser. « Non, répondent-ils, vous comprendrez bientôt[2]. » Quand il rentre à la Maison-Blanche, Bill Clinton est furieux. Cette audition était un piège. Elle n'avait d'autre but que de le faire mentir sous serment. Il sait ce que ça veut dire : aux États-Unis, ce genre de faute est passible d'*impeachment*, de destitution.

Hillary lui demande ce qui se passe. « Tout cela n'est qu'une farce », répond-il, avant d'annuler le dîner qu'ils avaient prévu ce samedi soir-là avec son *chief of staff*, Erskine Bowles, et sa femme[3].

Très rapidement, il comprend que ses craintes sont justifiées. Le 21 janvier, le *Washington Post* révèle sa liaison avec Monica en Une[4], ainsi que l'enquête du procureur Kenneth Starr sur un soupçon de « parjure » présidentiel. Ce dernier est censé travailler sur l'affaire Whitewater uniquement, mais, depuis quelques années, il a décidé d'étendre son champ d'enquête aux affaires sexuelles du président. Rien, dans la loi, ne peut l'en

1. Bill Clinton, *My Life*, *op. cit.*, page 618.
2. *Ibid.*
3. Hillary Rodham Clinton, *Living History*, *op. cit.*
4. Susan Schmidt and Peter Baker, Tony Locy « Clinton accused of urging aide to lie », *The Washington Post*, 21 janvier 1998.

empêcher. Les pouvoirs d'investigation de procureur indépendant sont quasiment illimités.

*

Ce matin-là, Bill alerte Hillary, en minimisant allègrement les faits. C'est la première fois qu'elle entend parler de Monica Lewinsky. À 7 heures, il la réveille d'une petite tape sur l'épaule. « Tu ne vas pas croire ce que je vais te raconter », commence-t-il. Il lui raconte la Une du *Washington Post.* « Mais de quoi parles-tu ? » interroge Hillary. Bill la rassure en mélangeant le vrai et le faux. Il affirme n'avoir jamais demandé à Monica de commettre un parjure, mais prétend aussi n'avoir eu aucune liaison avec elle. « Elle était dans le besoin, j'ai juste cherché à l'aider à trouver un job et j'ai dû la prendre dans mes bras une ou deux fois en public, ce qu'elle a mal interprété[1] », explique-t-il.

Son épouse choisit de le croire. Parce que, dira-t-elle plus tard, c'est du Bill tout craché : « Il a toujours eu à cœur d'aider les gens[2]. »

Peut-être aussi parce qu'elle n'a pas vraiment le choix. Si Bill tombe, il l'entraîne dans sa chute.

*

À Washington, l'affaire fait l'effet d'une bombe. Le président n'en est pas à son premier scandale, mais, comme l'explique George Stephanopoulos, son ancien conseiller, celui-ci est « le premier qui se soit déroulé sous les lambris de

1. Hillary Rodham Clinton, *Living History, op. cit.*
2. *Ibid.*

la Maison-Blanche, pendant sa présidence[1] ». Tous les précédents remontent à des faits anciens, avant son élection.

Dans son dossier à charge, le procureur dispose d'un témoignage accablant : les confidences de Monica Lewinsky à sa collègue de bureau, Linda Tripp, qui les a enregistrées en secret. Cette dernière, obscure fonctionnaire du Pentagone, ancienne de la Maison-Blanche, époque Bush père qu'elle vénère, cherche à écrire un livre à charge contre les Clinton qu'elle déteste. C'est par elle que les avocats de Paula Jones puis Kenneth Starr ont eu connaissance de l'existence de la jeune stagiaire dans la vie du président. Les bandes magnétiques qu'elle leur a remises révèlent une Monica éplorée et totalement paumée. Mais, juridiquement, c'est encore insuffisant pour confondre Bill Clinton. Et, à ce stade, Starr n'a pas grand-chose dans son dossier. Pour autant les révélations de Monica sont explosives.

Dans les rangs républicains, les appels à la démission se multiplient. Les élus démocrates, dont la réélection dépend entre autres de la cote du président, risquent de s'y mettre aussi. Cela, Hillary le comprend d'emblée. Peu importent ses doutes : l'essentiel c'est de sauver la présidence de son mari.

*

Le jour même de la sortie du *Washington Post*, elle maintient une conférence prévue de longue date au Goucher College à Baltimore. À la meute de journalistes qui se précipitent pour recueillir ses premières réactions, elle affirme que, « bien sûr », elle soutient son mari et que l'enquête du procureur Starr est « nuisible au pays tout entier ».

Au même moment, Bill donne trois interviews, également calées depuis longtemps. Lors de chacune d'entre elles, il est

1. George Stephanopoulos, *All Too Human*, *op. cit.*

interrogé sur Monica. Et ses démentis sonnent faux. Sur le conseil de son ami de Hollywood, Harry Thomason, qui rapplique en urgence pour une réunion de crise, il décide d'enfoncer le clou quelques jours plus tard, en y mettant un peu plus de cœur et de conviction. « Écoutez-moi bien vous tous. Je n'ai jamais eu de relation sexuelle avec cette femme », lance-t-il, le doigt pointé sur le mur de caméras qui lui fait face et l'œil mauvais, en marge d'une conférence de presse consacrée à un sujet qui n'a rien à voir, le financement des activités extrascolaires des enfants.

Hillary est à ses côtés, imperturbable. Al Gore aussi, et il n'est pas ravi. On le dit choqué par ce nouveau scandale. Il est surtout inquiet des conséquences pour sa future campagne présidentielle. Ce jour-là, évidemment, Clinton ment, mais il dira plus tard à un proche qu'il ne pouvait agir autrement. « Si j'avais dit la vérité à ce moment-là, je serais mort[1]. » Le public n'est pas encore mûr pour entendre cette vérité…

*

Six jours plus tard, Hillary sonne la charge à l'occasion d'une interview au *Today Show* avec le journaliste Matt Lauer sur NBC. Son mari, affirme-t-elle, est victime d'une « conspiration d'extrême droite » de la part d'individus « qui œuvrent à sa destruction depuis qu'il est entré à la Maison-Blanche ». L'attaque obligera le procureur Starr à qualifier d'« absurdes » les propos de la première dame. Hillary voit dans cette très inhabituelle réplique la preuve qu'elle a « visé juste[2] ».

Tout le monde à Washington s'interroge : Hillary savait-elle ? Croit-elle vraiment Bill ? Dans l'entourage présidentiel, les

1. Carl Berstein, *A Woman in Charge*, *op. cit.*
2. Hillary Rodham Clinton, *Living History*, *op. cit.*

conseillers ont le moral dans les chaussettes. Comme à l'époque du scandale Gennifer Flowers, ils n'accordent aucun crédit aux démentis de Bill. Mêmes causes, mêmes effets : Hillary endosse à nouveau le costume de général en chef pour remobiliser les troupes. « Il était important de faire savoir une fois de plus au bureau de la Maison-Blanche que nous allions affronter cette crise et nous préparer à y riposter, exactement comme par le passé[1] », écrit-elle dans ses Mémoires. Elle est de toutes les réunions consacrées à la contre-attaque, exige une loyauté absolue de la part de tous. Silence dans les rangs.

Persuadée que des forces malfaisantes sont à l'œuvre, Hillary est-elle paranoïaque ? Elle est surtout très bien informée sur le camp d'en face grâce à son ami Sidney Blumenthal, un ex-journaliste au *Washington Post* puis au *New Yorker*. Celui-ci est désormais conseiller de Bill à la Maison-Blanche, mais il a gardé de nombreux contacts dans les médias. Il dispose notamment d'une taupe chez l'adversaire en la personne de David Brock. Ce dernier est un « repenti », toujours bien introduit dans les milieux de droite qui ont juré la peau des Clinton. Brock est l'enquêteur du mensuel conservateur *American Spectator* qui a investigué sur les maîtresses supposées de Bill Clinton à l'époque où ce dernier était gouverneur de l'Arkansas. C'est lui qui a déniché Paula Jones, et recueilli son témoignage. Dans son article, paru en décembre 1993[2], il ne la nomme que par son prénom, mais celle-ci, se sentant « reconnue », ne tardera pas à se révéler au grand jour puis à poursuivre Clinton en justice pour harcèlement sexuel. Si David Brock n'avait pas enquêté sur Paula Jones, il n'y aurait peut-être pas eu d'affaire

1. Hillary Rodham Clinton, *Living History*, *op. cit.*
2. David Brock, « Living with the Clintons », *The American Spectator*, *op. cit.*

Lewinsky, car c'est devant les avocats de l'accusatrice que Clinton a menti sur la nature de sa relation avec Monica.

Pour Hillary, que son ami Sidney Blumenthal soit en contact avec David Brock est précieux. Depuis les révélations de ce dernier dans *Américan Spectator*, ce dernier a viré sa cutie. Il est devenu pro Clinton. Il a même écrit une biographie plutôt sympathique sur Hillary : *The Seduction of Hillary Rodham*, alors qu'il avait touché une avance d'un million de dollars pour écrire des horreurs sur elle[1]. Sa maison d'édition avait secrètement espéré des révélations croustillantes sur les rumeurs de lesbianisme qui, depuis toujours, courent sur la première dame. David Brock, qui est gay, devait bien avoir quelques infos là-dessus, croyait alors son éditeur. Pas de chance, enquête faite, le journaliste a conclu que toutes les allégations et scandales concernant sa cible étaient bidon, et il a changé son fusil d'épaule. Son livre lui a valu d'être excommunié des milieux anti-Clinton à Washington. Brock aurait trahi la cause pour régler ses comptes avec l'homophobie ambiante dans les milieux conservateurs, ont alors accusé ses anciens amis. Mais, malgré sa disgrâce, il est resté journaliste à l'*American Spectator*.

Il sait donc tout sur ceux qui complotent contre les Clinton et qui, entre eux, s'appellent « les elfes ». Parmi les membres du club, des journalistes, des hommes politiques, des magistrats. La plupart se connaissent depuis la fac. Tous ont des liens qui remontent au procureur Starr. David Brock, qui fait aujourd'hui officiellement partie du dispositif de campagne d'Hillary via son site Media Matters, a alors la foi des convertis : il donne toutes ses infos à Sidney Blumenthal, qui, à son tour, les répète à Hillary ainsi qu'à d'autres journalistes qui comptent à Washington. Peu à peu, des articles fleurissent, mettant en cause les méthodes inquisitoriales du procureur Starr. L'hebdomadaire *Time* titre : « Persécutée ou

---

1. Sidney Blumenthal, *The Clinton Wars : An Insider's Account of the White House Years*, Penguin Books, 2004.

paranoïaque[1] ? » Des portraits peu flatteurs de Monica, accusée d'avoir harcelé le président, apparaissent aussi. La jeune femme devient la victime collatérale d'une guerre d'influence sans pitié.

*

Les seules bonnes nouvelles qui arrivent à la Maison-Blanche, ce sont alors les sondages. Boostée par l'économie en pleine expansion et un chômage quasi inexistant, la cote de popularité de Bill reste à un niveau élevé, autour de 60 %. Ses frasques, les Américains les suivent avec avidité dans les journaux dont les tirages explosent et à la télévision : l'interview de Monica par la journaliste Barbara Walters sur la chaîne ABC a été l'une des plus regardées de tous les temps, avec soixante-quatorze millions de téléspectateurs[2]. Mais, au fond, les électeurs s'en fichent. Ce qui compte pour eux, c'est d'avoir du boulot. Et ils sont prêts à faire confiance au couple Clinton à la Maison-Blanche.

Hillary est devenue encore plus populaire que son mari : sa cote flambe à 70 % ! Sa prestation au *Today Show* a convaincu 59 % des Américains que son mari était bel et bien victime d'une enquête inéquitable[3]. Kenneth Starr, lui, ne recueille que 26 % d'opinions favorables[4] et ses méthodes sont jugées excessives par une majorité d'Américains.

*

Au fur et à mesure que l'enquête avance, les conseillers de la Maison-Blanche constatent néanmoins un refroidissement net

1. Walter Kirn, « Persecuted or Paranoid ? », *Time*, 9 février 1998.
2. http://articles.latimes.com/1999/mar/05/entertainment/ca-14057
3. Jeff Gerth et Don Van Natta Jr., *Her Way : the Hopes and Ambitions of Hillary Rodham Clinton, op. cit.*
4. http://www.cnn.com/ALLPOLITICS/1998/02/01/clinton.poll/

entre le président et la première dame. Enfin, c'est surtout elle qui prend ses distances. Bill, lui, est aux petits soins comme à chaque fois qu'il a besoin d'elle. Au printemps 1998, des membres du service secret, chargés de la protection du président, sont convoqués par le procureur. Ils déclarent sous serment avoir vu Bill seul avec Monica. Le doute s'est installé dans l'esprit d'Hillary, alors que les dénégations de son mari sonnent de plus en plus faux. Au début de l'été 1998, les petits gestes d'affection, naguère fréquents, disparaissent. Lors d'une réception donnée en l'honneur de deux policiers abattus en juillet, tout le monde remarque que lorsque Bill tente de se rapprocher d'Hillary, elle s'éloigne ostensiblement.

L'affaire sent en effet de plus en plus le roussi pour le président. Les rumeurs les plus folles qui avaient couru en janvier 1998, au tout début de la révélation de l'affaire, semblent se confirmer.

En particulier, la petite robe Gap bleue tachée du sperme présidentiel dont les journaux parlaient alors existe bel et bien. Elle a été remise au procureur le 28 juillet. Le 3 août, Bill est sommé d'effectuer un prélèvement sanguin par les services du procureur, qui se garde bien de donner un quelconque motif. Il est furieux et mortifié.

David Kendall, l'un de ses avocats, tente de minimiser l'affaire auprès d'Hillary, dont il est proche. « C'est peut-être un coup de bluff[1] », dit-il. Mais Bill ne se fait aucune illusion. Il a compris qu'il n'a plus d'issue de secours. Il ne peut rien contre la preuve par l'ADN.

Monica a craqué. Elle a signé avec Kenneth Starr un pacte faustien : son témoignage contre l'immunité. Le procureur la tient : elle aussi a menti sous serment, en affirmant par écrit

1. Hillary Rodham Clinton, *Living History*, *op. cit.*

n'avoir jamais eu de relations sexuelles avec le président. Elle a subi les menaces d'agents du FBI, dépêchés par Starr pour qu'elle revienne sur ses déclarations. Jusqu'à l'été, elle a tenu bon. Mais la pression est devenue trop forte. Elle a fini par se mettre à table.

Bill est donc contraint de confesser son infidélité. Convoqué par le procureur, il doit passer devant un grand jury. Il ne peut pas se permettre de mentir une deuxième fois sur la nature de sa relation avec la stagiaire. Pour atténuer le choc, il fait organiser des fuites qui se retrouvent en gros titres dans les éditions dominicales du week-end du 15 août. Il envoie aussi un émissaire, l'avocat Bob Barnett, auprès d'Hillary, pour la préparer à l'inévitable. « Ça va, vous n'êtes pas trop inquiète ? », lui demande-t-il. Elle répond crânement par la négative. « Mais vous devez faire face au fait que, peut-être, dans tout ça, il y a du vrai », insiste-t-il alors. Hillary ne veut rien entendre. « Écoute, Bob, mon mari a peut-être bien des défauts, mais il ne m'a jamais menti. » Fermez le ban.

Ce samedi 15 août, quand Bill la réveille pour lui dire que oui, il s'est passé des choses entre lui et cette ancienne stagiaire, elle manque de s'étouffer. « J'avais besoin d'air[1] », racontera-t-elle plus tard. Cris. Pleurs. Questions sans réponses. « Ce fut bref et sporadique[2] », tente-t-il de minimiser. Ses excuses sont vaines. Hillary est anéantie. « Il faudra que tu l'annonces à Chelsea », lâche-t-elle. Il aurait sans doute préféré qu'elle le fasse à sa place.

Ce jour-là, le clan Clinton est au bord de l'implosion.

*

Deux jours plus tard, il reçoit, à la Maison-Blanche, dans la Map Room, deux substituts de Kenneth Starr pour une

1. *Ibid.*
2. Bill Clinton, *My Life*, *op. cit.*

audition en bonne et due forme devant un grand jury, qui regarde l'interrogatoire par vidéoconférence depuis le tribunal. La séance va durer quatre heures. Elle commence par une déclaration de Bill, par laquelle il reconnaît avoir eu une « relation inappropriée » avec la jeune stagiaire.

Pendant ce temps-là, Hillary s'est réfugiée dans le solarium. Un ami sûr, James Carville, est à ses côtés. Il ne l'a jamais vue dans cet état. Elle qui, en toutes circonstances, est parfaitement coiffée, habillée et maquillée, a les cheveux vaguement tirés en arrière et les yeux gonflés par les larmes. « Comme s'il y avait eu un mort dans la maison », témoignera-t-il plus tard.

*

Le lendemain, Bill et Hillary s'envolent pour Martha's Vineyard. Dans la maison qu'ils occupent sur l'île, Hillary s'installe au premier étage et s'isole de longues heures, Bill dort au rez-de-chaussée, sur un canapé. « Buddy, notre chien, lui tenait compagnie. Il était le seul membre de la famille à se porter volontaire[1] », racontera-t-elle plus tard.

Hillary la combattante est à terre. C'est l'épreuve la plus difficile de toute sa vie. Dix jours durant, elle pèse le pour et le contre. Rester avec Bill ? Elle hésite. « Je sais que beaucoup de gens auraient voulu que je jette ses affaires depuis le balcon Truman[2], mais ce n'est pas si simple[3]... », confiera-t-elle à une amie à la fin du séjour. Continuer à le soutenir ? Avant de repartir pour Washington, elle a pris sa décision : « Ce séjour m'a permis de réaliser que je l'aimais toujours. Je ne

1. Hillary Rodham Clinton, *Living History*, *op. cit.*
2. Qui longe les appartements privés de la Maison-Blanche, N.D.A.
3. Hillary Rodham Clinton, *Living History*, *op. cit.*

savais pas si j'avais encore le cœur à me battre pour sauver mon mariage, mais pour défendre mon président, oui, j'étais partante[1]. »

*

Elle demeure persuadée qu'il ne mérite pas l'*impeachment*. Hillary a elle-même été impliquée dans l'enquête parlementaire qui a conclu à la culpabilité du président Nixon dans l'affaire du Watergate et mené tout droit à sa démission. Elle connaît la procédure judiciaire par cœur. Pour elle, l'enquête du procureur Starr est non seulement motivée politiquement, mais elle est également entachée de nombreuses irrégularités.

Cela n'empêchera pas les Républicains, qui dominent le Sénat et la Chambre des représentants, de tout faire pour aller jusqu'au bout. Quand ils reçoivent le rapport d'enquête du procureur Starr, un pavé de quatre cent quarante-cinq pages où le mot sexe est prononcé cinq cent quatre-vingt-une fois[2], ils le mettent sur Internet. La volonté de nuire est évidente aux yeux d'Hillary. Le procureur estime l'*impeachment* justifié par quatre chefs d'accusation. La Chambre des représentants en retiendra deux : obstruction à la justice et parjure devant un grand jury. La procédure d'*impeachment* peut donc commencer. Elle est dans les mains du Sénat, qui doit se prononcer par un vote sur la destitution ou non du président.

Or les députés et sénateurs votent, en grande majorité, en fonction des directives du parti. Les Républicains sont pour la destitution à quelques exceptions près. Les Démocrates sont contre, mais il ne faudrait pas qu'ils flanchent. Les élections législatives de mi-

1. *Ibid.*
2. *Ibid.*

mandat (*Midterms*) ont lieu en novembre 1998, près de trois mois après les confessions de Bill. Certains élus sont sur la sellette.

« Ils vont avoir besoin de prendre leurs distances avec le président, ce que je peux comprendre[1] », écrit Hillary, qui se lance alors à corps perdu dans la campagne. Elle va là où c'est le plus tangent, et où sa cote de popularité est la plus élevée. Le résultat des élections est inespéré. Les Démocrates regagnent des sièges dans les deux chambres alors que, historiquement, lors d'un second mandat présidentiel, le parti au pouvoir en perd. Le scrutin est un désaveu massif pour les Républicains et les méthodes du procureur Starr. La perspective d'un *impeachment*, déjà bien improbable, s'éloigne : il faut les deux tiers des voix au Sénat pour que le vote aboutisse. Et les Démocrates contrôlent désormais près de 50 % des sièges.

Début 1999, ils vont voter contre la destitution comme un seul homme, rejoints par quelques Républicains modérés. La contre-attaque d'Hillary a de nouveau fonctionné. Elle a, une nouvelle fois, réussi à sortir son mari d'une mort politique quasi certaine.

*

Récemment interrogé sur cette affaire, Kenneth Starr semble aujourd'hui la regretter[2], même s'il n'a eu aucun mal à se recaser après la fin de l'enquête : jusqu'à juin dernier, il était président de l'université Baylor, au Texas. Poste qu'il a abandonné suite à une affaire de viol sur le campus universitaire. On lui a reproché son laxisme et son mutisme face à ces crimes[3]. Un comble pour

---

1. *Ibid.*
2. http://www.nytimes.com/2016/05/25/us/politics/ken-starr-impeachment-bill-clinton.html
3. http://interactives.dallasnews.com/2016/the-silence-of-ken-starr/

cet homme qui fut si redouté par les Clinton dans les années quatre-vingt-dix.

Mais politiquement, l'affaire Lewinsky a coûté cher au monde entier. Car si Bill Clinton ne s'était pas empêtré dans ce vaudeville égrillard, il aurait pu faire campagne pour son vice-président Al Gore, qui aurait sans doute été élu président des États-Unis en novembre 2000. On voit aujourd'hui à quel point l'aide de Barack Obama, dont la cote de popularité est moyenne par rapport à celle de Bill Clinton en fin de mandat, est important dans la candidature d'Hillary. Il a suffi qu'il annonce, début juin 2016, son soutien à Hillary, dans un long message télévisé louangeur et presque affectueux, pour que Donald Trump décroche dans les sondages. En 2000, c'est George W. Bush qui a gagné sur le fil. Sans Monica, la guerre en Irak n'aurait peut-être pas eu lieu.

Chapitre 11

La renaissance d'Hillary

17 janvier 2007. Cette fois, elle est seule, sans Bill. Assise sur un moelleux canapé beige à motifs, devant une fenêtre donnant sur un jardin, dans sa maison de Washington, elle se tient droite, le dos calé par un coussin fleuri, face à la caméra qui la filme en gros plan. La veille, Barack Obama a annoncé sa candidature à la présidentielle de 2008. Il est temps, pour elle, d'en faire autant. « Je me lance pour gagner », lâche fièrement Hillary Clinton. Sa vidéo de déclaration va être diffusée sur son site Web trois jours plus tard, le 20 janvier 2007[1]. Hasard ou coïncidence : c'est quatorze ans, jour pour jour, après la première investiture de Bill à la présidence. Deux septennats… Quel chemin parcouru par le couple Clinton entre les deux événements ! À l'époque, Hillary tenait dans ses mains la Bible sur laquelle Bill prêtait serment. Aujourd'hui, il est absent, et la star du couple, c'est elle.

*

Du temps lui a été nécessaire pour apprendre à parler à la première personne du singulier. Elle s'y est mise neuf ans plus

1. https://www.youtube.com/watch?v=GPMhQmHFXAw ; Glenn Thrush, « Race for President : Clinton will run, how she said it », *Newsday*, 21 janvier 2007.

tôt, lors de sa première campagne électorale, quand elle se présentait au siège de sénatrice de New York. « Jusqu'alors, j'étais habituée à dire "il", "elle", "nous", jamais "je" », confesse-t-elle dans ses Mémoires[1].

6 novembre 1998. Le sénateur démocrate de New York, Daniel Patrick Moynihan, annonce qu'il prend sa retraite. Qui pour lui succéder ? Voilà un an que Judith Hope, la patronne des Démocrates dans l'État, tanne Hillary. « Beaucoup de monde pense que, quand vous quitterez la Maison-Blanche, vous devriez vous présenter à l'élection sénatoriale de New York », lui répète-t-elle. La First Lady ne donne pas suite, mais l'échange fuite dans le *New York Post*[2]. Après l'annonce du départ à la retraite de Moynihan, le député Charlie Rangel, élu de Harlem depuis plusieurs décennies, décroche son téléphone. Sans plus de succès[3]. Hillary lui explique avoir « d'autres soucis en tête[4] ». Quelques mois plus tôt, quand on lui demandait comment elle envisageait l'après-Maison-Blanche, elle répondait qu'elle se voyait retourner à Little Rock[5].

Mais, au sein du parti démocrate, on veut un poids lourd pour affronter Rudy Giuliani, le maire républicain de New York. En fin de mandat, lui aussi désire devenir sénateur et a de bonnes chances de l'emporter : son grand mérite, selon ses fans, est d'avoir fait drastiquement baisser la criminalité dans la ville, au prix de méthodes musclées et contestées. Or, s'il gagne, la

1. Hillary Rodham Clinton, *Living History, op. cit.*

2. Jeff Gerth et Don Van Natta Jr., *Her Way : the Hopes and Ambitions of Hillary Rodham Clinton, op. cit.* ; Frederic U. Dicker, « Senator Hillary Rodham Clinton (D-New York) ? », *The New York Post*, 8 décembre 1997.

3. Hillary Rodham Clinton, *Living History, op. cit.*

4. *Ibid.*

5. Jeff Gerth et Don Van Natta Jr., *Her Way : the Hopes and Ambitions of Hillary Rodham Clinton, op. cit.* ; C-Span ; Larry King Live CNN.

circonscription du sénateur Moynihan va basculer à droite. Hillary ferait donc parfaitement l'affaire pour empêcher ce scénario catastrophe. Depuis le scandale Lewinsky, sa cote de popularité est au zénith. Les Américains lui sont reconnaissants d'avoir soutenu son mari dans la tempête et épargné au pays le ridicule d'un *impeachment* pour un motif absurde. Selon un sondage, elle est même « la femme la plus admirée des États-Unis[1] ». La chroniqueuse du *New York Times* Maureen Dowd, qui pourtant ne l'aime pas, constate que « plus son mari est traîné dans la boue, plus elle brille. Elle est à la fois Lady Di et Mère Courage[2] ». En décembre 1998, Hillary est magnifiquement photographiée par Annie Leibowitz en robe de soirée noire Oscar de la Renta dans la Red Room de la Maison-Blanche, pour la couverture de *Vogue*, la bible du glamour américain. La journaliste Ann Douglas[3], qui l'a suivie pendant près de six mois – en pleine affaire Lewinsky –, la célèbre dans un portrait flatteur titré « l'extraordinaire Hillary Clinton ». La première dame a tout l'avenir devant elle. Son mari est en fin de carrière.

Hillary dit avoir plusieurs propositions en poche pour l'après-Maison-Blanche. On lui offrirait la présidence d'une entreprise privée ou d'une université, la direction d'une fondation et même l'animation d'un show télévisé[4] ! En comparaison, se présenter à New York revient un peu à aller au casse-pipe. Car elle n'est pas du coin. Les tabloïds locaux, qui soutiennent la plupart du temps le candidat républicain, ne manqueraient pas

1. « Clintons top survey of most admired people », *Albany Times Union*, 1er janvier 1999.

2. Maureen Dowd, « Icon and I will survive », *The New York Times*, 9 décembre 1998.

3. Ann Douglas, « The extraordinary Hillary Clinton », *Vogue*, décembre 1998.

4. Hillary Rodham Clinton, *Living History*, *op. cit.*

de mener la vie dure à la « parachutée », née dans l'Illinois, ayant vécu toute sa vie dans l'Arkansas puis à Washington. A-t-elle vraiment besoin de ça, après l'humiliation de l'affaire Lewinsky ? La plupart de ses proches lui déconseillent donc de se jeter à l'eau. Un seul l'encourage fortement à y aller : c'est Bill.

« Entre eux, le deal a toujours été : d'abord Bill, ensuite Hillary, affirme leur ancien conseiller Dick Morris[1]. C'est ce qu'il m'a expliqué en 1990, quand il m'a demandé d'explorer la possibilité pour elle de se présenter à son poste de gouverneur de l'Arkansas. Mais, à l'époque, c'était trop tôt. » L'été 1999, pendant ses dernières vacances de président à l'île de Martha's Vineyard, Bill redit d'ailleurs, devant la presse, ce qu'il confiait dix ans plus tôt à son *spin doctor* : « Elle m'a consacré les vingt premières années de notre vie commune, je lui donne les vingt suivantes[2]. »

En 1999, Hillary sait son heure venue.

*

Mais, contrairement à son mari, elle avance prudemment. Pas question d'afficher trop ouvertement ses ambitions : ses détracteurs en profiteraient pour la dépeindre comme une assoiffée de pouvoir.

Le 3 février 1999, sur *Meet the Press*, l'émission politique du dimanche la plus regardée du pays, un sénateur démocrate du New Jersey, Robert Torricelli, par ailleurs un dirigeant du parti démocrate, déclare que, selon lui, elle va se présenter à New York. Coup de fil d'Hillary. « Bob, mais vous parlez pour moi ! Vous savez bien que je ne suis pas candidate. Pourquoi avez-vous dit cela[3] ? » Elle semble seule à le penser, à l'époque tout

1. Entretien avec l'auteur.

2. James Gerstenzang, « For Clintons, a vacation to savor », *Los Angeles Times*, 22 août 1999.

3. Hillary Rodham Clinton, *Living History*, *op. cit.*

le monde étant persuadé qu'elle va y aller et que Torricelli agit en service commandé[1]. Ce hiérarque n'est pas n'importe qui : il dirige le comité de campagne démocrate pour les sénatoriales, ce qui signifie qu'il est chargé de choisir les candidats et réunir les fonds nécessaires pour les faire élire. Sa déclaration produit un effet immédiat : les trois autres prétendants au poste (l'actuel gouverneur de l'État de New York Andrew Cuomo, Carl McCall et Nita Rowley) se retirent de la course à l'investiture. Le message a été reçu cinq sur cinq par tous ceux susceptibles de faire de l'ombre à Hillary. Le 16 février, le bureau de presse de la toujours First Lady annonce qu'elle va « analyser avec soin » la perspective d'une candidature, mais qu'elle « prendra une décision plus tard dans l'année[2] ». Dans la foulée, Bill, en marge d'un déplacement au Mexique aux côtés du président Ernesto Zedillo, affirme, le même jour, qu'elle ferait une « formidable » (« *terrific* ») sénatrice[3].

Hillary est déjà dans les starting-blocks. « Les décisions les plus difficiles que j'ai eues à prendre dans ma vie ont été de rester avec mon mari et me présenter à New York[4] », écrit-elle en 2003 dans ses Mémoires. Et sur ces deux sujets-là, il semble qu'elle ait eu les idées claires sur ce qu'elle souhaitait faire.

*

Le 12 février, quatre jours avant la diffusion de son communiqué de presse évasif, Hillary fait le point avec Harold

---

1. C'est notamment ce que pense Dick Morris dans *Rewriting History*, *op. cit.*

2. Hillary Rodham Clinton, *Living History*, *op. cit.*

3. Elizabeth Shogren, « Clinton says first-Lady would make "terrific" senator », *Los Angeles Times*, 16 février 1999.

4. Hillary Rodham Clinton, *Living History*, *op. cit.*

Ickes, directeur adjoint du cabinet de Bill durant son premier mandat, grand expert de la vie politique new-yorkaise. Fils du secrétaire à l'Intérieur de Franklin Delano Roosevelt[1], il a grandi dans l'Upper West Side, à Manhattan, et connaît New York comme sa poche. Devant elle, il déploie une grande carte de l'État qu'elle examine pendant des heures tout en l'écoutant avec attention décrire le paysage politique local et les obstacles auxquels elle doit s'attendre. Ickes a tendance à dire les choses sans fioriture. « Hillary, je ne sais même pas si vous feriez une bonne candidate », lui lance-t-il ainsi. En effet, personne ne peut savoir ce qu'elle donne sur le terrain, comment elle va serrer les mains, entrer en relation avec l'électeur, puisqu'elle n'a jamais fait campagne pour elle-même. Et sur ce point-là, aujourd'hui, la question continue à se poser !

Avec l'ami Harold, Hillary dresse la liste de ses handicaps. Elle ne connaît rien à l'État qu'elle veut conquérir, un territoire de vingt millions d'habitants un peu plus grand que la Grèce. Certes, elle y est souvent allée avec Chelsea courir les shows et comédies musicales sur Broadway. Lorsqu'il allait dans l'Arkansas, Dick Morris, New-Yorkais pur jus, apportait toujours aux Clinton un cadeau de chez lui, mais il ne se souvient pas avoir ressenti chez Hillary une quelconque attirance pour la Grosse Pomme. « Elle ne m'a jamais demandé comment c'était de vivre et grandir à Manhattan quand on est enfant. À aucun moment elle n'a montré le moindre intérêt pour les écoles, la criminalité, les problèmes de drogue, les mœurs politiques dans cet État. À chaque fois que je l'entendais dire "Nous, les New-Yorkais", ça me faisait l'effet d'un crissement de craie dans les oreilles[2]. » Dick Morris pronostique alors qu'elle échouera.

1. Harold L. Ickes, ministre de l'Intérieur de 1933 à 1946.

2. Entretien avec l'auteur.

Il se trompe. Il n'est pas le seul. Car Hillary va se mettre au travail, à sa façon, avec méthode et efficacité.

Harold Ickes lui ayant fourni une liste des cent New-Yorkais à contacter, la voilà au téléphone. Le premier coup de fil est pour l'ombrageux sénateur Moynihan, le tenant du poste qui ne la supporte pas : il s'est souvent pris le bec avec elle pendant qu'elle essayait de faire passer sa réforme du système de santé, lors du premier mandat de Bill. Les méthodes brusques d'Hillary ont fréquemment provoqué sa colère. Cinq ans plus tard, il faut enterrer la hache de guerre. Pour lui succéder, Hillary a bien l'intention d'obtenir son soutien. Son approche est couronnée de succès. Le vieux sénateur va dire à la télévision qu'Hillary « sera la bienvenue » à New York. Elle reconnaîtra plus tard qu'elle a eu « le souffle coupé » en entendant cette déclaration. Elle commence alors à négocier avec lui un passage de témoin en douceur face aux médias. Le 7 juillet, Moynihan reçoit Hillary dans sa ferme de Pindars Corners devant deux cents journalistes venus du monde entier[1]. Jamais un candidat au poste de sénateur de New York n'a eu droit à pareille couverture presse.

La machine Hillary est en marche. Elle a embauché deux conseillers qui vont être de toutes les batailles jusqu'à la présidentielle de 2008 : la consultante en relations média Mandy Grundwald, pilier de « Hillaryland » depuis les années quatre-vingt-dix, et le spécialiste des sondages Mark Penn. Ce dernier perçoit vite que l'évolution sociologique locale joue en faveur d'Hillary : ces dernières années l'État de New York s'est « boboïsé ». Autrefois indécis sociologiquement, partagé entre le Nord farouchement républicain et la très libérale ville de New York, l'État a solidement basculé à gauche. En avril, Hillary se

1. Jeff Gerth et Don Van Natta Jr., *Her Way : the Hopes and Ambitions of Hillary Rodham Clinton*, *op. cit.*

lance dans un « *listening tour*[1] », une tournée durant laquelle elle sillonne chacun des soixante-deux comtés de l'État de New York dans un minivan afin d'« écouter ce que les électeurs ont à lui dire ». Une stratégie payante avec laquelle elle renouera, en 2015, après avoir lancé sa seconde campagne présidentielle.

*

Bill, qui a une énorme dette envers Hillary, a l'intention de l'aider à gagner, par tous les moyens. Il va lui servir de coach et d'entremetteur. Les grands donateurs de sa campagne auront table ouverte à la Maison-Blanche, où le couple habite encore jusqu'à leur départ, en janvier 2001. Mais il n'est pas simple d'être la femme de Bill Clinton. Hillary en convient très ouvertement dans ses Mémoires en évoquant ce qu'elle appelle pudiquement « le problème de l'épouse ». Quel rôle Bill doit-il jouer dans la campagne ? La question se pose toujours aujourd'hui, en 2016. « Mon dilemme était sans précédent, explique Hillary. Certains s'inquiétaient : Bill était si populaire à New York, il tenait tant de place dans la vie politique nationale que jamais je ne pourrais faire entendre ma voix. D'autres pensaient que les controverses qu'il avait suscitées vouaient à l'échec toute tentative d'être écoutée[2]. » S'ajoutent à cela des questions de protocole : « Si, par exemple, j'annonçais ma candidature lors d'un meeting, le président des États-Unis resterait-il derrière moi sur l'estrade, ou s'exprimerait-il aussi ? Une fois dans la course, ferait-il campagne pour moi comme il le faisait pour d'autres candidats démocrates dans le pays, ou bien, une fois de plus, serais-je sa représentante ? »

Toutes ces interrogations aident à détendre l'atmosphère entre les conjoints, malgré les cicatrices de l'affaire Lewinsky

1. *Ibid.*
2. Hillary Rodham Clinton, *Living History*, *op. cit.*.

encore à vif, seule fois où elle a sérieusement songé à divorcer. Discuter politique leur permet de « parler d'autre chose que de l'avenir de [leur] couple[1] ». À ce stade, elle a pris une décision : elle veut rester avec son mari[2]. Reste à le faire accepter par l'électorat. Un plan média est calé. Objectif : reléguer la ténébreuse affaire Lewinsky au passé. Et prouver que, malgré les épreuves, le mariage entre Bill et Hillary est réel, non une alliance de circonstance visant le maintien au pouvoir, comme beaucoup le croient, à tort ou à raison.

Au printemps et à l'été 1999, Hillary accorde plusieurs interviews à Lucinda Franks. Cette journaliste, ancienne du *New York Times*, a décroché le prix Pulitzer, la distinction la plus prestigieuse du journalisme américain, à l'âge de vingt-cinq ans. Elle est aussi l'épouse de Robert Morgenthau, alors procureur général (élu démocrate) de Manhattan[3] et, à ce titre, l'un des hommes les plus puissants et respectés à New York. Hillary l'a rencontrée pendant l'été 1997, à l'occasion d'une *beach party* à Martha's Vineyard. L'entretien qu'elle lui accorde sera publié dans le premier numéro du magazine glamour *Talk*, lancé par Tina Brown, une amie, ex-rédactrice en chef de *Vanity Fair* et du *New Yorker*[4]. Un choix typique d'Hillary : lorsqu'elle donne une exclusivité, elle s'adresse toujours à des personnes sûres.

« Je veux être jugée sur mes mérites, affirme-t-elle. Désormais, pour la première fois, je prends mes propres décisions. Je

1. *Ibid.*
2. *Ibid.*
3. Il a occupé ce poste de 1975 à 2009.
4. Tina Brown est la fondatrice du sommet annuel « Women of the World », où se pressent les femmes de pouvoir du monde entier. Hillary a toujours fidèlement été l'une des têtes d'affiches de l'événement depuis sa création en 2009. Elle n'a raté qu'une seule édition, celle de 2016, trop occupée par sa campagne présidentielle.

ressens la différence. C'est une source de grand soulagement[1]. » Vive l'indépendance ! Bill va devoir se tenir tranquille. « Il m'a déjà dit qu'il voulait rencontrer les électeurs, etc. Il va falloir qu'il se tienne à l'écart pendant un moment. »

Hillary n'a jamais été douée pour exprimer ses émotions en public, d'où l'image de dureté qu'elle traîne depuis toujours. Mais, pour la première fois, elle s'ouvre sur les souffrances endurées pendant la période Lewinsky. Ses proches sont également autorisés à parler pour elle. Bernard Nussbaum, son ancien mentor durant le Watergate, qui fut son conseiller juridique à la Maison-Blanche, décrit la manière dont elle a traversé l'épreuve, « comme s'il y avait eu un deuil dans la famille ». Un autre proche raconte comment, plusieurs mois après la révélation de la tache sur la robe de Monica, « Hillary a quasiment arrêté de parler à Bill, qui en a terriblement souffert, au point d'avoir du mal à se concentrer sur ses dossiers ». Mais aujourd'hui, les deux ont renoué, témoigne Melanne Verveer, la chef de cabinet d'Hillary. « Alors que le président faisait amende honorable, nous avons tous ressenti la passion physique revenir entre eux. Ce n'était pas du show. Je les ai vus ensemble seuls, quand ils commençaient à se parler, il y avait quelque chose d'électrique. Le pouvoir des idées les enflamme. » Et cette campagne sénatoriale est l'occasion pour Hillary de revivre. Certains, comme le député Charlie Rangel, suggèrent même qu'il s'agit d'une stratégie conçue par Bill pour reconquérir son épouse !

« J'ai survécu en m'appuyant sur mes amis, ma foi religieuse, un peu d'introspection et beaucoup de longues discussions avec des gens qui m'ont donné les conseils dont j'avais besoin... confie Hillary. Bill a vécu un conflit terrible entre sa mère et sa grand-mère. Un psy m'a dit un jour que, pour un petit garçon, être au centre de la bataille entre deux femmes est la pire des

1. Lucinda Franks, « The Intimate Hillary », *Talk*, septembre 1999.

situations. Il y a toujours le désir de plaire aux deux. » Selon elle, il a fait beaucoup d'efforts pour résoudre cette « faiblesse », et il continue. Elle dit avoir cru, voici dix ans, qu'il avait surmonté ses démons, mais, reconnaît-elle, « clairement, il n'avait pas été assez loin ». Les gens, ajoute Hillary, sont « jaloux » de lui. Ils sont « méchants ». Oui, avoue-t-elle, « il a des faiblesses. Oui, il doit être plus responsable, plus discipliné. Mais c'est un homme fondamentalement bon. » Pas question, pour l'épouse, de jeter à la poubelle trente ans de vie commune. Bill et Hillary se sont réconciliés en passant des heures à parler, tout le temps, partout, « dans le solarium, la cuisine, la chambre à coucher. Ensemble, nous avons une conversation permanente. Nous aimons bien nous reposer sur le lit et regarder des vieux films. » Hillary se dit heureuse à la perspective de quitter la Maison-Blanche dans laquelle elle ne s'est jamais sentie à l'aise, n'ayant pas, contrairement à ses prédécesseurs, de résidence secondaire où s'échapper. Bill et elle ont déjà commencé à faire leurs cartons. « Nous sommes tombés sur d'anciens albums photos qui nous ont renvoyés à notre passé et nous ont rappelé qu'au final, les bons moments ont, de loin, dépassé les mauvais. »

L'interview produit l'effet escompté. Les électeurs sont compréhensifs. Une actualité chasse l'autre. Peu à peu, Monica appartient au passé. Hillary l'indépendante représente l'avenir. Comme il lui faut une adresse légale dans l'État de New York pour prétendre le représenter au Sénat américain en tant qu'élue, elle se met, avec Bill, à la recherche d'une maison en plein été 1999. En novembre, ils jettent leur dévolu sur une ancienne ferme de plus de cent ans située à Chappaqua[1], charmante bourgade huppée, située à un peu plus d'une heure de Manhattan. C'est une demeure en bois blanc, au fond d'une

1. Don Van Natta Jr., « Looking for a gift house in the mouth », *The New York Times*, 19 septembre 1999.

impasse, dotée d'une piscine, de cinq chambres sur 500 mètres carrés. Les Clinton l'achètent 1,7 million de dollars grâce à l'aide de fidèles amis, tant ils sont criblés de dettes, en raison des frais d'avocats engendrés par les différentes poursuites judiciaires dont ils font l'objet.

*

La campagne sénatoriale s'avère plus aisée que prévu. Hillary commet quelques gaffes, notamment quand elle s'affiche un peu trop affectueusement avec Souha Arafat, l'épouse du chef de l'OLP (Organisation de libération de la Palestine), ce qui choque l'électorat juif de New York, mais globalement elle réussit un sans-faute, contrairement à son rival. Quand Patrick Dorismond, d'origine haïtienne, se fait abattre par un policier du NYPD à Harlem, Rudy Giuliani, encore maire de New York, commet en effet l'erreur de rendre public son casier judiciaire, à la grande fureur de la communauté afro-américaine de New York avec laquelle ses relations sont déjà très tendues. Hillary prend la défense de la victime et sa popularité décolle. « Ce fut un tournant [1] », écrit-elle. Quelques semaines plus tard, Giuliani se retire de la course, pour cause de cancer de la prostate. Il est remplacé par un second couteau, Rick Lazio, qui ne fait pas le poids. En novembre 2000, Hillary est élue avec douze points d'avance sur son rival. Elle entre au Sénat par la grande porte.

*

Les mois qui suivent son élection sont paradoxaux. Bill achève sa carrière. Il met en scène avec humour son spleen dans *The Final Days* (« Les derniers jours »), une vidéo réalisée par

1. Hillary Rodham Clinton, *Living History*, *op. cit.*

Philip Rosenthal, où on le voit en train de passer au jet d'eau la limousine présidentielle, jouer à la bataille navale avec l'un de ses généraux dans la « Situation Room » et répondre au standard d'une Maison-Blanche désertée, pendant qu'Hillary, beaucoup plus occupée, s'en va battre la campagne[1]. Quand ils s'installent tous les deux dans leur nouvelle maison à Chappaqua, c'est la première fois qu'ils occupent une résidence qui leur appartient depuis 1982, année où Bill fut réélu gouverneur de l'État de l'Arkansas. Chelsea est loin, en train de terminer ses études d'histoire à l'université de Stanford, en Californie. Une nouvelle étape de leur vie commune commence.

Bill, au début, est désorienté. « Les trois premières semaines, je ne savais pas où j'habitais[2] », confiera-t-il plus tard à un conseiller de longue date. Clinton a raté son départ : il a quitté la Maison-Blanche sur une ultime controverse, en accordant la grâce présidentielle à Marc Rich, un sulfureux financier milliardaire en fuite, dont l'ex-épouse Denise a donné beaucoup d'argent à des causes chères aux Clinton. Mais, très vite, il s'adapte à sa nouvelle vie.

Son emploi du temps est partagé entre plusieurs grands projets. D'abord, lancer sa fondation caritative, qu'il présente comme une façon de poursuivre son engagement dans la vie publique, et en installer le siège de l'organisation sur la 125e rue, dans Harlem, à Manhattan. Son objectif est d'établir des partenariats public-privé partout dans le monde pour promouvoir un certain nombre de causes humanitaires[3], ce qui l'amène à sillonner le monde. Puis s'occuper de la construction

1. http://www.imdb.com/title/tt0271126/fullcredits?ref_=tt_ov_st_sm
2. Todd Purdum, « The comeback id », *Vanity Fair*, juillet 2008.
3. Notamment dans le domaine sanitaire (lutte contre le sida en Afrique par exemple), environnemental et des droits de l'homme (défense des droits des femmes et des jeunes filles).

de sa librairie présidentielle, à Little Rock, sur les rives de l'Arkansas River. Il a demandé à l'architecte James Polshek d'édifier un bâtiment qui évoque un pont, symbole de l'engagement politique de toute sa vie – un thème utilisé aujourd'hui pour contre-attaquer Donald Trump et le mur qu'il veut construire entre les États-Unis et le Mexique.

À Chappaqua, les voisins l'adorent. « C'est vraiment un type super », lâche Peter, le patron du Hilltop Wine & Spirits, la boutique de vins juste à côté de chez lui, à qui Bill donne des cadeaux de Noël chaque année alors qu'il ne boit pas une goutte d'alcool. Emilio Martinez, propriétaire du *Don Emilio at Lobo's Café*, un restaurant mexicain aujourd'hui fermé, se souvient de sa surprise quand, le jour de l'inauguration de son enseigne, il a vu les Clinton débarquer. « Quelques heures avant le début de la fête, Bill passe devant ma vitrine et lit la pancarte annonçant notre ouverture. Vers 18 h 30, je le vois réapparaître avec Hillary. Il n'avait prévenu personne et a goûté à mes panuchos ! » Bill est ensuite revenu discuter bière et vodka avec Emilio, son nouvel ami[1]... Pamela Thornton, la directrice de la bibliothèque municipale, s'est habituée à voir débarquer l'ancien président pour lui emprunter des biographies ou des essais politiques[2]. Chez *Lange's*, un « deli » (épicerie) qui est sur King Street et que tout le monde connaît à Chappaqua, Bill devient vite un héros. Il y passe plusieurs fois par semaine, « généralement tôt le matin ou en fin d'après-midi[3] », pour s'offrir une omelette, une bouteille d'eau ou un sandwich. « Il a toujours une histoire à raconter, un bon mot

1. Entretien avec l'auteur, août 2009 ; Olivier O'Mahony, « Bill et Hillary Clinton. Il est passé par ici, elle repassera par là », *Paris Match*, 20 août 2009.

2. *Ibid.*

3. *Ibid.*

pour les clients », témoigne George, employé de l'épicerie. Taeung Chung, le teinturier, ne tarit pas non plus d'éloges sur l'ancien président. Ce Coréen d'origine, qu'on croirait sorti d'une BD de Lucky Luke, a accroché dans sa boutique, juste à côté de la caisse, une lettre de remerciements signée « William Jefferson Clinton », où celui-ci se félicite d'être son heureux client[1]. « On le voit souvent marcher seul dans la rue, parfois avec son chien, ses gardes du corps et la voiture de sécurité qui le suit à distance », témoigne Shobha Vanchiswar[2], voisine de Chappaqua et poète à ses heures, qui un jour est venue aborder l'ancien locataire de la Maison-Blanche pour lui demander comment elle pouvait aider sa fondation. Clinton l'a alors mise en contact avec son bureau de Bombay, en Inde, où Shobha a de la famille. Là-bas, elle est allée visiter un orphelinat d'enfants atteints du virus HIV et traités par des médicaments antiviraux distribués grâce au soutien de la Fondation Clinton. Elle en est revenue émue, avec un album photo qu'elle a fait signer par le président, puis vendu par correspondance, afin de reverser les recettes à la Fondation. Sur un mur de son salon, quatre lettres manuscrites signées Bill sont encadrées, aux côtés d'une photo prise dans son jardin avec lui, son chien Seamus, et Mira, la fille de Shobha.

*

Pendant ce temps-là, Hillary se fait des amis au Sénat et, très vite, gagne l'estime de ses pairs. Au début, elle la joue modeste et courtise les sénateurs qui comptent, tel le très difficile Robert Byrd. Elle avait entretenu des relations tendues avec ce vénérable élu, du temps du Hillarycare, mais, pour

1. Olivier O'Mahony, « En route pour la Maison-Blanche », *Paris Match*, 16 au 22 avril 2015.

2. Entretien avec l'auteur, 6 avril 2016.

elle, bien s'entendre avec lui s'avère une priorité tant il a la haute main sur le règlement de l'assemblée : voici un personnage clé dans la machinerie du pouvoir. Le Républicain Trent Lott l'a accueillie froidement en déclarant, le soir de son élection : « Au Sénat, elle ne sera qu'une parmi d'autres, et nous ferons en sorte qu'elle ne l'oublie pas[1]. » Depuis, cette figure du mouvement conservateur a changé d'avis. Il garde un bon souvenir de celle qui occupa un bureau voisin du sien : « Vous ne pouvez pas nier qu'elle est intelligente[2] », a-t-il récemment avoué lors d'une conférence-débat au centre culturel juif 92Y, à New York.

Hillary noue donc rapidement des liens des deux côtés de l'hémicycle. Particulièrement actif pour faire aboutir le procès en *impeachment* contre Bill, Lindsay Graham, élu républicain de Caroline du Sud, est lui aussi désormais sous le charme. Hillary s'entend particulièrement bien avec John McCain, candidat malheureux à la présidentielle de 2008 contre Barack Obama. Avec lui, elle s'est un jour lancée dans un concours de vodka au cours d'un déplacement en Estonie[3]. « Ça fait cinquante ans que je participe à ce genre de compétition, et elle a une bonne descente », a-t-il confié non sans admiration. Joli compliment de la part d'un collègue républicain ancien aviateur dans l'US Navy et héros de la guerre du Vietnam… qui parle en connaisseur !

Chaque mercredi matin, ou presque, Hillary se rend au groupe de prière du Sénat « The Fellowship », dirigé par le très

1. Scott Reed, « Master of the Senate », *The International Economy*, hiver 2004.

2. Conférence-débat à 92Y, centre culturel juif de New York, animée par Molly Ball : « Crisis point : overcoming our broken politics », 20 janvier 2015.

3. Joshua Green, « take two, Hillary's choice », *The Atlantic*, novembre 2006.

influent révérend Douglas Coe. C'est une sorte de club privé fondé dans les années trente par un pasteur de confession méthodiste (celle-là même que pratique Hillary) qui regroupe des élus de tous bords. Elle y fait connaissance de collègues aux antipodes politiquement, comme Rick Santorum, le candidat évangéliste à la présidentielle de 2012 et 2016. On y parle pardon, réconciliation et paix. Chaque semaine, la session commence par le témoignage personnel d'un membre de l'assemblée. Quelques mois après la cooptation d'Hillary Clinton, Sam Brownback, alors sénateur du Kansas et conservateur bon teint, prend la parole en fixant la nouvelle venue. « Je pensais évoquer aujourd'hui une expérience qui m'a causé beaucoup de douleur et a renforcé ma foi, mais je vous vois ici, devant moi, et une pensée me submerge. Oui, je vous ai détestée. Oui, j'ai dit des choses que je n'aurais pas dû dire contre vous. Madame Clinton, me pardonnerez-vous[1] ? » Hillary répond par l'affirmative. Selon un participant, ce fut « un moment extraordinaire ».

*

« Presque tous les sénateurs, en particulier dans les rangs républicains, ont une histoire à raconter sur Hillary et l'écart entre le préjugé négatif qu'ils avaient contre elle et l'agréable surprise qu'ils ont ressentie en la rencontrant[2]. »

Cette attitude « bipartisane » lui permet d'obtenir des soutiens précieux lorsqu'il s'agit de faire voter des projets de loi qui lui tiennent à cœur. Avec le sénateur Brownback, elle a ainsi fait passer une mesure visant à protéger les réfugiés victimes d'abus sexuels dans leur pays d'origine. « Quand elle a appris que le Républicain Tom DeLay était un enfant adopté,

1. *Ibid.*
2. *Ibid.*

elle est allée le voir pour faire passer une loi bipartisane sur ce sujet important pour lui, se rappelle Laetitia Garriott de Cayeux, une Franco-Américaine installée à New York, fondatrice de "Entrepreneurs for Hillary[1]", un groupe de créateurs d'entreprise engagés en sa faveur. Ce n'était pas évident *a priori*, car DeLay avait, lui aussi, joué un rôle pendant la tentative d'*impeachment*. »

Une femme politique est née. Comme Bill, Hillary excelle à cultiver ses relations, à « se rappeler des dates d'anniversaire, des prénoms des gens, des deuils dans la famille », souligne David Helfenbein[2]. Ce consultant en relations publiques, âgé de vingt-neuf ans, en avait treize quand il l'a rencontrée, en mars 2000. Il habitait alors à Chappaqua, à quelques pâtés de maisons de celle où les Clinton se sont installés. « Je me souviens quand elle a emménagé, c'était un événement, témoigne-t-il. J'étais dans la rue en train de regarder passer le cortège. Il y avait Mme Rodham[3], Chelsea et Bill[4]. » Quelques semaines plus tard, Hillary vient rendre visite à son collège. L'ado s'arrange pour aller lui parler et lui dire qu'il veut l'aider dans sa campagne (Rudy Giuliani est alors encore en piste et assez haut dans les sondages). Elle répond en riant qu'elle fera de lui son directeur de campagne pour Chappaqua. Le soir même, il reçoit un appel téléphonique à la maison. C'est le staff d'Hillary, qu'il rejoint pour créer une association de soutien, « Kids4Hillary ».

Quelques années plus tard, en 2004, David, qui vient de sortir du lycée, organise une fête de fin d'année scolaire à laquelle il invite les Clinton. Hillary ne peut venir, mais elle envoie Bill, qui arrive avec retard, quand tous les invités sont

1. Entretien avec Laetitia Garriott de Cayeux, 25 mai 2016.
2. Entretien avec l'auteur, 6 avril 2016.
3. Sa mère, N.D.A.
4. Entretien avec David Helfenbein, 6 avril 2016.

déjà partis. L'ancien président a apporté un cadeau : une cravate ornée d'un aigle à tête blanche, l'emblème national américain. Il va rester seul avec le jeune homme et ses parents, chez eux, et discuter politique pendant deux heures. Les Clinton font désormais partie de la vie de David. Hillary, affirme-t-il, lui a conseillé de s'inscrire en fac de droit, ce qu'il fait. Pour fêter l'obtention de son diplôme, en août 2008, il les invite à sa *graduation party* qui coïncide avec les soixante ans de son père et ils sont venus. David affirme même qu'il doit à Hillary l'un de ses plus beaux étés : « C'était en 2003, j'étais son tout premier *page.* » Au Sénat américain, un *page* est un volontaire bénévole âgé de seize-dix-sept ans, bon élève et nommé par les sénateurs de leur circonscription pour effectuer des tâches de secrétariat ou de correspondance. Hillary, se souvient David, l'emmenait dans l'hémicycle du Sénat, privilège rare, car l'accès est limité aux seuls élus et collaborateurs. Elle lui a présenté Ted Kennedy, le frère de JFK, avec lequel elle s'entendait bien. David a aussi rencontré d'autres sénateurs, comme Robert Byrd, le nouvel « ami » d'Hillary, « qui nous racontait plein d'histoires[1]... »

*

Aux yeux de ses électeurs, Hillary a gagné ses galons de sénateur lors de la tragédie du World Trade Center[2].

Le mardi 11 septembre 2001, elle s'apprête à sortir de chez elle à Washington pour assister à une audition sur l'éducation, sujet qui lui est cher. Et, quand elle apprend la destruction de

1. *Ibid.*

2. Richard Berke, « A nation challenged : political memo ; attacks shift spotlight on public figures », *The New York Times,* 19 novembre 2001 ; Jeff Gerth et Don Van Natta Jr., *Her Way : the Hopes and Ambitions of Hillary Rodham Clinton, op. cit.*

la première tour, elle pense à un accident. Elle vient à peine de monter dans sa voiture qu'elle entend à la radio que la seconde est frappée. Sa première pensée est pour Chelsea, qui habite à New York. Elle l'appelle. Pas de réponse. La ligne ne passe pas. Lorsqu'elle arrive à joindre Bill, en déplacement en Australie, elle lui dit que leur fille va bien, afin de ne pas l'inquiéter inutilement[1]. À son arrivée au Sénat, elle est évacuée, avec ses collègues, dans un QG de police à l'écart du Capitole ; à 9 h 37, le troisième avion détourné s'écrase sur le Pentagone et on craint que la prochaine cible soit le Capitole, qui abrite les deux chambres parlementaires. Là, Chelsea arrive à la joindre enfin, la ligne fonctionnant à nouveau. Hillary est soulagée.

Pour l'Amérique et le monde entier, le 11-Septembre est un choc, mais pour Hillary Clinton, sénatrice de l'État de New York frappé en plein cœur, il prend une résonance particulière. La tragédie la cueille de plein fouet. Elle se doit de réagir sur un terrain qui n'est pas forcément celui dans lequel elle est à l'aise. Spécialiste des problèmes d'enfance et d'éducation, elle maîtrise mal les dossiers de sécurité nationale. Elle se tourne alors vers Bill, qui la briefe et lui conseille d'afficher la plus grande fermeté face à la menace terroriste.

Bill est lui-même inquiet : il sait que son bilan de président va être attaqué. En effet, selon un sondage Gallup publié le 17 septembre 2001, 45 % des Américains l'accusent de ne pas avoir su éviter le 11-Septembre, tandis que 34 % accusent Bush, qu'ils estiment « trop récent » à la présidence pour être tenu responsable du drame.

Pour Hillary, c'est une situation délicate. Comment gérer l'émotion de ses électeurs tout en défendant la politique

1. Interview d'Hillary Clinton, Dateline NBC, 17 septembre 2001.

antiterroriste de son mari durant ses huit années à la Maison-Blanche ? Elle choisit de tenir un discours guerrier. D'emblée, le jour même des attentats, elle affiche son soutien sans faille au président Bush lors d'une interview à CNN[1]. Quelques jours plus tard, aux côtés de Chuck Schumer, sénateur comme elle de l'État de New York, elle se rend dans le Bureau ovale et demande vingt milliards de dollars de subventions fédérales pour aider les New-Yorkais à se relever. « *You've got it*[2] » (« C'est d'accord ») répond Bush, sans hésiter. Ce « succès », obtenu auprès d'un président issu du camp opposé, restera comme « l'un des moments les plus émouvants auxquels j'ai jamais assisté dans ma vie[3] », dira-t-elle plus tard. Il lui permet surtout de se présenter devant ses électeurs comme « celle qui travaille pour eux ».

Quinze ans plus tard, le thème fonctionne toujours : début avril 2016, en rencontrant les syndicalistes de l'enseignement pendant la primaire à New York[4], Bill évoque cet épisode avec George W. Bush dans son discours, provoquant un tonnerre d'applaudissements. Et le slogan de la campagne actuelle n'est-il pas « *Fighting for us* » : « Se battre pour nous » ?

La gestion immédiate des attaques terroristes par Hillary est saluée, du moins dans les premiers mois qui suivent. Le ton de sa réaction va surprendre jusque dans l'entourage de W. « Tous ceux qui hébergent ou aident les terroristes d'une manière ou

1. Interview à CNN, 11 septembre 2001.

2. « Hillary watch », HumanEvents.com, 24 septembre 2001 ; Jeff Gerth et Don Van Natta Jr., *Her Way : the Hopes and Ambitions of Hillary Rodham Clinton, op. cit.*

3. « United states floor statement of Hillary Rodham Clinton », *Congressional Record*, 27 novembre 2001.

4. Bill Clinton devant SEIU puis UFT (Teachers association), 31 mars 2016.

d'une autre devront subir la colère de notre pays[1] », déclare-t-elle notamment.

Une nouvelle face d'Hillary Clinton apparaît. Elle qui, à la fac, militait contre la présence des troupes américaines au Vietnam, soutient la guerre de Bush en Irak. Une décision qui, dira-t-elle plus tard, fut « la plus difficile[2] » de sa carrière. La plus controversée aussi. Celle, surtout, qui, sur le long terme, va lui causer beaucoup de soucis.

Le 11 octobre 2002, le Sénat américain adopte à 77 voix contre 23 la résolution autorisant le président Bush à partir en guerre contre l'Irak. Hillary a voté pour. Mais, contrairement à plusieurs de ses pairs favorables à l'intervention (Joe Biden, Dianne Feinstein), elle s'aligne complètement sur le discours de Bush, qui affirme, en dépit d'une absence criante de preuves, que Saddam finance des bastions d'Al-Qaeda, thèse qui, plus tard, sera largement démentie[3] et dénoncée comme une vaste opération de manipulation.

Cette tonalité guerrière lui vaut de devenir la bête noire de la gauche de la gauche américaine[4]. Le 6 mars 2003, elle reçoit la visite impromptue des « Code Pink Women », activistes pacifistes qui organisent un sit-in de la dernière chance devant son bureau au Sénat pour empêcher la guerre en Irak imminente. Celles-ci sont venues convaincre Hillary de « protéger les femmes irakiennes et leurs enfants ». Hillary leur accorde une audience entre deux rendez-vous puis les quitte froidement : « Désolée... », lâche-t-elle. Medea Benjamin, leur porte-parole,

---

1. Transcript du discours d'Hillary Clinton prononcé à la tribune du Sénat des États-Unis, le 12 septembre 2001.

2. Jeff Gerth et Don Van Natta Jr., *Her Way : the Hopes and Ambitions of Hillary Rodham Clinton, op. cit.*

3. *Ibid.*

4. http://www.washingtonpost.com/wp-dyn/content/article/2007/01/20/AR2007012000426.html

est plus que déçue : furieuse. C'est la première fois que la gauche de la gauche donne du fil à retordre à Hillary[1]. Treize ans plus tard, Bernie Sanders, qui, lui, a voté contre la guerre, remettra au goût du jour ce débat entre les progressistes (comme lui) et les modérés (comme elle)…

*

Mais, à l'époque, dans son État de New York, Hillary est de plus en plus populaire. Son enracinement local s'enrichit de nouveaux soutiens. Les syndicats de pompiers, qui l'avaient sifflée lors de sa première campagne de 2000, sont désormais avec elle[2]. Un ralliement essentiel, car, depuis le 11-Septembre, ils font partie de la légende de New York, ce sont les héros qui ont tout tenté pour sauver ce qu'ils pouvaient. Bon nombre d'entre eux ont péri sur place lors de la destruction de la seconde tour, ou, après coup, ont découvert qu'ils souffraient de cancers mortels, générés par les émissions toxiques échappées du site.

En novembre 2006, Hillary est réélue haut la main, avec un taux d'approbation record de 74 %[3]. La route pour la Maison-Blanche se dégage.

*

Mais elle n'a pas attendu sa réélection pour préparer la présidentielle de 2008. Le 15 février 2006, son amie Elizabeth Bagley, qui fut ambassadrice nommée par Clinton au Portugal,

1. Jeff Gerth et Don Van Natta Jr., *Her Way : the Hopes and Ambitions of Hillary Rodham Clinton, op. cit.*

2. http://www.nytimes.com/2006/04/20/nyregion/20hillary.html

3. http://www.surveyusa.com/client/PollReport.aspx?g=8037f845-8641-4436-a9c7-b2a18687083a

organise un « *fund raiser*[1] » dans sa maison somptueuse de Georgetown[2] : le ban et l'arrière-ban de l'*establishment* démocrate sont invités pour, officiellement, financer la campagne sénatoriale d'Hillary, mais tout le monde a compris que le véritable enjeu est ailleurs. Il s'agit d'obtenir des « engagements fermes et exclusifs » de la part des donateurs du parti pour 2008.

Et c'est exactement ce qui se passe. Les invités se bousculent pour lui dire qu'ils sont avec elle. Mais Hillary les déconcerte en refusant de confirmer sa candidature, comme en 2000, quand elle s'est présentée à sa première élection. Fidèle à sa stratégie, elle ne veut pas dévoiler ses cartes trop tôt. Au risque de passer pour une calculatrice. On est encore à un an du lancement officiel de sa campagne. Dans l'entourage d'Hillary, personne ne prend alors Obama au sérieux. Personne, sauf Bill[3]. Il est le seul ou presque à percevoir le potentiel de ce jeune sénateur sans expérience ni bilan, élu deux ans plus tôt.

Entre 2000 et 2007, à New York comme à Washington, la marque Clinton a bien prospéré. Tout roule pour eux ! Peut-être même un peu trop. Autrefois endetté jusqu'au cou à cause des frais d'avocats engendrés par les scandales, le couple est devenu riche, ce qui n'a rien d'étonnant. L'un comme l'autre ont publié des Mémoires qui sont très vite devenues des best-sellers. Bill facture chacune de ses conférences entre 150 000 et 250 000 dollars. Hillary partage sa vie entre Chappaqua le week-end, où elle retrouve Bill quand il est là,

1. Événement mondain, soirée destinée à lever des fonds privés pour financer une cause.

2. Jeff Gerth et Don Van Natta Jr., *Her Way : the Hopes and Ambitions of Hillary Rodham Clinton, op. cit.*

3. John Heilemann et Mark Halperin, *Game Change : Obama and the Clintons, McCain and Palin and the Race of a Lifetime*, Harper Perennial, 2010.

et Washington en semaine, pendant les audiences du Sénat, où elle habite avec sa mère Dorothy Rodham dans une très belle maison, qu'elle s'est offerte en 2001 pour 2,85 millions de dollars grâce à l'avance record que lui a versée son éditeur Simon & Schuster (8 millions de dollars). Cette maison, appelée « Whitehaven » parce que c'est le nom de l'impasse au fond de laquelle elle se trouve, est une belle bâtisse construite dans les années cinquante, de style néocolonial, d'une superficie de près de six cents mètres carrés, située dans le quartier des ambassades à Washington. Elle est dotée d'une piscine. Hillary y a fait faire d'importants travaux, dont l'installation d'un ascenseur pour sa mère, qui y a vécu jusqu'à sa mort en 2011. La maison sert aussi à organiser des réceptions, recevoir les donateurs et les conseillers de sa campagne[1].

C'est dans cet environnement bourgeois qu'Hillary réalise sa vidéo de lancement à la présidentielle de 2008, sans doute trop confiante quant à l'« inévitabilité » de sa candidature.

Elle a alors toutes ses chances : un sondage du *Washington Post*-ABC News la donne à vingt-trois points d'avance sur son rival Obama (à 41 % contre 17 %[2]) !

Mais un vent nouveau s'est levé dans le pays. Les Américains sont fatigués des Bush. Ils ont eu le père, puis le fils... Ont-ils vraiment envie d'avoir le mari puis l'épouse qui les invite à voter pour elle depuis son luxueux salon ?

Les électeurs sont surtout inquiets par l'évolution de la guerre en Irak, qu'Hillary a soutenue sans retenue et qui est en train de tourner au cauchemar.

---

1. Jeff Gerth et Don Van Natta Jr., *Her Way : the Hopes and Ambitions of Hillary Rodham Clinton, op. cit.*

2. Dan Balz « Hillary Clinton opens presidential bid », *The Washington Post*, 21 janvier 2007 ; http://www.washingtonpost.com/wp-dyn/content/article/2007/01/20/AR2007012000426.html

D'où la question que se posent les électeurs : malgré son expérience, son bagage, pourquoi Hillary s'est-elle trompée à ce point sur un sujet aussi crucial que la guerre en Irak ? Déjà née en 2008, l'interrogation revient comme un boomerang en 2016. Est-elle la bonne personne pour répondre aux enjeux de l'Amérique du XXIe siècle ? Les Clinton représentent-ils le passé ou l'avenir ?

Chapitre 12

Présidentielles 2008 : Bill fait plonger Hillary

Pour enterrer son rêve, elle s'est offert des funérailles grandioses. L'endroit choisi est le National Building Museum, musée construit sur le modèle d'un palais romain au XIXe siècle pour héberger l'administration des pensions de retraite des soldats de la guerre civile. Un haut lieu de réconciliation nationale, censé symboliser le retour à l'unité du parti démocrate après des mois de déchirements entre deux rivaux. Le grand hall ressemble à une nef, avec arcades et colonnades s'étirant sur plusieurs étages. Arrivée avec quarante-cinq minutes de retard, habillée en noir, Hillary monte seule sur le podium, au milieu d'une foule dense et compacte. Contrairement à la tradition de ses meetings, son apparition n'est pas précédée d'un discours introductif de Bill ou d'un autre de ses supporters. Pour elle, la campagne est finie. Elle a des cernes sous les yeux, on la sent combative, mais aussi éreintée. « Ce n'est pas exactement la fête que j'avais rêvé d'avoir, mais j'apprécie la compagnie ! », lance-t-elle, suscitant un tonnerre d'applaudissements. Sa voix résonne comme dans une cathédrale. Quatre jours plus tôt, son rival Barack Obama a décroché le nombre de délégués nécessaire à l'obtention de l'investiture démocrate. Ce samedi 7 juin 2008, par une chaleur intenable et humide de 35 degrés typique d'un été à Washington, Hillary annonce donc qu'elle se retire de la course et dit adieu à ses fidèles.

« Son dernier discours de campagne était aussi son meilleur », constate Dana Milibank, le lendemain dans l'édition dominicale du *Washington Post*[1].

Pour la première fois, l'aspirante candidate joue la carte de la féminité, ne cherche pas à endosser un tailleur qui n'est pas le sien. « À partir de maintenant, dit-elle, il sera banal de voir une femme remporter des primaires ou être à deux doigts de devenir présidente des États-Unis, et cela, en soi, est vraiment extraordinaire. »

Dans la foule certains pleurent. Gloria Steinberg, la célèbre icône féministe des années soixante-dix, créatrice du magazine *Ms*, semble déçue. Matt Drudge, fondateur affublé d'un éternel chapeau mou du très conservateur site Web éponyme ayant révélé l'affaire Lewinsky, est également présent, à la surprise de certains. La scène est historique, il ne voulait pas la rater.

Au pied du podium, le clan Clinton se tient au grand complet. Dorothy Rodham, la mère d'Hillary, le visage fermé, ne prend pas la peine de sourire pour les caméras : elle souffre pour sa fille, inutile de le cacher. Bill et Chelsea, eux, applaudissent à tout rompre, l'œil humide : honneur à la vaincue !

Au milieu du discours, Hillary rend hommage à son mari rappelant que, « depuis les quarante dernières années, le pays a voté dix fois pour élire un président, les Démocrates n'ont gagné qu'à trois reprises dont deux grâce à un homme qui est avec nous ici aujourd'hui ». C'est l'instant où son sourire paraît le moins forcé. Mieux, il s'agrémente d'un regard complice. Standing ovation pour Bill. Joli cadeau car c'est tout ce qu'il aime, tel un vieux champion flatté qu'on reconnaisse ses exploits passés : il salue la foule. Quinze ans plus tôt, dans ce même lieu, sa femme et lui dansaient à l'un des bals d'inauguration célébrant son élection à la Maison-Blanche. Pour elle, en ce

1. Dana Milibank, « A thank-you for 18 million cracks in the glass ceiling », *The Washington Post*, 8 juin 2008.

jour de deuil, il est une bouée de sauvetage. Même si, tout au long de cette campagne tragique et cauchemardesque, il ne lui a guère rendu service.

*

Tout avait pourtant si bien commencé. Jusque-là, Bill et Hillary avaient formé un tandem qui les avait menés à la Maison-Blanche, lui au premier plan, elle dans le rôle de la conseillère de l'ombre aspirant à la lumière. Il était donc prêt à lui rendre la politesse, à se mettre à son service, à lui permettre de profiter de sa connaissance encyclopédique de la carte électorale américaine comme de sa popularité (80 % d'opinions favorables chez les Démocrates[1]). Sur le papier, le succès était garanti, la marque Clinton testée et approuvée, Hillary avait fait ses preuves en tant que sénatrice de l'État de New York. Certes, sa candidature ressemblait à un retour vers le passé, mais, au moins, on ne pouvait l'accuser de népotisme. La Maison-Blanche semblait à portée de main.

Pour Hillary, la course a débuté dès… 2003. De tous les élus démocrates susceptibles de prétendre à la plus haute fonction, elle paraît la mieux placée, et de loin. Aucun rival n'émerge. John Kerry (qui décrochera finalement l'investiture) manque de charisme. Howard Dean, issu du Vermont (comme Bernie Sanders) dont il s'avère être le gouverneur, est beaucoup trop à gauche pour l'Amérique. John Edwards, le « sourire de Caroline du Nord », affiche un air réjoui carnassier et une mèche posée sur le front qui lui donne un look jeune, mais personne ne le prend au sérieux. Bill Clinton a donc très envie qu'Hillary se lance. Les sondages ne lui sont-ils pas favorables ?

1. http://politicalticker.blogs.cnn.com/2008/01/28/clinton-campaign-advisers-bill-clinton-needs-to-stop/#more-4808

Hillary est plus partagée. Elle sait ce qu'elle doit aux New-Yorkais, qui, en l'élisant sénatrice, lui ont offert une nouvelle vie, libérée de l'ombre de son mari. Et cette indépendance, chèrement acquise, elle y tient plus que tout.

Un soir de décembre, elle réunit ses proches. « Dois-je y aller ? » demande-t-elle. Autour de la table, tout le monde est pour. Bill, le premier. Une seule voix s'élève contre. Celle de Chelsea, persuadée que si sa mère perd à la présidentielle de 2004, les électeurs de New York ne lui pardonneront pas de les avoir abandonnés avant la fin de son mandat de sénatrice. Au moment de la réélection, prévue pour 2006, ils le lui feront à coup sûr payer[1].

L'investiture à la nomination démocrate est facilement gagnable ; en revanche, pour l'élection générale de novembre 2004, l'histoire se veut plus compliquée. George W. Bush est encore populaire en début de guerre. Comment Hillary pourrait-elle se démarquer de lui après avoir tant collé à sa stratégie sur l'Irak ? Et il est toujours difficile de l'emporter sur un président en poste. Hillary passe donc son tour. Mais personne n'est dupe.

Dans le plus grand secret, ses réseaux sont mobilisés, ses donateurs, sollicités. Bill sert d'appât. En février, Hillary convainc C. Paul Johnson, banquier multimillionnaire à la retraite de Napa Valley, en Californie, de la rejoindre à un dîner à Washington, où elle propose de lui présenter son mari. Le financier accepte l'invitation avec enthousiasme et devient ainsi un fidèle soutien[2]. Ce n'est pas encore officiel, mais l'affaire devient de plus en évidente : Hillary se prépare pour 2008. Ce qui inquiète les ténors du parti démocrate, ces derniers n'ayant aucune envie de

---

1. John Heilemann et Mark Halperin, *Game Change : Obama and the Clintons, McCain and Palin and the Race of a Lifetime*, *op. cit.*

2. Jeff Gerth et Don Van Natta Jr., *Her Way : the Hopes and Ambitions of Hillary Rodham Clinton*, *op. cit.*

voir la Maison-Blanche – détenue par les Républicains durant dix-huit ans sur les vingt-six dernières années –, leur échapper en 2008. Or les électeurs en ont marre des Clinton. Ayant eu deux fois les Bush – après George H., George W. –, ont-ils envie d'un match retour ? D'une nouvelle dynastie, de gauche celle-là ? D'un retour au psychodrame « Bill et ses femmes » ? En mai 2006, en Une du *New York Times* un article[1] révèle, en termes prudents et choisis, que le 42e président des États-Unis n'a pas mis fin à ses mauvaises habitudes en la matière. Et que le scandale Monica Lewinsky ne lui a pas forcément servi de leçon. Aucun nom n'est donné, mais la rumeur d'une maîtresse canadienne court sur Internet et au Capitole.

À l'époque, un nouveau venu émerge. Barack Obama, jeune sénateur noir, élu en 2004, est charismatique, beau et éloquent. Nul n'a oublié son discours prononcé lors de la dernière convention démocrate. En 2002, alors qu'il était sénateur de l'État de l'Illinois[2], il a voté contre la guerre en Irak, ce qui, en 2006, constitue un atout de poids vis-à-vis de l'électorat démocrate. Il a tout l'avenir devant lui, mais il est un peu jeune. Beaucoup pensent que son tour n'est pas encore arrivé. C'est un «*junior senator*», autrement dit un sénateur qui n'en est qu'à son premier mandat, entamé il y a seulement deux ans. Qu'a-t-il fait de sa vie ? Chez les Clinton, on voit Obama comme le candidat des médias. Il apparaît sur les couvertures de nombreux magazines, qui se précipitent sur lui, telle une nouvelle coqueluche. C'est une rock star, certes, mais derrière la façade, où est la substance ? L'Amérique est-elle prête à élire un Noir

1. http://www.nytimes.com/2006/05/23/nyregion/23clintons.html?pagewanted=all

2. Il était alors « *State Senator* », c'est-à-dire élu au Sénat de l'Illinois, pas au *U.S. Senate*, le Sénat de Washington, où il entre en 2004. Ce distinguo est important car il sera utilisé par le clan Clinton contre lui.

ayant passé son enfance en Indonésie et une partie de sa vie à Hawaï ? Mark Penn, stratège d'Hillary, ne le pense pas. « En 2050, peut-être, mais pas cette fois-ci », écrit-il dans une note confidentielle révélée en septembre 2008 par le mensuel *The Atlantic*[1]. « Je ne peux pas imaginer que l'Amérique élise en temps de guerre un président qui ne soit pas fondamentalement américain dans ses valeurs et son mode de pensée », explicite-t-il. Curieuse et dangereuse analyse, qui amènera les Clinton à commettre bien des erreurs.

En décembre 2006, à Whitehaven, Hillary réunit ses proches. Comme en 2003 à la même époque. La question est la même. Cette fois, Hillary semble partante. Elle l'annonce à Bill à l'occasion de vacances sous les tropiques, sur l'île d'Anguilla, le jour de l'An[2]. Il est ravi. « Je l'ai prévenue : "Tout le monde va dire que tu vas décrocher facilement la nomination, mais que tu auras du mal à te faire élire à l'élection générale." Je pense exactement l'inverse. Le vrai challenge, pour toi, c'est l'investiture. À cause de ta position sur la guerre en Irak, qui te nuit[3]. »

Bien vu.

Sauf que Bill, l'expert en politique, n'imaginait pas que l'histoire allait si mal tourner.

*

Ensemble, ils mettent en place une équipe qui, *grosso modo*, fait du neuf avec du vieux. La plupart des membres sont des

1. Joshua Green, « The front-runner's fall », *The Atlantic*, septembre 2008.

2. John Heilemann et Mark Halperin, *Game Change : Obama and the Clintons, McCain and Palin and the Race of a Lifetime*, *op. cit.*, p. 80-81.

3. Interview de Bill Clinton par Charlie Rose, 14 décembre 2007. https://charlierose.com/videos/18658

anciens de la Maison-Blanche. Terry McAuliffe, le « *chairman* » (président), est un vieil ami de Bill pour qui il a levé des dizaines de millions de dollars lors de ses campagnes électorales. Patti Solis Doyle, conseillère d'Hillary quand elle était première dame, est nommée directrice de campagne, mais n'arrivera jamais à s'imposer – Bill étant très réservé sur sa capacité à animer une équipe. Il a en revanche une confiance aveugle en Mark Penn, l'homme des sondages, ultra-doué pour analyser et interpréter les chiffres et l'humeur de l'électorat, beaucoup moins pour travailler en équipe. Résultat : tout le monde le déteste, au sein de l'équipe d'Hillary, comme au-delà. Washington est un village. Joel Benenson, conseiller en sondages d'Obama qui a travaillé pour Penn, ne cache pas, lui non plus, son antipathie à son égard. Hillary ne le porte pas non plus particulièrement dans son cœur, mais si son mari le recommande, c'est pour la bonne cause. Mark Penn est l'auteur d'un beau fait d'armes à son actif : avoir fait réélire Bill en 1996[1]. Or l'élection n'avait rien à voir avec celle qui se profile, Clinton, à l'époque, n'ayant aucun rival dans son camp (personne n'allait s'opposer au président en titre) et devait affronter un adversaire républicain bien pâlot (Bob Dole), qui n'a pas fait le poids. Mais peu importe le changement d'ère : ce qui compte avant tout dans l'équipe Clinton, c'est la loyauté. L'essentiel, pour Hillary, est d'avoir un *spin doctor* de premier plan auquel elle puisse accorder toute confiance. Mark Penn est donc nommé *chief strategist* de sa campagne.

Très vite, les craintes de Bill se révèlent exactes. Les candidatures à l'investiture démocrate abondent et celle de Barack Obama se révèle particulièrement menaçante. La nomination sera difficile à décrocher. Les porte-flingues des Clinton exigent de la part des donateurs du parti un engagement total et absolu. « Vous êtes avec nous ou contre nous », lance Terry McAuliffe

1. En association avec Dick Morris dont il était alors proche.

lors d'un dîner à Los Angeles, en janvier 2007, sur le ton de la boutade[1], faisant allusion à la fameuse phrase de George W. Bush quand celui-ci sommait les alliés des États-Unis de se ranger derrière lui dans sa guerre contre le terrorisme[2]. Dans la salle, certains y voient une menace voilée.

La première trahison survient un mois plus tard. Le producteur David Geffen, soutien traditionnel des Clinton à Hollywood, donne une interview à Maureen Dowd dans le *New York Times* où il pourfend la « famille royale Clinton » et annonce son engagement en faveur de Barack Obama. Et d'organiser, chez lui, au milieu de ses tableaux de maître, une soirée réunissant de riches donateurs destinée à lever des fonds au bénéfice de la campagne d'Obama. Fureur de Bill et d'Hillary qui exigent de leur rival le refus des donations collectées chez leur ancien ami passé à l'ennemi. La contre-attaque, maladroite, se retourne contre la candidate. Les critiques fusent contre elle. Obama commence à passer pour un martyr. Hillary est en train de perdre l'électorat noir.

Qu'importe : le 19 mars 2007, Mark Penn en remet une couche lors d'un discours à l'université de Harvard. Il attaque Obama sur son opposition à la guerre en Irak, pas si claire à ses yeux. Sans prévenir le reste de l'équipe de campagne d'Hillary, qui désapprouve l'initiative, dangereuse à leurs yeux. Patti Solis Doyle et Howard Wolfson, les plus en colère, craignent que ce genre d'offensive victimise Barack Obama, premier Noir à avoir une sérieuse chance de devenir président des États-Unis. « Bill m'a donné son feu vert, qui dirige cette putain de campagne ? », rétorque Penn. Personne, et c'est bien le problème.

---

1. Tina Daunt, « McAuliffe seeks Clinton believers », *Los Angeles Times*, 30 janvier 2007.

2. La phrase exacte de George W. Bush est : « Soit vous êtes avec nous, soit vous êtes avec les terroristes. »

*

Comment utiliser Bill Clinton dans cette période ? Un problème insurmontable, que l'équipe n'est pas parvenue à résoudre. « C'est le plus gros défi qui s'est posé à nous quand on a commencé à définir les contours de la campagne », confie alors l'un des conseillers les plus proches d'Hillary, qui admet ne jamais être arrivé à trouver une réponse satisfaisante[1].

Bill est fatigué, et il le sait. En septembre 2004, il a subi un quadruple pontage. Son cœur s'est arrêté de battre pendant soixante-treize minutes[2]. Il y a eu des complications, il a fallu réopérer. La rééducation a été longue. Deux ans plus tard, il n'est plus exactement le même[3].

Mais il a très envie de reprendre du service. Sa dernière campagne remonte à… 1996. En 2000, Hillary l'avait largement tenu à l'écart. Une posture facile pour elle, car il était encore président et avait beaucoup à se faire pardonner après l'affaire Lewinsky. En 2004, hospitalisé, il n'a pu soutenir John Kerry, candidat démocrate à la présidentielle, que de très loin. En mars 2007, lorsqu'il se rend avec Hillary à Washington pour animer des soirées de « levée de fonds » (*fund-raising*) en faveur de cette dernière, il rayonne de bonheur. « Je dois présenter Hillary, c'est cool », dit-il, avec un enthousiasme communicatif. Un mois plus tard, le 19 avril 2007, quand Larry King

---

1. Peter Baker et Anne E. Kornblut, « Even in victory, Clinton team is battling itself », *The Washington Post*, 6 mars 2008.

2. http://www.nytimes.com/2004/09/07/us/for-clintons-lead-surgeon-little-more-than-a-days-work.html

3. Peter Baker, « The mellowing of William Jefferson Clinton », *The New York Times*, 26 mai 2009. Dans cet article, l'auteur constate que la main de Bill Clinton a tendance à trembler, dans la soirée en particulier. Clinton confie avoir passé des tests de dépistage de la maladie du Parkinson qui se sont révélés négatifs.

l'interroge sur le fait que 60 % des Américains souhaitent qu'il soit impliqué dans une présidence Hillary, il répond : « Je ne suis pas surpris. J'ai beaucoup d'expérience et je peux l'aider. Nous avons beaucoup appris de nos succès et de nos échecs. Et je l'aime beaucoup[1]. »

Bill adore parler de lui, défendre son bilan, or c'est précisément ce qui inquiète les proches d'Hillary, notamment Patti Solis Doyle, sa directrice de campagne. Pire, il est aussi devenu irascible, victimes de sautes d'humeur, qui, selon certains, seraient des séquelles de son opération à cœur ouvert de 2004. Ainsi, en septembre 2006, pour les cinq ans du 11-Septembre, il ne supporte pas qu'on puisse l'attaquer. Un téléfilm controversé et diffusé par la chaîne ABC[2] pointe les insuffisances de sa guerre contre le terrorisme à l'époque où il était président. Alors Bill, furieux, blackliste la chaîne et rétorque dans une interview au canon sur Fox News par une diatribe contre la presse et les journalistes. Jamais on ne l'avait vu aussi agressif dans les années quatre-vingt-dix.

*

En vérité, la popularité de l'ancien président est à double tranchant. Si, comme le relèvera plus tard Mark Penn, « en Pennsylvanie, Hillary a gagné avec des marges deux fois supérieures à la normale dans les comtés ruraux et urbains où il a fait campagne pour elle[3] », d'une manière générale, chacun le sait bien plus charismatique qu'elle. S'il mobilise des foules plus

1. Interview Larry King Live, CNN, 19 avril 2007.

2. Cyrus Nowrasteh, « The Path to 9/11 », avec Harvey Keitel, Donnie Wahlberg, 2006.

3. Mark Penn, *The New York Times* : http://www.nytimes.com/2008/06/08/opinion/08penn.html

importantes aux meetings qu'il organise, le doute risque d'apparaître. Nul, à Washington, n'a oublié l'enterrement en février 2006 de Coretta Scott King, la femme de Martin Luther King, activiste et icône des droits de l'homme, où Bill prononça un discours émouvant et puissant, en contraste total avec celui servi par Hillary juste après. « Elle n'était pas mauvaise, se souvient le professeur Gil Troy[1], sauf qu'il était tellement bon que c'était mission impossible de faire jeu égal. C'est difficile de vouloir exister tout en étant mariée à Bill Clinton et ce jour-là, tout le monde s'en est rendu compte. » Les conseillers de la candidate craignent donc que son mari ne lui fasse de l'ombre.

Jusqu'à octobre 2007, il est prié de rester discret. Et il obtempère. À la première apparition publique commune du couple, pendant le week-end de la fête nationale d'indépendance du 4 Juillet, dans l'Iowa, il se tient sagement derrière son épouse sur l'estrade et regarde fixement la foule, en silence. Jusque-là, tout va bien. Hillary possède alors un atout maître sur son rival Obama : sa connaissance des dossiers. Lors des premiers débats télévisés entamés dès avril, elle l'a écrasé. On l'a oublié aujourd'hui, mais Obama a mis du temps à s'échauffer. Au début de la campagne, il est mal à l'aise. Hillary le domine de la tête et des épaules, aussi bien à la télévision que dans les sondages. Elle semble invulnérable. « Inévitable » est le maître mot de son stratège Mark Penn adepte de la stratégie du rouleau compresseur : attention, Hillary arrive !

« Peut-elle trébucher ? », s'interroge alors le *Washington Post*[2]. Oui : dans l'Iowa. Un coin qu'elle connaît mal où Bill n'a jamais fait campagne. En 1992, lors de sa première bataille

1. Auteur de *The Age of Clinton : America in the 1990s, op. cit.*
2. Dan Balz, « Can Clinton be stopped », *The Washington Post,* 24 septembre 2007.

présidentielle, il avait préféré ne pas se battre là-bas, car l'un de ses rivaux, Tom Harkin, gouverneur de cet État, était invincible, préférant concentrer ses ressources dans des régions où il avait toutes ses chances (le New Hampshire en particulier). En 1996, pour sa réélection, Bill se trouvait sans rival démocrate, donc n'a pas eu besoin d'aller battre le pavé dans l'Iowa pour convaincre les électeurs.

Or, cet État, rural, est difficile. En hiver, les températures descendent très loin en dessous de zéro. Les prairies sont désespérément plates. Seuls les silos et de grandes fermes semi-industrielles égaient, si l'on peut dire, le paysage. On peut parcourir des centaines de kilomètres sur une route à deux voies sans croiser une pompe à essence. Des Moines, la capitale, a beau être citée dans le hit-parade 2016 des endroits où il fait bon vivre par le magazine *US News & World Report*, la ville a été défigurée par des parkings en béton de plusieurs étages qui jalonnent les rues du centre-ville, parkings reliés entre eux par des ponts pour piétons recouverts et chauffés en hiver (les Skywalk, les autochtones en sont très fiers). En été, la chaleur est écrasante. Comme le tourisme s'avère inexistant, les hôtels ne sont pas légion ni d'une qualité exceptionnelle. Hillary en est donc vite venue à détester cet endroit dont la base démocrate lui est *a priori* hostile, car très remontée contre la guerre en Irak. Elle le sait : si elle doit « trébucher », c'est dans ce petit État que cela risque de se produire.

*

L'Iowa est stratégique : comme on y vote en premier dans la campagne, il donne le ton. Hillary décide donc de mettre les bouchées doubles.

Début septembre 2007, pendant le week-end qui précède la fête du travail, elle fait une nouvelle sortie commune avec Bill.

Agrémentée de nouveaux slogans. « *The change we need* » (le changement dont nous avons besoin), « *Change + Experience* » (changement + expérience). Le changement, c'est elle, qui, élue, serait la première femme à entrer à la Maison-Blanche. L'expérience, c'est lui, Bill. Objectif : couper l'herbe sous le pied de Barack Obama, qui représente aussi l'alternative, une figure nouvelle, mais qui serait encore un peu tendre pour aspirer à la magistrature suprême. « On dit souvent qu'il faut choisir entre le changement et l'expérience, explique alors Hillary. Avec moi, il n'y aura pas besoin[1] ! » Durant ces quarante-huit heures, elle enchaîne les réunions publiques. Bill la suit. Ça l'épuise. Le dimanche 23 septembre, Hillary écume cinq talk-shows politiques, se bat sur tous les fronts. Elle semble invincible.

Mais cette domination est trompeuse. Il est toujours dangereux d'être numéro un des sondages trop tôt quand on postule à la présidence des États-Unis : tout le monde se ligue pour vous faire chuter du piédestal. C'est exactement ce qui se produit le 30 octobre 2007, lors d'un nouveau débat télévisé entre les candidats démocrates se tenant à Philadelphie, en Pennsylvanie. Cible de la majorité des attaques lancées par ses rivaux, Hillary répond vaille que vaille, mais, à sept minutes de la fin, connaît une petite baisse de régime. Une question lui est posée sur la décision du gouverneur de New York, Eliot Spitzer, d'accorder des permis de conduire à des chauffeurs de taxi immigrés pas en règle avec l'administration de l'immigration. « Oui, non, enfin je comprends le gouverneur… » la candidate s'embrouille. Personne ne comprend sa réponse. Or le sujet est sensible. C'est le premier tournant de la campagne. La forte en thème Hillary n'a pas réponse à tout, la bonne élève

1. Dan Balz et Haynes Johnson, *The Battle of America*, Penguin Books, 2010, p. 85.

connaît des lacunes. Elle est fragile. Elle peut flancher. Ce n'est qu'un début.

Samedi 10 novembre 2007 : la vulnérabilité de la candidate apparaît de manière encore plus évidente au Jefferson-Jackson dinner. Cet événement majeur, rendez-vous incontournable dans la vie du parti démocrate, sert essentiellement à lever des fonds. L'année qui précède l'élection présidentielle, il est aussi l'occasion pour les prétendants à l'investiture de se mettre en avant devant une énorme salle, le Veterans Memorial Auditorium de Des Moines.

Ce soir-là, Hillary prononce un discours propre et sans bavure, garni des habituels coups de griffe contre les Républicains. Les applaudissements sont polis. Dans la salle, ses supporters sont rares et âgés. Lorsqu'Obama apparaît, le contraste est évident, puisqu'il est soutenu par une claque bruyante de jeunes venus nombreux : trois mille, soit le tiers de l'assistance. Vif, il en appelle à une politique menée autrement. « Prendre des positions en fonction de ce que vont dire Mitt[1] ou Rudy[2] ne sera pas suffisant[3]. » Traduction : je ne suis pas une Hillary-qui-a-peur-de-son-ombre-et-qui-fait-de-la-politique-à-l'ancienne. Message reçu cinq sur cinq. Le public adore. « Ceux qui applaudissent n'ont pas vraiment l'air d'avoir l'âge de voter, on dirait des gamins de Facebook[4] », minimisera plus tard Park Penn, stratège en chef d'Hillary.

---

1. Romney, N.D.A., opposant républicain.
2. Giuliani, N.D.A.
3. Barack Obama fait allusion à Rudy Giuliani et Mitt Romney, alors dans la course à la présidentielle, côté républicain. http://www.washingtonpost.com/wp-dyn/content/article/2008/12/17/AR2008121703661.htmlPost politics, « Obama's speech from 2007 Jefferson-Jackson Dinner », *The Washington Post*.
4. Roger Simon, « Jefferson Jackson a warm up for Iowa », *Politico*, 11 novembre 2007.

Il n'empêche : la fusée Obama est sur orbite. Et ne s'arrêtera pas. Le calvaire d'Hillary commence. « Obama peut-il faire valser la course à l'investiture ? », s'interroge désormais le magazine *Time*[1]. Avec horreur, Mark Penn le voit passer en tête dans les sondages qu'il fait réaliser en Iowa[2].

Panique chez les Clinton.

*

L'heure est grave : Bill monte au créneau.

Fou furieux à la lecture d'un article du très respectable mensuel *The Atlantic* citant (anonymement) un proche d'Obama expliquant être « à la recherche d'informations sur la vie sexuelle de Bill après son départ de la présidence[3] », il fulmine. Si le camp d'en face veut l'attaquer sur ce terrain-là, lui ne se laissera pas faire, prévient-il. Jusqu'à présent il a constaté sans intervenir les divisions de l'équipe de campagne, qui fuitent de plus en plus dans les médias. Mais le temps presse. Les conseillers d'Hillary se déchirent en effet sur un point essentiel : comment contre-attaquer Obama ? Faut-il faire campagne sur un message positif, proche des préoccupations de l'électeur, de son appétit de renouvellement ? Ou mettre en avant une candidate qui incarne aussi bien le changement que le retour d'une période où l'Amérique renouait avec la croissance et les emplois, celle de l'ère Clinton des années quatre-vingt-dix ? C'est l'option que privilégient la plupart des proches d'Hillary, Patti Solis Doyle,

1. Ana Marie Cox, « Can Obama rock the nomination ? », *Time*, 11 novembre 2007.

2. John Heilemann et Mark Halperin, *Game Change : Obama and the Clintons, McCain and Palin and the Race of a Lifetime*, *op. cit.*

3. Marc Ambinder, « Teacher and apprentice », *The Atlantic*, décembre 2007.

sa directrice de campagne, et Howard Wolfson, son directeur de la communication, en tête. Selon eux, il faut vendre le côté humain de la candidate, ainsi que son expérience, non attaquer l'adversaire. Les électeurs de l'Iowa n'aiment pas les coups bas en politique, font-ils valoir. De surcroît, ils connaissent mal Hillary, donc ils ne lui accordent *a priori* aucune confiance, alors que Barack Obama est un « gars du coin », ou presque, puisque élu de l'Illinois, État voisin.

Soutenu par le stratège Mark Penn, Bill Clinton voit les choses différemment. L'ancien président, même diminué par son opération de 2004, a gardé son flair politique légendaire : Obama est « *the real thing*[1] », un cador, un égal. Le mari d'Hillary, de plus en plus, se prend à le détester, le considère comme une imposture, un jeune homme politique un peu trop pressé, sans bilan ni passé. Bill Clinton, lui, a attendu longtemps avant de se présenter. « En 1988, je n'étais pas prêt », rappelle-t-il devant Charlie Rose, célèbre présentateur de télé, lors d'une interview diffusée en décembre 2007[2]. Quand il est entré à la Maison-Blanche, il avait quarante-six ans, dont douze à la tête d'un État comme gouverneur. Parce qu'Obama ne se prive pas de critiquer à demi-mot l'ère Clinton, la politique à l'ancienne et la « triangulation » qui a valu en 1996 la réélection du président, Bill trouve légitime de riposter en l'attaquant en retour sur sa personne, sa jeunesse, son manque d'expérience.

Jusqu'alors, Hillary était réticente à l'idée d'attaquer son rival de front, mais la prestation de ce dernier, ses attaques à peine voilées contre elle, et l'écho positif qu'elles reçoivent, l'ont persuadé qu'il est temps de passer aux hostilités. Mais comment ? Le problème, c'est que rien ne marche. Les spots publicitaires négatifs contre Obama testés par le staff d'Hillary tombent à

1. Jeff Gerth et Don Van Natta Jr., *Her Way : the Hopes and Ambitions of Hillary Rodham Clinton, op. cit.*

2. https://charlierose.com/videos/18658

plat. Les habitants de l'Iowa n'aiment pas cette dernière, ou, en tout cas, ne lui font pas confiance, surtout quand elle commence à dézinguer un adversaire si charmant et prometteur[1].

Aux alentours de Thanksgiving, la traditionnelle fête familiale américaine de fin novembre, Bill, Hillary et Mark Penn se réunissent à huis clos[2] à Whitehaven, le domicile des Clinton à Washington. Bill a raison, il faut passer à l'offensive. D'autant qu'Obama devance de trois points la candidate dans les sondages. Ordre est donné à Patti Solis Doyle, la directrice de campagne, de sélectionner et diffuser des spots publicitaires « négatifs » sur le rival.

Les électeurs de l'Iowa apprennent de cette manière que, quand il avait cinq ans, Barack Obama a écrit un essai dans lequel il déclarait son « désir d'être président[3] ». Un peu faiblard comme attaque censée souligner l'ambition démesurée – et précoce – du candidat ! La ficelle paraît grosse. Et ne prend guère. Pire, la presse ricane, Obama aussi.

Juste après Thanksgiving, Bill et Hillary filent à Des Moines pour dîner avec le comité éditorial du *Des Moines Register*, le grand quotidien de l'État, au restaurant *Azalea*. Hillary cherche à obtenir le soutien officiel du journal, qui a une certaine influence et peut faire basculer des voix en sa faveur. Bill, de son côté, se renseigne et discute avec la journaliste politique qui couvre la campagne de son épouse. La jeune femme s'avère une mine d'info : elle lui confie que les partisans d'Obama lâchent des horreurs sur son épouse mais que les militants d'Hillary

1. John Heilemann et Mark Halperin, *Game Change : Obama and the Clintons, McCain and Palin and the Race of a Lifetime*, *op. cit.*

2. *Ibid.*

3. http://blogs.chicagotribune.com/news_columnists_ezorn/2007/12/hillary-as-kind.html

sont aux abonnés absents. Bill est stupéfait, Hillary furieuse en l'apprenant. Le lendemain, elle ordonne à Patti Solis Doyle, sa directrice de campagne, de venir s'installer à Des Moines. Mais il est probablement déjà trop tard. Le mouvement Obama est lancé et ne s'arrêtera pas. Fin novembre, un nouveau sondage du *Des Moines Register* le donne en tête, à trois points devant Clinton et quatre devant John Edwards.

Le 12 décembre, le clan Clinton passe à la vitesse supérieure. Billy Shaheen, l'un des coprésidents de la campagne dans le New Hampshire, utilise l'un des passages du livre *Les Rêves de mon père* d'Obama où celui-ci raconte que, dans sa jeunesse, il a essayé différentes drogues (cocaïne, cannabis). « Les Républicains ne vont pas rendre les armes sans se battre, et l'une des choses qu'ils vont certainement mettre en avant sera sa consommation de drogues », souligne Shaheen. Dans le camp d'en face, on crie au coup bas. L'attaque provoque une discussion tendue entre Hillary et Obama, à l'occasion d'une rencontre fortuite sur le tarmac de l'aéroport de Washington[1]. Shaheen finira par démissionner[2].

Lors d'une interview accordée à Charlie Rose consacrée à la promotion de son livre *Giving* sur la philanthropie, Bill en ajoute une couche sur la « jeunesse » d'Obama, et aussi sur les journalistes qu'il qualifie de « sténographes » acquis à la cause du rival[3].

Le clan Clinton est à la peine. Oprah Winfrey, la star de la télé, annonce son soutien à Obama lors d'un meeting qui réunit

1. John Heilemann et Mark Halperin, *Game Change : Obama and the Clintons, McCain and Palin and the Race of a Lifetime*, *op. cit.*

2. http://voices.washingtonpost.com/44/2007/12/clinton-apologizes-to-obama-fo-1.html

3. https://charlierose.com/videos/18658

dix-huit mille fans. Une claque. Pas facile de s'attaquer à un phénomène d'une ampleur pareille. Ce n'est pas un déluge de spots publicitaires tirant à boulets rouges sur le rival qui changera la donne.

Il est alors décidé de jouer sur tous les tableaux et de « vendre » au public le côté féminin et humain d'Hillary. Une tournée à grand spectacle de cinq jours est organisée, baptisée « chaque comté compte[1] ». Bill se voit mis à contribution, de manière plus voyante cette fois, ainsi que, pour la première fois, Chelsea, malgré la grande réticence d'Hillary, ultra-protectrice à l'égard de sa fille. Un Bell 222 noir de six places, rebaptisé « Hil-a-copter » par la presse, est réquisitionné pour permettre de transporter tout ce beau monde dans chacun des quatre-vingt-dix-neuf comtés de l'État. Le *New York Times* raille cette « tournée de la sympathie[2] » et se demande pourquoi elle n'a pas eu lieu plus tôt. Et le grand quotidien new-yorkais de souligner la superficialité et le manque d'authenticité d'une telle opération de relations publiques à gros budget.

À tort, du moins à court terme. Car, dans un premier temps, les électeurs apprécient l'offensive de charme. Hillary a fait venir le champion retraité de basket Magic Johnson ainsi qu'une copine de classe de sixième qui raconte comment, à l'époque, la future candidate retirait ses grosses lunettes pour flirter avec les garçons. Bill, de son côté, multiplie les interviews tous azimuts, discute avec tout le monde. Le revoilà sur le devant de la scène, il est ravi. Hillary repasse en tête des sondages juste avant Noël. Autre bonne surprise : le 16 décembre, le *Des Moines Register*, se déclare en faveur de la candidate.

---

1. http://www.presidency.ucsb.edu/ws/index.php?pid=92184
2. Patrick Healy, « After delay, Clinton embarks on a likability tour », *The New York Times*, 19 décembre 2007 ; http://www.nytimes.com/2007/12/19/us/politics/19clintons.html

Hillary ne s'y attendait pas[1], elle suspectait le journal et son rédacteur en chef politique, David Yepsen, de pencher pour Obama.

Mais l'embellie ne dure guère. Face aux gros moyens de la candidate « inévitable », Obama a une arme secrète : Michelle, sa femme, qui n'aime pas faire campagne, mais qui, lorsqu'elle s'y met, passe bien sur le terrain. Et on la voit beaucoup dans l'Iowa, à quelques semaines du scrutin. Pendant ce temps, son armée de fantassins – des centaines de jeunes volontaires enthousiastes et déterminés – mitraille les électeurs d'appels téléphoniques et sillonne l'État pour faire du porte-à-porte.

Dans le tout dernier sondage, réalisé par *Des Moines Register* du 1er janvier, le jeune sénateur repasse en tête, nettement cette fois avec sept points d'avance. Le journal prévoit qu'au moins deux cent vingt mille électeurs se déplaceront aux urnes contre cent vingt-quatre mille en 2004. Si le pronostic est exact, ce serait un séisme, s'inquiète le clan Clinton. Dans une ultime note confidentielle[2], écrite avant le scrutin du 3 janvier, Mark Penn, le stratège en chef, explique que tout dépendra du taux de participation. S'il est bas, les « nouveaux électeurs », c'est-à-dire ces jeunes venus aux meetings de Barack Obama et qui ne votaient jamais auparavant, sont restés chez eux. Dans cette hypothèse, Hillary n'a aucun souci à se faire. Si, au contraire, le taux est élevé, la suite risque d'être problématique, prévient sans ambages le conseiller.

Et c'est exactement ce qui va se produire. Au final, deux cent quarante mille électeurs se déplacent au caucus. Barack Obama gagne avec 37,6 %, suivi de John Edwards (29,7 %) puis d'Hillary (29,5 %), scotchée en piteuse troisième position.

---

1. http://www.desmoinesregister.com/story/news/politics/2014/09/11/hillary-clinton-political-history-iowa/15456137/

2. John Heilemann et Mark Halperin, *Game Change : Obama and the Clintons, McCain and Palin and the Race of a Lifetime*, *op. cit.*

Dans ses Mémoires, *Hard Choices,* parus en 2014, Hillary qualifie d'« atroce » cette soirée électorale du 3 janvier 2007.

*

Bill et Hillary sont installés au dixième étage de l'hôtel *Fort Des Moines*, le palace historique de la ville qui a accueilli douze présidents depuis son ouverture en 1919. Un brin superstitieuse, Hillary évite de regarder la télévision et de se renseigner sur les premiers résultats. Une façon, pour elle, de se protéger, la candidate étant du genre à devancer : « Surtout, ne me dites rien » quand elle sent qu'une mauvaise nouvelle pourrait tomber. Bill fait exactement l'inverse : il trépigne, veut savoir avant tout le monde, obtenir tous les chiffres, comté par comté, classe sociale par classe sociale, puis peut passer des heures à décortiquer les résultats. Mais ce soir-là, il est relativement confiant.

À 19 heures[1], il convoque Terry McAuliffe, le « *chairman* » de la campagne, dans leur suite. Ce dernier dispose des premiers résultats. Qui se montrent catastrophiques.

— Alors, Mac, comment ça va ? Tu veux une bière ? débute Bill, assis dans le canapé en train de regarder le match de foot Orange Bowl, qui oppose l'équipe de Virginia Tech Hokies aux Kansas Jayhawks.

— Comment ça va ? Tu n'es pas au courant ? s'étonne McAuliffe.

— Non…

— On va se prendre une énorme claque.

— Quoi ?

Bill se lève subitement, appelle Hillary qui émerge de la chambre.

McAuliffe lui dévoile la mauvaise nouvelle : l'épouse de l'ancien président va terminer à la troisième place.

1. *Ibid.*

Bill croit à une escroquerie. Deux cent quarante mille électeurs, soit deux fois plus qu'il y a quatre ans, sont allés aux urnes. D'où sortent-ils ? On n'a jamais vu participation aussi élevée. Obama est en tête dans toutes les catégories : les Démocrates, les indépendants, les riches, les pauvres, même les femmes. Bill est furieux contre les médias.

Hillary, de son côté, est très secouée. Elle connaît sa première grande défaite électorale. « Peut-être les gens ne m'aiment-ils pas[1] », dit-elle tristement.

Mais il lui faut retrouver ses militants, eux aussi sous le choc, et concéder la défaite. Elle prononce un discours lugubre. Son sourire figé cache mal son inquiétude. Et les amis et vétérans des années Clinton à la Maison-Blanche qui l'entourent traduisent le décalage qui existe avec la génération Obama, ils sont bien plus âgés que ces jeunes « sortis de Facebook », selon l'expression de Mark Penn quelques mois plus tôt en voyant, lors du Jefferson-Jackson Dinner[2].

Retour à la suite située au dixième étage. Bill prend le contrôle d'une réunion de crise. Il s'est retenu jusqu'à présent, mais maintenant on va voir ce qu'on va voir. Il faut tirer à volonté sur Obama. Mais Hillary, sonnée, hésite encore. Elle n'est pas sûre que ce soit la bonne stratégie. Sa mère, Dorothy Rodham, est assise sur un lit, effondrée, le regard fixe. La campagne de 2008 va être un calvaire, elle le pressent pour sa fille[3].

*

1. *Ibid.*
2. *Ibid.*
3. Dan Balz et Haynes Johnson, *The Battle of America*, *op. cit.*

Hillary Clinton a cinq jours pour redresser la barre. Car, après l'Iowa, se tiennent les primaires du New Hampshire. Tout le monde prédit qu'Obama, boosté par sa victoire, va emporter le scrutin du 8 janvier. S'il a vaincu une fois « l'inévitable » aux pieds d'argiles, il va poursuivre sur sa lancée.

Mais Bill, à la manœuvre, connaît mieux le New Hampshire que quiconque. Il se souvient des hommes et des lieux. C'est là qu'il a sauvé sa campagne en 1992, en pleine affaire Gennifer Flowers. Bill entretient une « relation particulière » avec les électeurs de cet État férus de politique, passionnés de débats. Le New Hampshire n'a rien à voir avec l'Iowa. C'est un État manufacturier, très *old England*, rempli d'usines en briques rouges datant de la fin du XIXe siècle, et du début du XXe siècle, toujours debout aujourd'hui. De beaux exemples d'architecture industrielle reconvertis en bureaux ou en lofts d'habitation. Le New Hampshire est la terre d'élection du *retail politics*, les réunions politiques en petit comité, ou des *town halls*, rencontres « sur la place du village » où chacun a un accès direct au candidat.

Hillary, aussi, connaît l'endroit. Elle y a passé beaucoup de temps et aime l'esprit de cet État. Mais l'expert c'est Bill. Et pour mener la contre-offensive, il va être son plus proche conseiller – voire le seul, tant son équipe de campagne, sonnée par la perte de l'Iowa, est en pleine débandade. Elle et lui ne vont pas se quitter d'une semelle durant la semaine.

Bill lui conseille de faire campagne comme lui l'a fait en 1992 : en engageant la discussion avec les électeurs et en répondant à leurs questions. De son côté, il multiplie les réunions publiques. À un meeting au collège de Dartmouth, la veille de l'élection, il se lâche et affirme que l'opposition d'Obama à la guerre en Irak « relève du conte de fées », exhumant une citation de 2004 où le candidat affirmait que, sur ce terrain-là, entre lui et Bush, il n'y avait « aucune différence ». Clinton enrage aussi contre la campagne « propre » de son adversaire telle qu'elle est décrite par la presse : « Que dire de ses attaques à mon égard, sous-entendant que j'étais un escroc ? s'étonne-t-il. L'idée selon laquelle l'adversaire mènerait une campagne positive est un peu dure à digérer. Les médias couvrent sa campagne de manière édulcorée et favorable, mais les faits sont têtus. » La charge au canon fait vite couler beaucoup d'encre. Obama omet d'y répondre. C'est peut-être une erreur car, à la grande surprise des Clinton, Hillary l'emporte dans le New Hampshire. Elle n'en croit pas ses yeux. Son staff non plus puisque sa directrice de campagne, Patti Solis Doyle, lui conseillait même de jeter l'éponge. La stratégie offensive a bien fonctionné auprès d'une partie de l'électorat ouvrier blanc du New Hampshire, qui se méfie d'Obama. Hillary a aussi parlé aux femmes qui, tentées d'aller voir ailleurs, dans le camp d'en face, sont finalement restées fidèles à Hillary.

Bill savait ce qu'il faisait en montant au créneau : il a réussi son coup. Du moins, dans l'immédiat.

*

Car ses attaques à répétition contre Barack Obama ne tardent pas à se retourner contre leur auteur et à atteindre, par ricochet, Hillary elle-même.

Le lendemain de la victoire dans le New Hampshire, l'équipe d'Hillary se réunit au QG situé à Ballston, une banlieue de Washington. L'ambiance n'est pas à la fête. Car si la candidate a gagné la nuit précédente, elle est de mauvaise humeur. Ses conseillers sont toujours en désaccord sur la stratégie à suivre et le discours à tenir, jusqu'au 5 février, date du *Super Tuesday* où vingt-trois États doivent voter. Un « conseiller » très spécial prend le contrôle des opérations : Bill Clinton[1]. De son propre chef.

Son initiative rappelle celle d'Hillary après sa propre défaite en novembre 1980, quand les électeurs l'avaient chassé de son poste de gouverneur de l'Arkansas. À l'époque, elle était montée au créneau pour sauver son mari – et son couple. Sans qu'il le lui demande, elle, simple avocate, avait pris sa carrière politique en main et était devenue, *de facto*, sa directrice de campagne. Avec succès, puisqu'il avait reconquis son siège deux ans plus tard. Lorsque Bill prend les rênes de la campagne d'Hillary en main, essaie-t-il de payer sa dette ? Ou pense-t-il à défendre son propre bilan ? Dans les dîners en ville, à Washington, chacun y va de sa propre interprétation. Le sujet passionne. Mais, au final, alors qu'Hillary était parvenue à aider Bill dans les années quatre-vingt, les résultats ne vont pas être aussi mirobolants lorsqu'il tente de lui rendre la politesse.

D'emblée, les commentaires médiatiques négatifs pleuvent sur les Clinton. Le 9 janvier, le *New York Times* publie un éditorial sévère sur la « campagne en colère » (« *angry campaign* ») qu'ils mèneraient contre leur rival. « Bill Clinton, écrit le quotidien, semble avoir oublié qu'il n'est pas candidat. Il s'est lancé dans des attaques étranges et incohérentes face à M. Obama. En tant qu'ancien président, il s'était jusqu'à présent comporté en chef d'État, mais s'il continue ainsi, son comportement risque d'entamer sa crédibilité[2]. » Le tabloïd *New York Post* qualifie la campagne Clinton de « monstre à deux têtes ». « À deux contre un », renchérit Maureen Dowd[3], grande pourfendeuse des

1. John Heilemann et Mark Halperin, *Game Change : Obama and the Clintons, McCain and Palin and the Race of a Lifetime*, *op. cit.*

2. http://www.nytimes.com/2008/01/09/opinion/09wed1.html?_r=0

3. http://www.nytimes.com/2008/01/23/opinion/23dowd.html?_r=2&ref=opinion&oref=slogin

Clinton dans le *Times*, qui s'étonne de voir l'ancien président suggérer que, de retour à la Maison-Blanche, il « pourrait aider Hillary à "vendre" aux élus son programme » pour le faire voter. Maureen Dowd est tout aussi stupéfaite de constater à quel point Hillary semble dépendante de son mari.

Effet médiatique sans prise. On pourrait le croire tant la stratégie offensive fonctionne. Hillary remporte le Nevada, autre victoire-surprise, avec six points d'avance sur son adversaire (51 % contre 45 % des voix). De quoi conforter Bill dans ses certitudes. La primaire qui suit est celle de la Caroline du Sud. Un État qui lui est cher, pas très éloigné de l'Arkansas. La moitié de l'électorat démocrate est afro-américain et Bill, quand il a été élu en 1992, fut qualifié de premier « président noir » en raison de son immense popularité au sein des minorités ethniques. Selon son ancien conseiller, Bobby Roberts : « Il s'est toujours très bien entendu avec deux types d'électeurs : les femmes et les Noirs. Ça passait moins bien avec les hommes blancs[1]. »

La Caroline du Sud, Bill en fait donc son affaire. Mais tous les conseillers d'Hillary lui déconseillent d'y aller : Obama semble imbattable et les électeurs afro-américains ont déjà donné des signes de désapprobation fort clairs à l'égard de l'ancien président. Notamment le député local, le très respecté James Clyburn. Bill pourtant le connaît bien, c'est un de ses anciens supporters. Il a été élu au Congrès en 1992 – le jour même de son accession à la Maison-Blanche – et, depuis, s'est vu constamment réélu dans le sixième district de Caroline du Sud. Cette figure du mouvement noir a refusé de choisir entre les deux ennemis du camp démocrate, sa fidélité aux Clinton, il ne veut la renier. Mais il estime de plus en plus déplacées les attaques lancées contre Obama. « Réduire l'espoir que suscite

1. Entretien avec l'auteur.

cette candidature à un conte de fées pourrait être jugé insultant par certains d'entre nous », lâche-t-il dans le *New York Times* le 11 janvier[1], avant de conseiller quelques jours plus tard à Bill de « se calmer[2] ».

Clinton n'entend pas ces signaux d'alarme. Il multiplie les meetings, jour après jour, en Caroline du Sud, parle trop et devient rapidement une proie pour les journalistes en embuscade, à l'affût de la dernière gaffe qui créera le buzz. Il n'hésite pas à accuser son adversaire noir de « jouer avec le thème de la race[3] » au détriment d'Hillary. Un comble. Chaque sortie est filmée et tourne en boucle sur YouTube. Le 23 janvier, après une réunion à Charleston, il s'en prend aux journalistes qu'il accuse de se focaliser sur ces petites phrases. « Honte à vous », lance-t-il, le visage rouge de colère[4]. Une accusation sans précédent. Aussi bien de la part de l'époux d'un candidat, tenu par définition à un devoir de discrétion, que d'un ex-président : on n'a jamais vu un ancien occupant du Bureau ovale s'impliquer à ce point, et de manière aussi personnelle, dans une primaire en cours. Certains s'inquiètent : si on ne peut tenir Bill durant la campagne, qu'arrivera-t-il une fois à la Maison-Blanche ? D'autres s'interrogent : veut-il faire gagner sa femme ou inconsciemment lui nuire ? Patti Solis Doyle prévient Hillary qu'il y a péril en la demeure, mais la candidate ne veut pas en entendre parler[5].

Le 26 janvier, la sanction est sans appel : 55 % pour Obama, 27 % pour Hillary. Elle a définitivement perdu le vote noir

1. http://www.nytimes.com/2008/01/11/us/politics/11clyburn.html
2. http://www.cnn.com/2008/POLITICS/01/21/obama.clintons/
3. http://www.newyorker.com/magazine/2008/05/05/bill-vs-barack
4. https://www.youtube.com/watch?v=hITQkrDR2ao
5. John Heilemann et Mark Halperin, *Game Change : Obama and the Clintons, McCain and Palin and the Race of a Lifetime*, *op. cit.*

– du moins, durant cette élection, car il reviendra à elle en 2016 face à Bernie Sanders – mais, aussi, l'approbation de l'*establishment* du parti. Le lendemain du scrutin en Caroline du Sud, Caroline Kennedy, la fille de JFK, annonce son soutien à Obama dans une chronique au titre révélateur : « Un président comme mon père[1] ». Elle est suivie par son oncle Ted Kennedy, l'un des sénateurs les plus influents du camp démocrate, avec lequel Hillary entretient pourtant de bonnes relations.

Les quatre mois qui suivent tiennent du chemin de croix. L'argent manque, l'équipe a le moral dans les chaussettes, se montre toujours divisée et n'arrive pas à se mettre d'accord sur la stratégie à suivre. Les conflits sont de plus en plus ouverts, chacun se renvoyant la responsabilité de l'échec. Hillary se sent coincée : elle accuse sa directrice de campagne de ne pas tenir la barre du navire et lui retire une grande partie de ses responsabilités, mais se retient de la virer, de peur de se couper de l'électorat hispanique, dont elle est l'une des représentantes emblématiques. Les donateurs traînent des pieds pour remettre la main à la poche. Pendant ce temps, Obama progresse, lentement mais sûrement, vers la victoire.

Le 3 juin, il décroche la majorité des délégués requis pour obtenir l'investiture du parti démocrate. Hillary va mettre quatre jours à admettre la défaite et à se retirer de la course, au National Building Museum de Washington. « Bill et moi avons une qualité commune : nous sommes déterminés, engagés et nous ne lâchons pas facilement prise[2] », a-t-elle lancé, bravache, dans les derniers jours de la campagne. Cette fois-ci, cela n'a pas suffi.

---

1. http://www.nytimes.com/2008/01/27/opinion/27kennedy.html
2. http://www.nytimes.com/2008/06/08/us/politics/08recon.html?_r=1&hp&oref=slogin

Chapitre 13

2008-2012

La résurrection de la maison Clinton

« Vous me manquerez ! Je vous passerai quelques coups de fil juste pour bavarder[1]. » Ce vendredi 1er février 2013, à 14 h 30, Hillary Clinton se présente en haut de l'escalier du hall d'honneur du département d'État, décoré de nombreux drapeaux du monde entier. Les employés sont venus nombreux lui dire au revoir. Parmi eux, Rob Frederick[2], qui l'a rencontrée juste après son entrée en fonction. Il était chargé de prendre sa photo d'identité pour son passeport diplomatique. « Je n'ai pas eu besoin de multiplier les prises de vue. C'était vite fait, bien fait », se souvient-il.

Habillée d'une veste sombre à motifs et d'un pantalon noir, Hillary dresse un rapide bilan et évoque la crise qu'elle a dû gérer le matin même : un attentat à la bombe devant l'ambassade américaine à Ankara en Turquie, qui a coûté la vie à un agent du département d'État, vigile turc qui travaillait pour la sécurité de l'établissement. Quelques heures avant de partir, la secrétaire d'État a téléphoné à son homologue ainsi qu'à l'ambassadeur américain à Ankara.

---

1. Olivier O'Mahony, « L'émotion d'Hillary à l'heure des adieux », parismatch.com, 1er février 2013.

2. Entretien avec l'auteur, 1er février 2013.

« Quand je suis arrivée il y a quatre ans, j'ai été si bien accueillie que je savais qu'il y avait quelque chose de spécial dans cette maison. On m'avait dit que diriger le département d'État serait à la fois unique et enthousiasmant, et je n'ai pas été déçue. Merci à tous ceux qui m'ont suivie ici et dans l'avion », lance-t-elle, en référence aux cent douze vols effectués et au 1,5 million de kilomètres parcouru durant son mandat.

Après avoir descendu l'escalier, elle se fraie un chemin entre les fonctionnaires. Les employés sont des personnes bien élevées : la scène ressemble à un meeting électoral, en mode guindé et respectueux. Quelqu'un crie quand même « 2016 ! » La ministre partante élude et serre les mains en répétant : « Merci beaucoup, *God Bless You...* » Ses traits sont tirés. Elle porte de grosses lunettes, suite à une mauvaise chute chez elle, qui a provoqué une commotion cérébrale et une hospitalisation de quatre jours. Accompagnée de ses gardes du corps, elle s'avance lentement vers la porte de sortie, embrasse Huma Abedin, sa conseillère la plus proche, puis s'engouffre, pour la dernière fois, dans la Cadillac noire officielle, suivie de deux gros 4 x 4 de sécurité aux pots d'échappement fumants dans le froid glacial de Washington. L'ancienne First Lady va passer le week-end en famille et, surtout, se reposer après le marathon de quatre ans qu'elle vient de faire autour du monde. Elle a pris un coup de vieux et beaucoup s'interrogent sur sa santé après l'accident cérébral dont elle se remet à peine.

Quinze jours avant son départ, Bill balayait pourtant les spéculations. « Je lui ai dit qu'elle vivrait jusqu'à l'âge de cent vingt ans et qu'elle avait le temps d'avoir trois maris après moi. Depuis, elle m'appelle "Premier Mari"[1] », plaisante-t-il à l'occasion d'une conférence organisée par sa fondation. Pour la première fois depuis 1982, époque où Bill a été réélu gouverneur de l'Arkansas, Hillary se retrouve donc citoyenne ordinaire,

1. http://www.msnbc.com/hardball/bill-clinton-hillary-will-live-be-120

sans fonction officielle. Selon un sondage Gallup, elle quitte le département d'État avec 67 % d'opinions favorables. La cote de Bill est supérieure à 60 % dans la plupart des enquêtes d'opinion[1]. Quatre ans et demi après l'échec de 2008, la maison Clinton est donc redevenue populaire.

*

Lundi 10 novembre 2008. Bill et Hillary se baladent le long des gorges de la rivière Mianus, dans un parc naturel situé à côté de leur maison de Chappaqua, dans l'État de New York. L'endroit est bucolique, surtout en cette fin d'automne où les arbres gardent quelques belles teintes rousses. Le portable de Bill vibre. Au bout du fil, Barack Obama[2]. Le nouveau président des États-Unis, élu cinq jours plus tôt, veut lui parler ainsi qu'à Hillary. Bill propose de rappeler d'un endroit plus pratique que sur ce téléphone au milieu de la forêt, ce qu'il fait une fois revenu à la maison. Obama sollicite ses lumières sur la composition de son équipe économique. À la fin de la conversation, il glisse : « Dites à Hillary que j'aimerais bien la voir bientôt. » Pourquoi le nouveau président cherche-t-il à renouer avec son ancienne rivale ?

Entre elle et lui, le rapprochement a débuté dans le plus grand secret, deux jours avant qu'elle ne se retire officiellement de la course à la présidentielle. 5 juin 2008 : Hillary arrive chez son amie Dianne Feinstein, sénatrice, qui habite à deux pas de chez elle à Washington[3]. Pour éviter les fuites, elle lui a demandé de lui ouvrir sa maison afin d'organiser une rencontre à l'abri des regards indiscrets avec Barack Obama, qui

1. http://www.pollingreport.com/clinton1.htm
2. Hillary Rodham Clinton, *Hard Choices*, *op. cit.*
3. *Ibid.*

vient de remporter le nombre suffisant de délégués pour décrocher l'investiture démocrate. Le rendez-vous a été délicat à monter. Les tensions entre les deux équipes sont vives. Le domicile de Dianne Feinstein fait donc office de terrain neutre, d'endroit plus discret que la maison d'Hillary, cernée par les photographes.

Pour détendre l'atmosphère, l'hôtesse a prévu une bouteille de vin blanc, du chardonnay. Barack Obama arrive quelques minutes après Hillary. Les deux anciens concurrents s'installent dans le salon, autour de la cheminée, face à face. Obama, victorieux, a besoin de l'aide d'Hillary, ainsi que de celle de Bill, pour unifier le parti. Il sait qu'il ne pourra pas gagner l'élection générale face à John McCain, qui a décroché l'investiture républicaine trois mois plus tôt, s'il ne rassemble pas tout le monde derrière lui à la convention démocrate qui doit se tenir à Denver.

Entre Barack et Hillary, il n'y a jamais eu de différend personnel. Dans son bureau au Sénat, elle a même gardé une ancienne photo d'elle et lui avec Michelle et leurs deux filles, image prise lors d'un événement à Chicago[1]. Mais la campagne a été violente, et Bill a encore en travers de la gorge les accusations de racisme dont il a été l'objet. Hillary s'en fait l'écho auprès d'Obama, qui l'assure avoir toujours considéré ces allégations sans fondement. Finalement, après une heure et demie, ils se mettent d'accord sur les termes d'un communiqué commun qui officialise cet « entretien productif » consacré à la mise au point d'une stratégie commune en vue de l'élection générale de novembre 2008.

Trois semaines plus tard, ils tiennent meeting commun à Unity, charmant village de moins de deux mille habitants du New Hampshire, bourg choisi en raison de son nom, mais aussi parce que les deux candidats y ont recueilli exactement le

---

1. *Ibid.*

même nombre de voix (107) durant les primaires. Pendant les mois qui suivent, les Clinton donnent des gages de loyauté : ils animent plus d'une centaine de meetings et « *fund raisers* », réunions consacrées à lever des fonds pour la campagne du candidat. Obama demande aussi à Hillary de prononcer un discours d'introduction, juste avant le sien, à la convention de Denver devant soixante-dix mille personnes, ce qu'elle accepte même si ce n'est pas une partie de plaisir pour elle. Le 5 novembre 2008, jour de l'élection, le report de voix est excellent : tout l'électorat démocrate est unifié et vote Obama. Il se voit élu haut la main.

*

Le 13 novembre 2008, Hillary débarque à Chicago, accompagnée de sa confidente Huma Abedin, pour rencontrer son ancien adversaire. Aucun ordre du jour n'est fixé. Elle n'a pas la moindre certitude de ce qu'il va lui dire, mais a quand même une petite idée. Son conseiller Philippe Reines, au courant de tout ce qui se murmure et colporte dans les dîners de Washington, a parié qu'Obama allait lui offrir le département d'État. Le matin même de l'entretien, tous les journaux évoquent cette possibilité. Elle-même ne veut pas y croire.

C'est pourtant ce qui se produit. Le président élu y songeait même depuis la convention de Denver, dira-t-il plus tard.

Secrétaire d'État ? Hillary n'a pas oublié que, quelques mois plus tôt, son rival avait ridiculisé sa « vision du monde réduite aux conversations avec tel ou tel personnage important, en prenant le thé chez l'ambassadeur » du temps où elle était première dame[1]. Elle n'est donc pas sûre d'avoir vraiment envie

1. Steven Lee Myers, « Hillary Clinton's last tour as a rock-star diplomat », *The New York Times*, 27 juin 2012.

de travailler pour ce boss-là. Elle s'entend bien avec lui, certes, mais il lui a quand même piqué le job dont elle rêvait. Hillary songe alors à reprendre ses fonctions au Sénat. Et son indépendance. Aussi refuse-t-elle poliment.

Mais tout le monde lui conseille d'y aller. Bill le premier : il voit dans cette promotion un moyen de rebondir. Le 20 novembre, dans la soirée, Obama la relance. Elle répond toujours non, mais n'en dort pas de la nuit. Le lendemain, elle le rappelle très tôt dans la matinée et… accepte. « Quand le président vous demande de servir la nation, vous ne pouvez pas vous dérober, c'est un devoir[1] », se justifiera-t-elle plus tard.

Ainsi s'achève la guerre Obama-Clinton.

Le 1er décembre 2008, Barack Obama annonce la nomination officielle d'Hillary. À des milliers de kilomètres de là, Bill observe la scène, les yeux rivés sur un écran de télévision, dans un restaurant de Chine où il se trouve en déplacement pour sa fondation. « Il n'aurait pas dû dire ceci… Il devrait sourire maintenant… », commente-t-il, connaisseur, en écoutant le discours devant de nombreux témoins. Son ami d'enfance et premier directeur de cabinet à la Maison-Blanche, Mack McLarty, qui l'accompagne, lui donne un coup de coude. « Il y a des gens qui écoutent ici[2] ! », dit-il en pointant les clients autour d'eux, qui comprennent probablement l'anglais. Mais c'est plus fort que Bill : il est fier de voir son épouse devenir première femme nommée secrétaire d'État, quatrième personnage dans la hiérarchie après le président des États-Unis.

1. Hillary Rodham Clinton, *Hard Choices*, *op. cit.*
2. Peter Baker, « The mellowing of William Jefferson Clinton », *The New York Times*, *op. cit.*

Ce jour-là, la maison Clinton est en train de renaître de ses cendres.

Hillary réussit son examen de passage devant les sénateurs, qui confirment sa nomination par 94 voix contre 2. Elle fera, leur annonce-t-elle, de la doctrine du « pouvoir intelligent » (« *smart power* ») la pierre angulaire de son mandat. Il s'agit d'une ligne politique mélangeant carotte (propositions de partenariats économiques) et bâton (menace militaire quand il le faut) dans le but d'étendre l'influence américaine sur le reste du monde. Elle leur explique que sa priorité est de restaurer l'image des États-Unis, il est vrai très dégradée par la fin du mandat Bush. En rupture totale avec l'ère précédente, elle veut promouvoir une Amérique forte, mais généreuse, ouverte sur le monde, capable de comprendre les contraintes et besoins des autres pays. Elle pense être particulièrement armée pour vendre et faire passer ce message aux quatre coins du globe, d'où le marathon planétaire et ultra-médiatisé qu'elle va effectuer durant son mandat. Hillary se présente comme la super VRP de l'Amérique.

*

Mardi 20 janvier 2009, par un froid glacial, Bill et Hillary arrivent en grande pompe, annoncés par haut-parleur, dans la tribune d'honneur de Barack Obama, intronisé ce jour-là 44e président des États-Unis.

En tant que « numéro 42 », Bill est invité d'office (il avait ainsi assisté à la seconde investiture de George W. Bush en 2005), mais, cette fois, c'est aussi en raison de la promotion d'Hillary, emmitouflée dans un manteau bleu électrique, qu'il est présent. Tous deux s'installent à quelques rangées derrière le nouvel élu. À quoi pensent-ils au moment où celui-ci prête serment devant le président de la Cour suprême ? Au fait que ce moment devrait être le leur ? Qu'ils ont échoué à revenir par la grande porte à la Maison-Blanche ? Mais qu'ils sont toujours là, en première ligne ? En tout cas, au fur et à mesure que les difficultés vont s'accumuler pour Obama, ils vont bientôt se rendre indispensables.

Le lendemain, en fin d'après-midi, c'est au tour d'Hillary de prêter serment en tant que 67e secrétaire d'État, sur une Bible que Bill tient entre ses mains.

Quand elle fait son entrée au département d'État, le grand hall est noir de monde. « Je n'avais jamais vu une telle foule pour ses prédécesseurs, se souvient Rob Frederick, l'employé chargé des photos pour visas diplomatiques[1]. Les gens voulaient la toucher. Ils n'en revenaient pas de la découvrir ici. » Un de ses collègues qualifie la scène de « *fucking rock concert*[2] » avec des groupies en costumes trois-pièces siglés Brooks Brothers tenant à bout de bras leur Smartphone pour filmer la star du jour qui leur promet « une nouvelle ère pour l'Amérique »...

Durant les années Bush, les salariés du département d'État avaient le moral dans les chaussettes. La diplomatie n'était pas vraiment la priorité de l'administration précédente, le Pentagone ayant toujours le dernier mot. L'arrivée d'une pointure comme Hillary change la donne et rassure, d'autant que, fine politique, elle se présente à eux accompagnée de Bill Burns, un cacique haut gradé et apprécié du département dont la présence est interprétée en interne comme une volonté de respecter la culture maison.

Quelques heures plus tard, Obama fait aussi son show, au huitième et dernier étage du département, celui où l'on reçoit

1. Entretien avec l'auteur, 1er février 2013.
2. Jonathan Allen et Amie Parnes, *HRC : State Secrets and the Rebirth of Hillary Clinton*, Broadway Books, 2015.

les dignitaires du monde entier. Ce déplacement symbolique vise à souligner l'importance qu'il accorde à la diplomatie durant son mandat, après huit années de guerre. « Je vous ai amené un premier cadeau : Hillary Clinton[1] », lance-t-il devant les employés. Joli compliment, mais qui n'ira pas plus loin : le président s'abstient de vanter les mérites de la nouvelle patronne des lieux, contrairement à la coutume. « Son discours a été jugé assez froid pour elle[2] », se souvient un diplomate présent. George W. Bush manifestait souvent son affection pour Condi Rice. Entre Hillary et Barack, il n'y a alors ni complicité ni tendresse : juste une relation professionnelle entre deux grands fauves politiques qui ont besoin l'un de l'autre pour gagner.

De fait, pendant le premier mandat d'Obama, les Clinton ne seront pas invités à dîner à la Maison-Blanche. Le seul moment d'intimité accordé à Hillary sera un déjeuner « entre First Ladies », dans la résidence privée de la famille du président, au premier semestre 2009. C'est la première fois qu'Hillary y reviendra depuis son départ en janvier 2001. Elle retrouvera les visages familiers de certains membres du personnel qu'elle a nommés. Avec Michelle, elle papotera, assise autour d'une petite table dans le salon ovale jaune, avec vue imprenable sur le balcon Truman et l'obélisque du Washington monument. Le sujet du jour, famille et éducation des enfants dans cet environnement étrange qu'est la Maison-Blanche. Hillary fera part de son expérience à celle qui lui succède. « Ça m'avait beaucoup aidée d'avoir les conseils de celles qui m'avaient précédée, Jacqueline Kennedy, Lady Bird Johnson, Betty Ford, Rosalynn Carter, Nancy Reagan et Barbara Bush[3] », note-t-elle…

---

1. http://www.washingtonpost.com/wp-dyn/content/article/2009/01/22/AR2009012202550.html
2. Entretien avec l'auteur, 1er février 2013.
3. Hillary Rodham Clinton, *Hard Choices*, *op. cit.*

*

Pour la secrétaire d'État, la première année est dure. Elle peine à s'imposer dans l'entourage de Barack Obama. La presse la compare à l'un de ses prédécesseurs, Colin Powell, mal à l'aise dans l'administration Bush Junior car exclu du premier cercle du président[1]. Car elle a un concurrent à la Maison-Blanche : Joe Biden le vice-président, avec lequel elle s'entend bien, mais qui, au début du mandat, connaît mieux les dossiers de politique étrangère qu'elle parce qu'il présidait la commission du Sénat des relations extérieures jusqu'en 2009. Certains membres du cabinet d'Obama, notamment David Plouffe, David Axelrod et Robert Gibbs, n'ont, de leur côté, jamais vraiment passé l'éponge sur les escarmouches de la campagne électorale, n'accordant aucune confiance à Hillary, encore moins à son entourage. Les tensions entre les équipes sont aussi dues à la promesse d'Obama de laisser Hillary choisir des collaborateurs, à l'exception du poste de « *Deputy Secretary* » (secrétaire d'État adjoint, le numéro deux du département) dévolu à Jim Steinberg, et des principaux ambassadeurs. Conséquence, beaucoup de spécialistes en politique étrangère de l'équipe de campagne victorieuse se retrouvent sur le carreau. La brillante Samantha Power, bardée de diplômes et titulaire d'un prix Pulitzer pour un livre qu'elle a écrit sur les génocides[2], est ainsi privée de fonction officielle au département d'État pour avoir, durant les primaires, qualifié la rivale d'Obama de « monstre[3] ».

1. http://www.thedailybeast.com/articles/2009/07/13/obamas-other-wife-1.html

2. Samantha Power, « A problem from hell, America and the age of genocide », *Basic Books*, 2002.

3. Jonathan Allen et Amie Parnes, *HRC : State Secrets and the Rebirth of Hillary Clinton*, *op. cit.*

Elle est aujourd'hui ambassadrice des États-Unis à l'ONU, l'un des postes les plus élevés de la diplomatie américaine.

Hillary, consciente du problème, fait profil bas et potasse ses dossiers à fond, comme à l'époque où elle débutait au Sénat. Mais elle est aussi déterminée à ne rien laisser passer. Le 8 juin 2009, elle envoie ainsi un e-mail à deux conseillers de la Maison-Blanche : « J'ai entendu à la radio qu'il y avait une réunion de cabinet ce matin. Est-ce vrai ? Puis-je venir ? Si non, qui est-ce qu'on envoie[1] ? »

*

Il est tentant d'écrire aujourd'hui que tout était programmé. Qu'Hillary aurait pris ce job pour se refaire une virginité dans l'optique de 2016. La vérité oblige à reconnaître qu'à l'époque, elle a probablement fait une croix sur ses ambitions présidentielles. Quand on lui demande, fin 2008, si elle va se représenter, elle répond que les chances sont « proches de zéro[2] », comme elle le dit sur Fox News, il y a une telle sincérité dans son ton qu'on la croit. L'heure est à l'état de grâce pour Obama. Personne n'imagine alors que l'ancienne candidate malheureuse puisse se remettre de sa défaite.

Mais entre « zéro » et « proche de zéro », il y a une nuance. Quand elle prend les rênes du département d'État, sa cote de popularité s'est déjà fortement améliorée. Et, tout au long de son mandat, Bill et elle ne vont pas rater une occasion de promouvoir la « marque Clinton ».

---

1. http://www.nytimes.com/2016/04/24/magazine/how-hillary-clinton-became-a-hawk.html?_r=0

2. http://videos.nymag.com/video/Hillary-Clinton-Probably-Close ; Hillary-Clinton#c=BWBDJD1L2GVJTF1W&t=Hillary%20Clinton:%20%27Probably%20Close%20to%20Zero%27

Les dynasties ne meurent jamais complètement. Les Clinton sont moins mythiques que les Kennedy, mais infiniment plus populaires que les Bush après les huit années de W. et l'enlisement de la guerre en Irak. Dès les premiers mois de 2009, le Tout-Washington s'interroge sur la place que Bill prendra dans le dispositif. Comment va-t-il se comporter ? Le voilà donc à la place de « l'époux de ». C'est la première fois que, dans le couple, ce n'est plus lui qui compte. « Nous avons inversé les rôles[1] », confie-t-il en souriant à Peter Baker du *New York Times*. Et ça n'a pas l'air de le gêner, au contraire même.

Il vit essentiellement seul à Chappaqua qui est beaucoup plus sa maison à lui que la sienne, tandis qu'elle habite à Washington, au fond de l'impasse Whitehaven, avec sa mère Dorothy. Lui dirige la fondation humanitaire qui porte son nom, aux ramifications multiples dans de nombreux pays, multiplie les conférences grassement rémunérées aux quatre coins du monde. Avant d'entériner la nomination d'Hillary, il a dû donner la liste des donateurs de sa fondation aux instances de la Maison-Blanche, qui a préféré s'assurer qu'il n'y avait pas de conflits d'intérêts potentiels entre ses activités et la position officielle de son épouse. Il s'est aussi engagé à ne pas organiser de conférences à l'étranger.

Bill et Hillary se voient tous les week-ends si possible, mais, en fait, très rarement. Ils s'appellent chaque jour. « Bill et moi adorons parler de l'État du monde à l'occasion de longues marches[2] », prétend Hillary. Il lui donne son avis sur telle ou telle personne si elle le lui demande. « Il connaît tout le monde[3] », dit-elle à Mark Landler du *New York Times*.

1. Peter Baker, « The mellowing of William Jefferson Clinton », *The New York Times*, *op. cit.*

2. Hillary Rodham Clinton, *Hard Choices*, *op. cit.*

3. Peter Baker, « The mellowing of William Jefferson Clinton », *The New York Times*, *op. cit.*

« Durant mes quatre années au département d'État, il m'a servi de soutien et de baromètre. Il me conseillait toujours de me concentrer sur les lignes de tendance plutôt que sur les gros titres[1]. »

Aux yeux de certains, cependant, Hillary vit toujours dans l'ombre de son mari.

À l'été 2009, lors d'une rencontre avec des étudiants congolais à Kinshasa, un jeune homme lui demande, de manière maladroite, ce que Bill pense de l'interférence de la Banque mondiale sur les contrats chinois au Congo. La réponse fuse : « Attendez, vous me demandez ce que mon mari pense ? Il n'est pas le secrétaire d'État, je le suis. Donc si vous me demandez mon opinion, je vous la donnerai, je ne vais pas me transformer en porte-parole de mon mari[2]. » Le malheureux étudiant est cloué sur place. Si l'incident est peut-être dû à une erreur du traducteur, qui aurait confondu président Obama et président Clinton, il fait la une des matinales le lendemain aux États-Unis.

Était-elle sous le coup de la jalousie ou du décalage horaire ? « Un peu des deux[3] », répond Andrea Mitchell de NBC. Hillary était fatiguée, le voyage avait été long, il faisait chaud… Elle n'avait aucun besoin d'organiser cette rencontre avec les étudiants, mais elle y tenait. À chaque déplacement, elle prend en effet soin d'échanger avec des représentants de la société civile à l'occasion de *town halls*, rencontres où le public a la possibilité de poser une question. C'est l'occasion pour elle de « vendre » l'image d'une Amérique ouverte sur le monde. L'incident de Kinshasa est donc spectaculaire. « *I'm the boss* », titre le

1. Hillary Rodham Clinton, *Hard Choices*, *op. cit.*
2. https://www.youtube.com/watch?v=xiaI2EZ9ubw
3. http://www.nbcnews.com/id/32361939/ns/politics-more_politics/t/clinton-im-secretary-state-not-bill/#.VzRvdmZSyOl

lendemain le *New York Post*[1]. Hillary apparaît alors sous son plus funeste jour : de mauvaise humeur, sans filtre. C'est rare et… assez glaçant.

Une semaine plus tôt, Bill est revenu sur le devant de la scène pour négocier la libération de deux journalistes américaines, Euna Lee et Laura Ling, arrêtées en Corée du Nord en train de tourner un documentaire pour la chaîne câblée Current TV. Elles ont écopé d'une condamnation à douze ans de travaux forcés. Le leader Kim Jong-il veut bien les relâcher à condition qu'un émissaire haut gradé américain lui en fasse la demande en se déplaçant personnellement. Manœuvre classique de la part du dictateur qui cherche à attirer l'attention sur lui et veut donner à son peuple l'impression qu'il tient la dragée haute au grand Satan américain. Hillary propose d'envoyer Al Gore, l'ancien vice-président, alors propriétaire de Current TV. Mais ce n'est pas assez pour Kim. Il exige Bill Clinton. Hillary pense que c'est une bonne idée. Elle en parle à son mari, qui est partant, puis à Obama qui, lui aussi, approuve, malgré les résistances de son staff. Le 4 août 2009, Bill s'envole pour Pyongyang, où il rencontre le leader avec qui il pose pour l'inévitable photo, puis ramène triomphalement les deux journalistes dans un avion privé.

Entre lui qui revient de Corée du Nord en libérateur rayonnant et elle qui explose de colère contre un étudiant congolais, le contraste des deux images, prises à une semaine d'écart, apparaît saisissant. Maureen Dowd, la célèbre éditorialiste du *New York Times*, tourne en dérision « ce moment unique dans les annales de la diplomatie[2] ».

*

1. http://nypost.com/cover/post-covers-on-august-11th-2009/
2. http://www.nytimes.com/2009/08/05/opinion/05dowd.html

Bill ferait-il à nouveau de l'ombre à Hillary ? Les spéculations repartent, mais n'iront pas bien loin. Désormais, certes, beaucoup de gens vont passer par son intermédiaire pour envoyer des messages à Hillary, mais, dans le couple, elle est au cœur du pouvoir, pas lui. Il n'a aucune fonction officielle, à l'exception du mandat que lui a confié Ban Ki Moon, le secrétaire général de l'ONU, d'être son envoyé spécial à Haïti. Entre Hillary et Bill, les tâches sont bien réparties.

La « haute politique », c'est elle qui s'en occupe.

Elle sillonne la planète à bord de son Boeing 757 de fonction, parle d'égale à égal avec les chefs d'État et têtes couronnées, pendant que lui s'occupe de sa fondation et retourne au charbon, sur le terrain, pour soutenir ceux qui ont soutenu sa femme pendant sa campagne de 2008.

*

Dès le début de son mandat, Hillary compense la suspicion qu'elle suscite au sein du cabinet d'Obama en nouant des relations de confiance avec le Pentagone. Traditionnellement, le ministère de la Défense et celui des Affaires étrangères sont en concurrence. Mais Hillary aime l'armée. Beaucoup plus qu'Obama. Le recours à la force ne lui pose aucun problème, au contraire. En adepte de la *real politik*, elle le voit comme un mal nécessaire. Elle s'entend bien avec les militaires comme le général Petraeus qu'elle invite chez elle à Washington autour d'une bouteille de vin dès la fin 2008[1], alors qu'elle n'est pas encore formellement nommée secrétaire d'État. Elle lui présente alors son ami Richard Holbrooke, l'architecte des accords

1. Jonathan Allen et Amie Parnes, *HRC : State Secrets and the Rebirth of Hillary Clinton*, *op. cit.*, p. 71.

de Dayton, futur envoyé spécial d'Obama en Afghanistan et au Pakistan.

Elle apprécie tout autant Robert Gates, son homologue à la Défense, qu'Obama lui présente début décembre 2008. Gates, qui a quasiment le même âge qu'elle, est un républicain modéré, dont les positions ne sont pas très éloignées de celles d'Hillary. Comme elle, il possède une longue expérience du pouvoir. Il a servi sous huit présidents dont George W. Bush, qui l'a nommé chef du Pentagone, poste auquel Obama l'a confirmé. Il est républicain dans une administration démocrate. Elle est l'ancienne rivale du président en place. Tous les deux sont des « pièces rapportées » à la galaxie Obama. Ils n'appartiennent pas au premier cercle et leur légitimité ne va pas de soi. Ils sont faits pour s'entendre et y ont tout intérêt. En octobre 2009, ils participent à une conférence-débat commune dirigée par Christine Amanpour de CNN, retransmise en direct sur la chaîne câblée, au cours de laquelle ils font assaut d'amabilité l'un envers l'autre. C'est l'occasion d'afficher leur proximité, en rupture totale avec les administrations précédentes.

Cette alliance permettra à Hillary de renforcer son influence auprès d'Obama. En 2009, l'Afghanistan est menacé par le retour des talibans. Personne n'est d'accord sur le nombre de soldats à envoyer : Obama s'est engagé sur un renfort de vingt et un mille hommes supplémentaires, mais Robert Gates, soutenu par Hillary, estime qu'il en faudrait quarante mille. Le président coupe finalement la poire en deux : il décide d'en envoyer plus de trente mille. Une demi-victoire pour Hillary, clament ses supporters, face à un Obama réticent à renforcer les troupes américaines à l'étranger, tenu par son engagement de campagne d'en finir avec deux guerres (en Afghanistan et en Irak). En faisant front commun avec Robert Gates, elle oblige Obama, qui ne voulait pas entendre parler d'une montée en puissance militaire, à reconsidérer sa position. « L'axe Clinton-

Gates a joué un rôle essentiel[1] », affirme une source à la Maison-Blanche.

Hillary consolide sa position quelques semaines plus tard à Copenhague, à l'occasion de la conférence sur le changement climatique. Les négociations patinent. En particulier, Wen Jiabao, le président chinois, traîne des pieds. Il rencontre en secret ses homologues brésiliens, indien et sud-africain, sans convier les États-Unis. Quand Obama et Hillary l'apprennent, ils décident de s'inviter ensemble à la réunion et Wen est bien obligé de les ajouter à la table de négociation. Ils sont ravis de leur coup. Cette version diplomatique de « Starsky et Hutch[2] » marque un tournant dans leur relation qui, purement professionnelle, au départ, va se réchauffer au fil des mois.

La rébellion en Libye donne aussi l'occasion à Hillary de renforcer son pouvoir. Mi-février 2011, suite à l'arrestation d'un défenseur des droits de l'homme à Benghazi, le pays se révolte contre son dictateur Mouammar Kadhafi. Ce dernier, se sentant menacé par le printemps arabe qui a secoué la Tunisie puis l'Égypte, réprime brutalement les manifestations avec son armée qui lui demeure fidèle. Sa puissance de feu est infiniment supérieure à celle des insurgés, mais ces derniers ne désarment pas. Un bain de sang se profile. Nicolas Sarkozy milite en faveur d'une intervention internationale militaire pour empêcher Kadhafi de massacrer son peuple, mais, à Washington, personne ne veut en entendre parler. La Libye ne figure pas au rang des intérêts stratégiques de l'Amérique, avance Robert Gates, le secrétaire à la Défense. Hillary est sur la même ligne, mais de façon plus nuancée.

1. http://www.newsweek.com/how-hillary-found-her-groove-obama-70589

2. *Ibid.*

Le lundi 14 mars, elle se rend à Paris au G8 des ministres des Affaires étrangères qui se réunit pour trouver une solution au problème libyen. Après avoir rencontré les représentants de la Ligue arabe, favorables à une action de terrain, elle change d'avis et prend parti pour l'intervention. Ne rien faire, c'est aller tout droit au génocide, se dit-elle. Il faut agir. Elle en réfère à Obama et parvient à le convaincre. Le 17 mars, ce dernier signe l'ordre autorisant l'aviation américaine de se joindre aux forces européennes et arabes sous l'égide de l'ONU pour frapper les tanks du dictateur. Fin août 2011, ce dernier s'enfuit dans le désert : les rebelles se sont emparés de Tripoli. Pour Hillary c'est une belle victoire : elle pense alors que son succès libyen sera le couronnement de son passage au département d'État.

Mi-octobre, à bord d'un avion de transport militaire C-17, elle se rend sur place pour apporter le soutien de l'Amérique au gouvernement de transition, accompagnée d'une équipe du magazine *Time*. La photographe Diana Walker prend une photo qui va vite devenir célèbre. On la voit assise au milieu de l'avion, le visage de marbre avec des lunettes noires sur le nez, en train de lire son BlackBerry, avec une pile de dossiers devant elle. Quelques mois plus tard, le cliché inspire un blog intitulé « Texts from Hillary », (« les textos d'Hillary »), créé par deux jeunes spécialistes de la communication à Washington, Adam Smith et Stacy Lambe. Ils accompagnent la photo d'Hillary de légendes qui imaginent ses conversations par SMS. Buzz garanti sur la toile. Hillary serait-elle devenue branchée ?

En tout cas, à la Maison-Blanche, elle est désormais incontournable. Plus personne ne songe à lui faire de l'ombre. Le 1er mai 2011, pendant l'assaut contre Ben Laden au Pakistan, elle est sur la photo, dans la *situation room* de la Maison-Blanche, aux côtés de Barack Obama, Joe Biden, Robert Gates et quelques gradés militaires. Deux ans après avoir commencé à travailler pour son ancien rival, elle fait partie de ceux qui comptent.

*

Pendant ce temps-là, Bill tient la « maison Clinton ». Il récompense les amis et punit ceux qui ont trahi.

Quand, au printemps 2009, Terry McAuliffe tente de remporter la primaire démocrate à l'élection du gouverneur de Virginie, il se mobilise à ses côtés. McAuliffe fait partie du camp des « fidèles parmi les fidèles ». Il a organisé le financement de nombreuses campagnes de Bill, présidé celle d'Hillary en 2008, s'est même porté caution pour un prêt de 1,3 million de dollars qui leur a permis d'acheter leur maison de Chappaqua. Bill va donc le soutenir publiquement à ses meetings, tâche dont Hillary se serait autrefois acquittée. Maintenant c'est lui qui s'en occupe. Et il adore. Il se met en quatre pour aider son ami, anime les réunions de levées de fonds pour financer sa campagne, enregistre des *robocalls*, ces messages vocaux diffusés par téléphone pour inciter les électeurs à voter pour son candidat. En vérité, il en fait des tonnes. À une réunion publique au nord de l'État, il déclare que McAuliffe, taxé d'être parachuté par ses adversaires, est « né pour gouverner » la Virginie[1].

Il est étrange de voir un ancien président s'investir autant dans une élection locale. Ses prédécesseurs avaient plutôt tendance à prendre de la hauteur après avoir quitté le pouvoir, mais retomber dans le chaudron de la politique locale, Bill aime. Surtout, c'est bon pour les intérêts de la maison Clinton. Vis-à-vis des amis, le message est clair : on ne vous laissera pas tomber quand vous aurez besoin de nous. Aux traîtres, l'avertissement

1. http://politicalticker.blogs.cnn.com/2009/05/14/bill-clinton-terry-mcauliffe-born-to-lead-virginia/

l'est tout autant : décevoir les Clinton, cela se paie un jour ou l'autre.

Et les traîtres, ce sont ceux qui ont soutenu Obama plutôt qu'Hillary en 2008.

Elle a fait alliance avec son rival, le respecte, travaille bien avec lui, mais rien n'est oublié. Les Clinton roulent pour eux. Ainsi va la vie politique à Washington. Dans leurs tablettes, Bill et Hillary ont identifié et classifié ceux qui sont avec eux et les autres. Ils savent très exactement qui leur doit quoi, qui mérite d'être récompensé, pour quelle raison, avec un degré de précision sans précédent, comme le racontent les journalistes Jonathan Allen et Amie Parnes dans leur livre *HRC*. Cette organisation fait leur force. Parce qu'ils sont arrivés au sommet du pouvoir très tôt, ils bénéficient d'un réseau d'obligés sans équivalent au sein du parti démocrate. Ce couple de pouvoir a forcément dû inspirer les créateurs de la série *House of Cards*. La loyauté est la qualité que les Clinton apprécient le plus chez ceux qu'ils recrutent. « Bill le dit ouvertement : si vous avez aidé sa femme, il vous aidera[1] », témoigne James Carville, le *spin doctor* de la campagne de 1992, resté très proche du clan.

En mai 2011, il fait ainsi campagne avec succès dans l'État de New York pour Kathy Hochul, une fidèle d'Hillary en 2008, qui est élue députée. En août 2011, il se mobilise en Californie pour Brad Sherman, un autre élu qui n'a pas fait défaut en 2008. Il lui envoie une lettre de soutien que l'intéressé affiche *illico* sur son site Web. Ce dernier n'est pas le favori des sondages : il a face à lui un poids lourd du parti démocrate, Howard Berman, l'un des députés les plus respectés à Washington, mais

1. http://www.rollcall.com/news/Examining-Bill-Clintons-Endorsement-Record-217303-1.html

qui, aux yeux de Bill, a commis la faute impardonnable d'avoir soutenu Obama. Le président le soutient d'ailleurs en retour : en pleine campagne pour son second mandat à la présidence, il l'invite à une soirée de *fund raising* chez George Clooney. Mais, contrairement à Bill, Obama n'est jamais très généreux avec ses affidés. Il dédaigne la « politique politicienne ». Résultat, en novembre 2012, Sherman est élu avec vingt points d'avance sur Berman. Merci Bill. « Jamais je n'aurais gagné aussi nettement sans son soutien[1] », reconnaît-il alors. Les Clinton sont redevenus les faiseurs de roi du parti démocrate. Avec Bill dans le rôle du parrain.

Durant le printemps et l'été 2012, son ombre plane sur les primaires locales. Le 12 avril, il soutient le congressman Mark Critz qui bat par 1 489 voix son rival Jason Altmire[2], lequel a beaucoup énervé le camp Clinton en 2008 en refusant de se mouiller pour la candidate[3]. Dans le Maryland, au même moment, Bill soutient le businessman John Delaney, un nouveau venu en politique, qui bat par surprise Rob Garagiola, alors que celui-ci dirigeait la majorité démocrate du sénat local depuis dix ans. En juin, dans le New Jersey, Bill fait campagne pour le congressman Bill Pascrell contre Steve Rothman, et le fait réélire haut la main avec vingt-deux points d'écart.

*

Obama, lui, est à la traîne dans les sondages. Sa réélection est tout sauf assurée. L'économie se redresse, mais trop

1. http://articles.latimes.com/2013/mar/25/local/la-me-clinton-greuel-20130325/2

2. Jonathan Allen et Amie Parnes, *HRC : State Secrets and the Rebirth of Hillary Clinton*, *op. cit.*

3. *Ibid.*

lentement au goût de l'électorat américain. Bill, de son côté, plane à plus de 60 % d'opinions positives. Il apparaît de plus en plus évident que son soutien et son implication dans la campagne peuvent faire la différence. Il est urgent de reconnecter les deux ex-rivaux. Mais Bill se fait désirer. Une première approche a lieu le 10 décembre 2010, un mois après les « *mid-terms* », ces élections législatives catastrophiques où Obama perd la majorité à la Chambre des représentants. Le président invite Bill à la Maison-Blanche. C'est la première fois que le « numéro 42 » s'affiche publiquement avec son successeur. Clinton en tire un profit maximum : après la conférence commune dans la salle de presse de la présidence, il s'attarde une demi-heure durant pour répondre aux questions des journalistes.

Le 9 novembre 2011, Bill accepte de recevoir chez lui, dans les locaux de sa fondation à Harlem, Jim Messina, le directeur de campagne d'Obama. Les deux hommes causent tambouille politique, sujet fétiche de Bill, qui impressionne son interlocuteur par sa connaissance de la carte électorale. Prévu pour durer une heure, l'entretien s'achève après deux heures et demie.

En juin 2012, Jim Messina revient voir Bill. Il est cette fois accompagné de David Axelrod, qui fut l'un des membres les plus irréductibles du clan anti-Hillary à la Maison-Blanche. L'élection présidentielle de novembre 2012 approche et promet d'être serrée. Mitt Romney, le candidat des Républicains, n'est pas très charismatique ni populaire, mais il est très organisé et, surtout, a beaucoup d'argent à dépenser. Il est temps de resserrer les liens avec Bill. L'entretien a lieu à Chicago et se passe aussi bien que le précédent, à Harlem. Bill fait désormais totalement partie du dispositif de campagne pour la réélection d'Obama. « Il est même devenu son meilleur porte-parole[1] », affirmera plus tard David Axelrod.

1. Soirée électorale du 14 mai 2016 sur CNN.

Hillary, elle, reste éloignée de la campagne : sa fonction lui interdit de s'occuper de politique intérieure. En septembre 2012, c'est la première fois depuis 1976 qu'elle rate une convention démocrate. Elle est alors à l'autre coin du globe, au Timor oriental. Elle regarde sur un écran d'ordinateur le discours de Bill qui va marquer les esprits. C'est, avec celui de Julian Castro, un talentueux député d'origine hispanique, futur ministre du Logement d'Obama, le meilleur de la convention. « On est là pour investir un président, et j'ai quelqu'un en tête », lance-t-il devant la foule enthousiaste. Maniant à la fois l'humour et la gravité, il rend hommage à un président qui « préfère la coopération au conflit », au point « de faire d'Hillary sa secrétaire d'État » malgré la rivalité passée. Presque technique parfois, il démonte les arguments des Républicains qui affirment que Barack Obama appauvrit les classes moyennes et les seniors. Il multiplie les digressions par rapport au texte de son discours diffusé à la presse un quart d'heure avant qu'il ne monte sur scène et rend fou le prompteur qui défile sous ses yeux et fait des allers-retours au gré de ses improvisations[1].

Le 5 novembre 2012, Obama est réélu. Les Clinton peuvent prétendre avoir joué un rôle dans cette victoire, mais Hillary est épuisée, dit-elle à la journaliste Kim Ghattas de la BBC, auteure de *The Secretary*, une biographie remarquée évoquant ses années au département d'État[2]. Elle veut partir, alors même que son « boss » à la Maison-Blanche lui propose de rester.

En décembre 2012, la commotion cérébrale dont elle est victime l'oblige à porter des lunettes à double foyer pendant ses dernières semaines au département d'État. À son départ, les commentaires sur son passage sont majoritairement positifs, mais pas dithyrambiques. « Splendide, mais pas

1. http://www.parismatch.com/Actu/Politique/Obama-Clinton-la-reconciliation-170649

2. Entretien avec Kim Ghattas, 2 avril 2013.

spectaculaire[1] », titre le *Los Angeles Times*. Son bilan souffre de l'absence d'une action d'éclat qui aurait pu faire d'elle l'équivalent d'un Kissinger. Hillary, c'est sûr, a porté haut les couleurs de l'Amérique aux quatre coins du monde. Elle n'a pas ménagé sa peine pour défendre la réputation de son pays et les principes qui lui sont chers, le droit des femmes en particulier. Mais ce qui devait être le point d'orgue de son mandat, la Libye, s'est retourné contre elle, avec la tragédie de Benghazi, le 11 septembre 2012. Ce jour-là, l'ambassadeur à Tripoli, Chris Stevens trouve la mort dans cette ville de l'est de la Libye, lors d'une attaque probablement organisée par une milice d'extrémistes islamistes qui ont œuvré contre le régime de Kadhafi. Hillary se retrouve sur le banc des accusés, car elle a nommé Stevens à ce poste. Les Républicains, en campagne contre Barack Obama, l'accusent d'être responsable du drame[2]. Une commission d'enquête parlementaire est créée pour savoir pourquoi Stevens n'a pas reçu les renforts de sécurité qu'il avait réclamés à Washington. Hillary accepte la « responsabilité formelle » de l'incident. La commission conclut qu'aucune faute n'a été commise.

*

À cette époque, Benghazi est, pense-t-elle, le seul point noir de son mandat. L'affaire des e-mails n'a pas encore éclaté. Hillary croit que tout est possible. Elle reste évasive sur son avenir. Mais, en avril 2013, elle et Bill ouvrent discrètement, chacun de leur côté, un compte Twitter. Un mois et demi après son départ, elle est de nouveau de retour. Prête à repartir à l'assaut de la Maison-Blanche.

---

1. http://articles.latimes.com/2013/jan/28/nation/la-na-clinton-legacy-20130128
2. http://www.cnn.com/2012/10/15/us/clinton-benghazi/index.html

Chapitre 14

2013-2015 : veillée d'armes

Mercredi 8 avril 2015. À l'heure du déjeuner, Hillary pousse la porte du *Lange's Little Store*, une épicerie toute simple avec salle de restaurant attenante, située juste à côté de son domicile, sur King Street à Chappaqua. Les clients sont surpris : ils n'ont pas l'habitude de la voir. En général, c'est Bill qui passe, tôt le matin, avec son chien et ses gardes du corps. Mais elle a rendez-vous avec Christa Lange, la patronne, qu'elle connaît bien et apprécie pour sa discrétion. Du coin de l'œil, les employés les observent assises au milieu de la salle, Hillary tournant le dos à la fenêtre, en train de prendre le thé. « On n'a pas parlé politique, seulement de grands sujets importants comme le réchauffement climatique. Je lui ai demandé si elle allait se présenter, elle m'a répondu "probablement[1]" », témoignera plus tard Christa, qui assure ne pas savoir exactement pourquoi la future candidate est passée. Le fait qu'Hillary ait répondu « probablement » plutôt que le « je ne sais pas » qu'elle oppose alors à chaque fois qu'on l'interroge sur la présidentielle, en dit long sur la confiance qu'elle porte à cette forte femme.

Ce rendez-vous privé est l'une des dernières sorties d'Hillary Clinton en catimini avant le lancement de sa candidature. Un thé pris sur une table en Formica qui donne le ton du message

1. Entretien avec l'auteur, 30 mai 2016.

et des méthodes dispensées au début de cette campagne : beaucoup de rencontres « intimistes », pas de grands meetings où, de toute façon, elle ne s'est jamais sentie à l'aise.

*

Vendredi après-midi, 10 avril 2015. Trois camions-satellites de télévision sont garés devant le *Starbucks* du centre-ville, signe que le grand jour approche. Chappaqua retient son souffle. Les commerçants aiment bien les Clinton, Bill surtout, qui fait volontiers la tournée des popotes. « Cette fois, elle a une vraie chance, car en face, chez les Républicains, il n'y a personne de crédible », affirme Michael Finkelstein, docteur voisin. L'homme, grand fan, a accroché dans son salon un portrait coloré d'Hillary façon Andy Warhol, qu'il a acheté aux enchères durant sa première campagne, celle de 2008.

Le matin même, l'ex-First Lady a publié un article dans le *Huffington Post* intitulé : « Un nouveau chapitre[1] ». Sous forme d'ode à Charlotte, sa petite-fille, née sept mois plus tôt, qui incarne l'avenir de la dynastie. L'heureux événement a eu une portée politique de grande importance, à en croire le papier. « Même avec un livre à finir, j'avais du mal à penser à autre chose qu'à ce bébé », écrit Hillary Clinton, ajoutant qu'elle a « harcelé » Chelsea et son mari Marc, qui refusaient de connaître le sexe de l'enfant, afin de savoir si tout allait bien. Et l'ancienne secrétaire d'État de raconter que cette future naissance lui rappelle sa propre grossesse, « les glaçons » que lui apportait Bill « pour adoucir les contractions au moment de l'accouchement ». Hillary voit cette naissance comme le fondement de son

1. http://www.huffingtonpost.com/hillary-clinton/hard-choices-epilogue_b_7037880.html?utm_hp_ref=politics. Cet article est la reproduction de l'épilogue actualisé de ses Mémoires, *Le Temps des décisions*, Fayard, parus un an plus tôt.

engagement dans la présidentielle 2016. « Chaque enfant qui naît doit pouvoir bénéficier de l'égalité des chances. Depuis que je suis grand-mère, j'y crois encore plus[1] », écrit-elle.

Avec Charlotte, son argumentaire de campagne est donc né... Deux jours plus tard, le dimanche 12 avril, c'est fait : elle annonce sa candidature sur son site Web.

*

Tout a commencé dès son départ du département d'État. Mardi 2 avril 2013, après deux mois de silence, Hillary donne sa première conférence publique à « Vital Voices », une organisation non gouvernementale de défense du droit des femmes. Rétablie, elle apparaît sans les grosses lunettes qu'elle portait depuis son accident de santé quatre mois auparavant. Trois jours plus tard, elle s'exprime cette fois au « Women of the World Summit » organisé par son amie Tina Brown, alors patronne du *Newsweek Daily Beast*.

Hillary fait donc à nouveau entendre sa voix, de façon soft, sur des sujets peu susceptibles de soulever des controverses. De son côté, Jim Carville, le *spin doctor* de la grande époque clintonienne, l'un des architectes de l'élection de Bill en 1992, déclare qu'il va lever des fonds pour financer une campagne « Ready for Hillary », comité d'action politique soutenant sa candidature à la présidentielle. Et, au même moment, elle-même annonce qu'elle va rédiger ses Mémoires. Quelle salve de signes concordants !

Pendant l'été 2013, Hillary Clinton s'installe dans son bureau ensoleillé, au troisième étage de sa maison de Chappaqua, pièce décorée d'un gros fauteuil confortable et d'un tapis épais. À travers la fenêtre, elle aperçoit la pointe des arbres et écrit, aidée par trois conseillers : Ted Widmer, professeur

1. *Ibid.*

d'histoire à l'université Brown, Ethan Gelber et Dan Schwerin, qui travaillaient à ses côtés au département d'État.

Avec Bill, elle partage toujours sa vie entre leurs deux résidences : la maison de Chappaqua et sa belle demeure en brique rouge de Washington, où elle accueille le ban et l'arrière-ban de l'*establishment* démocrate. Au début de cet été-là, elle y reçoit un petit groupe de stratèges électoraux armés d'une batterie de statistiques. Parmi eux, Jill Alper, spécialiste du comportement de l'électorat face aux candidates féminines à une élection. La réunion porte essentiellement sur des questions de financement et d'organisation. Combien d'argent faudra-t-il lever ? Comment mobiliser et organiser les militants sur le terrain ? Rien n'est décidé, mais c'est la première fois qu'Hillary évoque le sujet avec des conseillers n'appartenant pas au cercle restreint de ses intimes[1].

Bill est très présent dans ses réflexions. Elle le cite presque toujours dans ses discours. Et les proches remarquent que lui-même parle d'elle avec de plus en plus de déférence[2].

Aussi discrète et appliquée que l'est sa mère, Chelsea prend elle aussi de l'importance. Au printemps 2013, la Fondation – créée par Bill à son départ de la Maison-Blanche en 2001 destinée à soutenir des causes humanitaires – a changé de nom : elle s'appelle désormais « Bill, Hillary and Chelsea Clinton Foundation ». Un glissement sémantique majeur, qui officialise la montée en puissance de l'ex « *first daughter* », comme on appelle la fille de l'ancien président.

*

1. http://www.politico.com/story/2014/01/hillary-clinton-2016-shadow-campaign-101762

2. *Ibid.*

En vérité, Chelsea Clinton est un mystère. Une évidence depuis ce soir de mars 2011 où elle prend la parole à une grande réception donnée par la styliste Diane von Fürstenberg dans un salon des Nations unies, à New York. Elle remet alors à sa mère, secrétaire d'État, un prix saluant son action en faveur des droits des femmes. Vêtue d'une robe noire très près du corps, juchée sur de hauts talons, Chelsea dévoile une silhouette mince, athlétique et élégante qu'on ne lui soupçonnait pas. Sa voix est grave et mélodieuse. Son sourire, franc et lumineux. Mais quand elle pose devant un objectif, il est si figé… Chelsea prend mal la lumière. Peut-être est-ce pour cela qu'elle est longtemps restée dans l'ombre. La proximité de la mère et de la fille saute aux yeux ce soir-là. « À chaque fois qu'elle venait voir Ban Ki Moon, Hillary amenait Chelsea. Visiblement, elle la forme », relève un conseiller du secrétaire général de l'ONU[1].

Enfant, elle voulait devenir astronaute, comme sa mère. S'enfuir sur une autre planète, le plus loin possible de l'univers de ses parents. Et pour cause, depuis ses trois ans, on lui demande si elle veut se présenter à une élection ! Pendant longtemps elle a répondu non, invariablement.

Dès son plus jeune âge, ses parents lui ont appris à se protéger contre les attaques. Elle n'a pas oublié la leçon de son père, le soir à table, « qui disait des horreurs sur lui-même, en se mettant à la place d'un rival politique[2] ». À la Maison-Blanche, au début du mandat paternel, en pleine crise d'adolescence, portant un appareil dentaire, son physique lui vaut les quolibets de l'émission satirique *Saturday Night Live*, et surtout les assauts nauséabonds du polémiste de droite, Rush Limbaugh, qui la compare à un chien. Cela, elle ne l'a pas oublié. Ainsi, quand,

1. Entretien avec l'auteur.

2. Déclaration de Chelsea Clinton à une réunion électorale au LGBT Center à New York, le 15 avril 2016.

début 2012, l'activiste féministe Sandra Fluke se fait traiter de « salope » par le même personnage pour avoir défendu le droit au remboursement de la pilule contraceptive par les compagnies d'assurances, Chelsea lance : « Sandra et moi, nous avons un point commun : toutes les deux, nous avons été insultées par Rush Limbaugh[1] ! »

Le soir à la Maison-Blanche, lors du dîner, elle partage avec Bill et Hillary sa vie scolaire dans la très chic école privée Sidwell, réservée à l'élite de Washington. Son père lui raconte ses négociations avec le Congrès (majoritairement républicain à partir de 1994). Hillary, de son côté, lui explique l'assurance-maladie, cette réforme fétiche qu'elle n'est jamais parvenue à mettre en place. Un lien se crée, indéfectible. Depuis le berceau, Chelsea a été nourrie au lait de la politique.

Néanmoins, dès qu'elle a pu elle est partie loin, très loin, de ses parents. À l'université de Stanford en Californie, à l'automne 1997, par exemple, où deux cent cinquante journalistes l'accueillent pourtant. Elle se déplace sur le campus accompagnée de gardes du corps déguisés en étudiants. On pose des vitres pare-balles sur les fenêtres de sa chambre, et des caméras dans les couloirs. La pression permanente ; un nom et un statut lourds à porter.

Elle qui se croyait enfin libérée des turpitudes de Washington se retrouve aussi, et malgré elle, au centre d'une crise à la fois familiale et nationale : celle de l'affaire Lewinsky. Ses camarades avaient appris à connaître une jeune fille qui s'épanouissait au soleil californien, mais quand le scandale démarre, ils ont découvert une autre Chelsea, méfiante, renfermée sur elle-même. En août 1998, lorsque son père avoue sa relation avec la jeune stagiaire, elle cesse de lui parler. Elle lit aussi le rapport du procureur Kenneth Starr qui décrit en détail les différents jeux sexuels entre Monica et Bill – qui, en apprenant que sa fille a

1. Jonathan Van Meter, « Waiting the wings », *Vogue*, *op. cit.*

pris connaissance de ce document humiliant, s'effondrera en larmes. Mais Chelsea joue un rôle essentiel dans la survie du couple que forment ses parents. Le 19 août 1998, elle marche au milieu d'eux, les tenant chacun par la main, sur la pelouse sud de la Maison-Blanche vers l'hélicoptère qui les emmène à l'aéroport Andrews, d'où ils doivent monter à bord d'Air Force One pour partir en vacances à Martha's Vineyard. L'image fait le tour du monde. Victime collatérale des infidélités paternelles, elle apparaît alors comme l'ultime trait d'union entre le président et la première dame.

Une fois diplômée de la fac d'histoire de Stanford, Chelsea se cherche. Elle refuse de travailler pour la Fondation Clinton que son père vient de créer après son départ de la Maison-Blanche et s'oriente vers le conseil (au cabinet McKinsey) puis la finance (dans la société de capital-risque Avenue Capital Group), deux domaines lucratifs aux antipodes des sphères de pouvoir où évoluent ses parents. Un choix qui passe pour une forme de « rébellion[1] », note le journaliste Jonathan Van Meter, qui connaît bien la famille.

Elle change à plusieurs reprises de job, reprend des études, accumule les diplômes à Oxford, à Columbia, à la New York University, envisage une carrière académique… Avant, finalement, de se rapprocher de ce qui unit le clan familial depuis toujours : la politique. Sa mère n'est pas forcément pour : ce qui compte pour elle, avant tout, c'est de protéger sa fille. Mais sa grand-mère Dorothy Rodham, dont elle est proche, l'encourage à s'engager. En lui répétant que les Clinton ont un « gène de la responsabilité[2] » envers les autres. Chelsea se laisse convaincre et veut s'engager de toutes ses forces. Pour surmonter les réticences de sa mère, elle fait passer le message auprès

1. *Ibid.*
2. *Ibid.*

d'elle par l'intermédiaire de sa conseillère Huma Abedin[1], qu'elle considère comme une sœur. Début décembre 2007, la voilà qui accompagne Hillary en campagne dans l'Iowa pour sa première bataille aux primaires présidentielles. Son arrivée au *Palmer's Deli*, un petit restaurant de Des Moines, la capitale de l'État où le staff a organisé une « *photo-op* » (une séance photo), est un événement. C'est la première sortie officielle de Chelsea. « J'espère que vous soutiendrez ma mère », répète-t-elle aux clients. « Est-ce que je peux faire quelque chose pour vous convaincre de voter pour elle ? » demande-t-elle à une électrice indécise. La vérité apparaît : elle a la politique dans le sang, et commence à y prendre goût.

Son existence se stabilise. Elle vit avec Marc Mezvinsky, rencontré en 1996 lors d'une « retraite politique » réunissant de jeunes Démocrates en Caroline du Sud. Ils se sont retrouvés l'année suivante à Stanford. Mêmes études, même background : les parents de Marc sont aussi dans le milieu et encore plus controversés que les Clinton. Ed, le père, ex-député, a fait de la prison pour une sombre affaire d'escroquerie. Chelsea et Marc sont restés amis pendant une dizaine d'années, mais se marient finalement en juillet 2010.

Aux États-Unis, cette union est alors couverte comme un événement d'importance nationale. La totalité des grands médias se mobilisent pour aller à Rhinecliff, joli village fondé au XVIIe siècle situé à deux heures au nord de Manhattan. Alors qu'il n'y a strictement rien à raconter. Car les Clinton ont tout fait pour cacher jusqu'au dernier moment le lieu des noces, et même la date. C'est un journaliste local, Jim Langan, Républicain bon teint, qui vend la mèche dans son journal, le *Hudson*

1. John Heilemann et Mark Halperin, *Game Change : Obama and the Clintons, McCain and Palin and the Race of a Lifetime*, *op. cit.*

Valley News[1]. Il s'agit d'Astor Courts, ancienne villégiature d'un magnat de l'immobilier new-yorkais décédé à bord du *Titanic*. L'édifice a été construit au début du XXe siècle sur le modèle du Grand Trianon à Versailles, avec de faux airs de Maison-Blanche. Et présente l'avantage d'être possédé par une généreuse donatrice du parti démocrate, Kathleen Hammer. Une personne sûre, donc, qui n'ira pas faire fuiter dans les médias les détails de la noce.

La propriété est gardée depuis des mois par des membres du Secret Service en civil, qui, cachés dans la forêt, prennent les noms des reporters un peu trop curieux et leur demandent de déguerpir[2]. Les Clinton imposent un black-out total sur l'événement. Et, la veille du jour J, Bill fait une apparition dans un restaurant du village, le *Gigi Trattoria*, sur Montgomery Street, juste avant la célébration, où l'attendent son frère Roger et son neveu Tyler, histoire de serrer quelques mains. Pour lui, un service minimum. Hillary, elle, arrive dans la ville incognito, tout comme les mariés : on ne la verra pas du week-end.

« L'événement était strictement familial[3] », se souvient l'une des invitées, Susan Fleming, proche des Clinton à l'époque où ils habitaient Little Rock. « C'était vraiment le mariage de Chelsea et Marc, avec leurs plus proches amis. Une très belle fête, pas du tout mondaine. »

Désormais mariée, Chelsea se rapproche de sa famille, dont elle ne s'était jamais vraiment éloignée. Adieu la « rébellion » – bien soft au demeurant. Elle entre au conseil d'administration de la Fondation de papa et commence à approfondir des projets spécifiques, dans le domaine de l'assurance-maladie

1. Olivier O'Mahony, « Opération Chelsea », *Paris Match*, 5 août 2010.
2. Expérience vécue par l'auteur en juin 2010.
3. Entretien avec l'auteur, 16 mars 2016.

notamment, tout en travaillant à temps partiel pour la chaîne NBC qui lui a offert un job de journaliste – ce qui, à New York, fait grincer beaucoup de dents. Et pour cause, Chelsea serait payée 600 000 dollars par an, salaire extravagant pour quelqu'un qui n'a aucune expérience dans le domaine. Mais il s'agit d'une Clinton et les télés américaines raffolent de noms et visages célèbres. La même NBC a aussi recruté Jenna Bush, la fille de W., ou encore Ronan Farrow, le fils de Woody Allen et Mia Farrow, qui a eu un talk-show sur la chaîne d'information en continu MSNBC. Chelsea réalise quelques sujets peu convaincants avant de tirer sa révérence.

Elle se rapproche encore un peu plus du clan en déclarant, en 2012, qu'elle pourrait un jour se présenter à une élection[1]. Le virus de la politique l'a rattrapée. Chez les Clinton, la relève est donc assurée. Si bien qu'elle acquiert de plus en plus de pouvoir au sein de la fondation paternelle, dont elle devient vice-présidente dotée d'une directrice de cabinet et d'une attachée de presse personnelle. En 2013, l'un de ses proches, Eric Braverman, ancien du cabinet McKinsey, prend la tête de l'organisme à la place de Bruce Lindsey, ami d'enfance de son père. Sa mission ? Faire le ménage. Elle obtient aussi la peau de Doug Band, qui travaille dans le sillage de Bill depuis la Maison-Blanche et que certains présentent comme le « fils adoptif » qu'il n'a jamais eu. Ce quadra faisait la pluie et le beau temps à la Fondation depuis sa création.

À cette époque, la Fondation Clinton est devenue un mastodonte. Grâce au « *star power* » et au carnet d'adresses des Clinton, l'organisme a collecté près de 2 milliards de dollars depuis sa création, investis pour diffuser l'accès à tous de médicaments dans les pays du tiers-monde, notamment afin de lutter contre

1. Jonathan Van Meter, « Waiting the wings », *Vogue*, *op. cit.*

le virus HIV[1]. Mais, selon un audit réalisé en 2011, la boutique est mal gérée. Et, surtout, la polémique enfle quant à l'origine des donateurs.

Lorsque Hillary est devenue secrétaire d'État, Bill s'est engagé à ce que la Fondation ne soit pas alimentée par des fonds provenant de l'étranger. Après son départ, il s'est senti délivré de cette promesse, et les donateurs non-américains sont revenus. Notamment ceux provenant d'Arabie saoudite[2], ce qui, compte tenu des liens supposés entre ce pays et al-Qaeda, passe mal. Aucun conflit d'intérêts n'a été prouvé jusqu'à présent, mais le doute (ou le « problème de perception », comme l'écrit *Vanity Fair*[3]) persiste, malgré la remise au carré des comptes par Chelsea.

*

Pendant ce temps, la campagne d'Hillary prend forme. En juin 2014, elle avance même à grands pas avec le lancement de ses Mémoires intitulés *Le Temps des décisions*[4]. Une opération d'envergure, tant politique que financière : Hillary a en effet touché une avance de huit millions de dollars de la part de son éditeur américain, Simon & Schuster. Un à-valoir énorme et pas évident à rentabiliser. Le livre, un pavé de 634 pages, relève davantage du traité de politique étrangère consacré aux « exploits » de l'ex-First Lady quand elle était secrétaire d'État que du récit intimiste. La journaliste Kim Ghattas[5], de la BBC,

1. Comme l'explique Bill Clinton à *Paris Match* : « Bill Clinton et Philippe Douste-Blazy, citoyens du monde », Olivier O'Mahony, 10 juin 2010.
2. http://www.wsj.com/articles/clinton-foundation-defends-acceptance-of-foreign-donations-1424302856
3. *Vanity Fair*, septembre 2015.
4. Chez Fayard. Dans l'édition américaine, intitulée *Hard Choices*.
5. Entretien avec l'auteur.

qui a suivi et voyagé avec « l'auteur » pendant ses quatre années au département d'État, nous avait prévenus : « Si son livre est une longue confession sur toute sa vie, cela signifiera qu'elle n'a plus d'ambitions politiques. S'il est protocolaire, s'il dessine un projet pour une Amérique du XXIe siècle, cela voudra dire qu'elle a l'intention de se présenter. »

Hillary a choisi la seconde option. Son opus est donc scolaire et didactique. Il est aussi un (très long) prospectus de pré-campagne qui ne dit pas son nom, puisque, à l'époque, Mme Clinton laisse planer le doute sur ses intentions, lesquelles relèvent pourtant déjà du secret de Polichinelle. Elle entretient le buzz en s'abstenant de répondre à *la* question qui revient à chaque interview, quitte à donner l'impression agaçante de se faire désirer.

Bill en fait autant. Le 14 juin 2013, il accorde un entretien à Trish Regan, alors présentatrice sur Bloomberg TV, en marge de la Clinton Global Initiative, grand forum du type Davos qu'il a créé[1]. À la fin de la conversation, qui porte essentiellement sur des sujets économiques, l'intervieweuse lui demande : « Monsieur le président, y a-t-il une chance de voir arriver un autre Clinton à la Maison-Blanche en 2016 ? » Rires dans la salle : tout le monde attendait ce moment. « Dernière question, promis », sourit la journaliste. L'ex-chef d'État ménage son effet, regarde dans le vide et lâche : « Chelsea est trop jeune. »

La remarque, préparée, déclenche comme prévu les applaudissements de l'assistance.

Pendant que son mari charme son auditoire, Hillary, elle, se prend les pieds dans le tapis. Les télés américaines lui ont pourtant ouvert toutes grandes leurs antennes.

---

1. http://resident.com/a-conversation-with-president-clinton/

C'est Diane Sawyer, à l'époque grande prêtresse du journal du soir de la chaîne de télé ABC, qui a décroché l'exclusivité du retour médiatique de la future candidate. Un sujet est alors au centre des conversations : les revenus des Clinton avec leurs conférences et discours rémunérés. À eux deux, ils gagnent des fortunes. De janvier à mars 2015, Hillary a par exemple touché 1,5 million de dollars en honoraires. Un mois avant le jour de l'annonce officielle de sa candidature, elle empochait encore 315 000 dollars pour être allée parler chez eBay. Bill, lui, a gagné 4,6 millions de dollars sur les six premiers mois de 2015, grâce à des discours dont certains ont été prononcés alors que sa femme est déjà officiellement candidate[1]. Son tarif peut s'élever à 500 000 dollars la prestation[2]. La pratique est courante, mais vu les montants, provoque des froncements de sourcils, même aux États-Unis – et va coûter politiquement très cher à Hillary pendant la campagne des primaires face à Bernie Sanders qui ne va pas la lâcher sur ce terrain-là.

Interrogée donc par Diane Sawyer, la veille du lancement de son livre, Hillary ne semble pas avoir mesuré l'ampleur du risque politique qu'elle et Bill ont pris à ce propos. « En quittant la Maison-Blanche, nous étions fauchés et endettés », répond-elle avec une candeur étonnante. Certes il fallait payer les frais d'avocats astronomiques engagés dans les différents scandales (Lewinsky, Whitewater) auquel le couple a eu à répondre, mais rappeler implicitement cet aspect peu glorieux de l'ère Clinton le jour du lancement de ses Mémoires – et, de manière subliminale, de sa campagne à la présidentielle – n'apparaît pas très malin.

« Quand nous sommes arrivés à la Maison-Blanche, poursuit-elle, nous n'avions pas d'argent. À notre départ, nous avons dû

1. http://www.nytimes.com/2016/05/18/us/politics/hillary-clinton-money.html
2. *Ibid.*

lutter pour acheter nos maisons, payer les frais universitaires de Chelsea. Ça n'a pas été facile. Bill a travaillé très dur, ce que j'ai trouvé extraordinaire. Il a fallu rembourser nos dettes, en gagnant deux fois plus d'argent à cause des impôts. »

On s'en doute : la réaction sur le Net est immédiate : Hillary, devenue riche, paraît coupée du peuple. Les critiques pleuvent : personne ne croit à ses problèmes d'argent. Beaucoup pensent que si ce genre de faux pas doit se renouveler, c'est mal parti.

*

En attendant, Hillary Clinton continue à fasciner. Le 10 juin 2014, après avoir donné une série d'interviews à la presse européenne, dont le magazine allemand *Stern*, puis à *Paris Match*, dans une suite de l'hôtel *Peninsula* sur la Ve Avenue près de Central Park, elle descend une trentaine de pâtés de maisons vers le sud de Manhattan pour participer à une séance de dédicaces à Barnes & Noble, l'équivalent de la Fnac, sur Union Square.

Devant la grande librairie, la file d'attente est très longue. Un bus aux couleurs de « *Ready for Hillary* » est garé devant le magasin. Des dames âgées au look sage, un peu professoral, font de la retape auprès des passants pour vendre des badges et des affiches d'une campagne qui n'a pas même commencé ni n'a été officiellement annoncée. Mais, malgré ses gaffes et les controverses sur ses conférences grassement rémunérées, Hillary semble en position de gagner l'élection de 2016.

Elle s'y prépare activement, et de moins en moins discrètement, en tout cas. Les uns après les autres, les conseillers d'Obama à la présidence la rejoignent ou la soutiennent. John Podesta, ancien conseiller spécial du président et ex-chef du staff de Bill entre fin 1998 et janvier 2001, devient le « *chairman* », c'est-à-dire le grand ordonnateur, de sa campagne. Jennifer Palmieri quitte la Maison-Blanche – où elle est directrice de la Communication – pour prendre le même poste chez Hillary. David Plouffe, l'un de ceux qui ont eu le plus de mal à l'accepter en tant que secrétaire d'État, se met également à son service. Comme si tout l'*establishment* du parti démocrate votait Hillary et voyait en elle la digne héritière du chef de l'État sortant.

L'équipe – une trentaine de personnes – fonctionne de manière chaotique, dans un petit bureau qu'Hillary loue depuis son départ du département d'État, dans le quartier de Times Square. Un lieu trop exigu pour accueillir tout le monde. Robby Mook, le directeur de campagne, doit passer des coups de fil dans un placard pour éviter d'être entendu[1]. De nombreux volontaires travaillent dans le *Starbucks* du coin, profitant du wifi gratuit, ou de chez eux.

Malgré tout, la machine de guerre se met en place dans les temps. Plutôt bon, le taux de popularité d'Hillary est à 50 % en mars 2015, selon l'institut Gallup[2]. La voie vers la victoire paraît donc dégagée, faute de concurrents crédibles à l'époque. Aucun Barack Obama ne traîne à l'horizon, personne de sérieux ne s'est présenté. Le nom de Bernie Sanders revient de temps en temps dans les médias, mais aucun expert n'imagine que ce sénateur de soixante-quatorze ans, qui se dit socialiste – un gros mot en Amérique –, puisse faire de l'ombre à l'ancienne secrétaire d'État. Côté républicain, il n'y a pas plus de figure majeure. On prête à Jeb Bush l'intention de se présenter, mais la « marque Bush » semble lourdement handicapée par la présidence de W. entre 2000

1. http://www.latimes.com/nation/politics/politicsnow/la-pn-hillary-clinton-team-formation-20150408-story.html

2. Gallup – « Favorability ; People in the News » http://www.gallup.com/poll/1618/favorability-people-news.aspx

et 2008, et la guerre en Irak encore dans toutes les mémoires. En somme, dans le camp Clinton la confiance règne !

*

2 mars 2015 : coup de tonnerre. Michael Schmidt, jeune journaliste d'investigation du *New York Times*, révèle qu'à l'époque où elle était secrétaire d'État, Hillary utilisait une messagerie personnelle pour ses correspondances professionnelles plutôt qu'une adresse officielle du département d'État terminant par « @state.gov ». Une habitude qui, souligne le quotidien américain, pourrait constituer une « violation de la loi fédérale, qui prévoit que la correspondance des personnalités officielles soit conservée sous forme d'archive ».

L'affaire peut sembler *a priori* technique voire anecdotique, mais elle est essentielle au regard des lois sur la transparence en vigueur aux États-Unis[1]. En Amérique, le président et les membres de son administration sont tenus de remettre au terme de leur mandat tous leurs e-mails non classifiés envoyés et reçus à des fins professionnelles, afin de permettre à ceux qui le demandent (membres du Congrès, journalistes) d'avoir accès à tous les documents officiels quand ils effectuent des recherches *a posteriori* sur un sujet donné. Or Hillary a utilisé une adresse e-mail personnelle, créée et sécurisée par les services secrets pour Bill et elle en tant qu'ancien président et First Lady. Laquelle est hébergée dans un serveur installé chez elle, à Chappaqua, et non au département d'État. Si elle affirme avoir dûment remis tous ses courriels, à l'exception de ceux d'ordre privé, comme elle était la seule à détenir le disque dur au moment où elle était

1. Loi « FOIA » : *Freedom of Information Act* (loi sur la liberté d'information).

secrétaire d'État, de quelle manière savoir si ce qu'elle avance est vrai, si elle a bien versé tous les e-mails officiels, sur quelle base elle a établi sa sélection, pourquoi elle s'est arrogé le droit de faire le tri alors que, normalement, avec une adresse officielle du département d'État, les autorités seraient sûres de détenir en archive l'intégralité de sa correspondance électronique. Plus grave, le choix d'Hillary d'utiliser son adresse personnelle plutôt que l'officielle pose aussi un problème de sécurité informatique à l'heure où le *hacking* est devenu monnaie courante.

Les Clinton n'ont jamais été des bêtes de technologie. Bill se vante d'avoir écrit en tout et pour tout deux courriels dans sa vie[1] (mais il tweete). Pour autant, l'affaire est dévastatrice sur deux fronts : politique et judiciaire. Hillary s'est-elle crue au-dessus des lois ? Ses adversaires, Donald Trump – qui entre dans les primaires – en tête, ne vont pas se priver de l'attaquer sous cet angle. La polémique réveille aussi de vieux souvenirs, des soupçons très anciens et récurrents sur ce couple régulièrement accusé de ne pas toujours être blanc-bleu ni transparent.

Le fait que la controverse sorte dans le *New York Times*, et non sur Fox News, est ennuyeux. Le grand quotidien new-yorkais n'a jamais été tendre avec Hillary, mais, au fil de ses éditoriaux, il a toujours soutenu les Clinton au moment où il fallait se prononcer pour un candidat. Or le journal demeure la bible des électeurs démocrates.

Enfin, au-delà de la tempête médiatique, le scoop met Hillary face à un délicat problème légal. En mai 2016, elle est d'ailleurs sévèrement réprimandée par l'inspecteur général du département d'État qui écrit, dans un rapport officiel, qu'elle a « violé les règles en vigueur dans l'établissement ». La controverse a aussi déclenché en outre une enquête du FBI, dont les

1. http://www.theatlantic.com/technology/archive/2015/03/the-myth-about-bill-clintons-emails/387604/

résultats vont peser pendant de longs mois sur la campagne[1]… comme une épée de Damoclès.

En mars 2015, lorsqu'éclate l'affaire dans le *New York Times*, Hillary ignore superbement la polémique pendant huit jours. À chacune de ses apparitions publiques, elle prend soin d'éviter la question, faisant ainsi enfler la suspicion. Sans doute espère-t-elle que la controverse disparaisse d'elle-même. Évidemment c'est l'inverse qui se produit. Il faut l'intervention de la sénatrice Dianne Feinstein, très influente au sein du parti démocrate, puis celle de Barack Obama, qui, interrogé sur le sujet, affirme ne pas être au courant et se garde de voler au secours de son ancienne secrétaire d'État, pour qu'elle s'exprime enfin, contrainte et forcée, lors d'une conférence de presse improvisée dans une enceinte inhabituelle, les Nations unies. Et pour ne rien arranger, elle s'exprime devant une réplique de *Guernica*, le tableau de Picasso. Mauvais présage !

Pour se défendre, elle plaide la bonne foi. Comme tout le monde, affirme-t-elle, elle n'a pas envie d'encombrer son sac à main de plusieurs téléphones portables. Et lorsqu'on lui a demandé de rendre publics ses e-mails, elle l'a fait, conformément à la loi, supprimant tous ceux d'ordre privés, soit environ trente mille courriels.

« J'ai jugé plus pratique d'avoir un seul téléphone portable plutôt que deux[2] afin d'envoyer et recevoir mes e-mails. » L'adresse et le serveur qu'elle utilisait étaient sécurisés, assure Hillary, car « programmés pour les besoins du président Clinton ». Elle répète n'avoir violé aucun règlement, soulignant qu'à l'époque de son arrivée à la tête du département d'État, elle n'était pas obligée d'utiliser l'adresse officielle « state.gov ».

1. Voir chapitre 16 pour le verdict.
2. Un privé, un professionnel, N.D.A.

Mais, a-t-elle reconnu : « J'aurais mieux fait de l'utiliser. Avec le recul, ce n'était pas malin... » Une justification en forme de mea culpa exprimé du bout des lèvres, insuffisante pour mettre un point final à la polémique. Certains voient se profiler un cafouillage « clintonien [1] » typique de la campagne de 2008.

*

Dans ce contexte, quand la fusée Hillary décolle le dimanche 12 avril 2015 à 15 h 10, avec trois heures de retard sur l'horaire annoncé par les chaînes télé, elle est déjà plombée. Au moment où sa vidéo d'annonce de candidature est diffusée sur son site Internet, toutes les chaînes d'info se mettent en mode « *breaking news* ».

À Brooklyn, où elle a loué deux étages dans un immeuble moderne sur plus de 7 000 mètres carrés pour loger le QG[2], son directeur de campagne Robby Mook et son porte-parole Josh Schwerin descendent dans la rue apporter des pizzas aux journalistes qui font le pied de grue. Pendant ce temps, Hillary est chez elle, à Chappaqua, en train de passer des coups de fil aux hiérarques démocrates et futurs donateurs, auprès desquels elle espère lever 2,5 milliards de dollars.

À 15 h 28, son compte Twitter change de look. Finie la photo célèbre avec lunettes noires d'une Hillary en train de travailler dans un avion de l'armée américaine, cliché pris par Diana Walker quand elle était secrétaire d'État. Place au « H » emblématique de sa campagne, barré d'une flèche rouge, censé montrer la voie de l'avenir – mais qui fait aussi furieusement

1. Ryan Lizza, « A very Clinton e-mail scandal », *The New Yorker*, 27 mai 2016.

2. http://www.politico.com/states/new-york/albany/story/2015/04/hillary-hq-in-brooklyn-heights-of-downtown-brooklyn-000000

penser au « H » d'un panneau d'hôpital, soulignent les mauvaises langues.

Dans sa vidéo, qui dure un peu plus de deux minutes, elle n'apparaît qu'au milieu. Après avoir laissé les « gens d'en bas » exprimer leurs problèmes de vie quotidienne, elle annonce qu'elle aussi veut prendre son destin en mains et, logiquement, se déclarer candidate à la présidentielle – son job à elle ! C'est propre, net et bien rythmé.

Globalement, ce petit film obtient des commentaires positifs, mais ce n'est jamais qu'une vidéo, pas une annonce officielle en bonne et due forme, bruyante, physique, au milieu de militants, face à de vraies personnes. Comme si Hillary avait peur d'affronter la foule. Bill ne se serait jamais privé d'une telle occasion de se faire applaudir. Lorsqu'il se présentait à une élection, c'était toujours un spectacle. Tout le monde s'est moqué de Donald Trump descendant d'un escalator dans sa tour à New York le jour où il s'est à son tour présenté, à la mi-juin 2015, deux mois après Hillary, mais on sait désormais jusqu'où cette mise en scène kitsch l'a mené.

Chapitre 15
À nous deux, Bernie
7 juin 2016 : le jour où elle décroche l'investiture

Pour une fois, elle s'est laissée aller. En contemplant la foule qui acclame son nom depuis une fenêtre en hauteur, Hillary porte la main à sa poitrine, submergée par l'émotion. Ses yeux brillent, ses sourcils se plissent. « Oh, mon Dieu, c'est impressionnant[1] ! », lâche-t-elle, la voix cassée. Elle vient tout juste d'achever l'écriture du discours qu'elle doit prononcer dans quelques minutes. Les résultats définitifs de la primaire de Californie ne sont pas encore tombés, mais elle sait qu'elle a déjà dépassé le seuil de délégués nécessaires pour décrocher l'investiture démocrate. Elle sera donc la première femme à se présenter à l'élection présidentielle américaine.

En montant sur scène, habillée d'une veste blanche et d'un pantalon noir, elle ouvre ses bras à la foule : la photo restera, qu'elle soit élue ou non à l'élection générale en novembre. Pour célébrer ce moment historique, elle a choisi un lieu spectaculaire, le Navy Yard, ancien arsenal militaire à Brooklyn. L'entrepôt est recouvert d'un plafond de verre, comme celui, symbolique, qu'elle vient de faire voler en éclats… Hillary a une pensée pour sa mère, Dorothy Rodham, née le 4 juin 1919, jour où le Congrès

1. http://abcnews.go.com/Politics/scenes-moment-hillary-clinton-gave-speech-brooklyn/story?id=39707681

a adopté le droit de vote des femmes[1]. Qu'elles soient sur place ou devant leur poste de télévision, démocrates ou républicaines, beaucoup d'Américaines ressentent un frisson à ce moment-là.

Puis Hillary prend longuement Bill dans ses bras, marque d'affection rarissime en public. Elle embrasse Chelsea, enceinte, qui fait sa dernière apparition publique avant l'accouchement de son petit garçon, qui naîtra quelques jours plus tard. Tout le clan Clinton est réuni sur scène pour célébrer la victoire aux primaires.

Il y a exactement huit ans, à un jour près, Hillary concédait sa défaite face à Barack Obama. Quelle revanche ! Mais ce fut si long et difficile !

*

Tout a commencé par un *road trip*.

Dimanche 12 avril 2015 : en fin d'après-midi, juste après avoir annoncé par vidéo sa candidature, Hillary monte à bord d'un minivan noir Chevrolet[2]. Elle quitte discrètement sa maison de Chappaqua, accompagnée de deux proches, Huma Abedin et Nick Merrill. Direction l'Iowa.

En 2008, Hillary avait perdu cet état, le tout premier au marathon des primaires, et ne s'en était jamais remise. Huit ans plus tard, elle a l'intention de passer beaucoup de temps sur cette terre hostile, mais incontournable.

En chemin, elle vit ses derniers moments de liberté en tant que citoyenne (presque) ordinaire. En Pennsylvanie, elle s'arrête incognito prendre de l'essence à une station-service. Le patron

1. C'est le jour du vote du 19e amendement de la Constitution des États-Unis.

2. Baptisé Scooby.

la repère et appelle CNN, mais trop tard : elle est déjà partie. Elle a eu le temps de faire quelques selfies avec des supporters, et de les publier sur son compte Twitter. À Maumee, un village de quatorze mille habitants de l'Iowa, elle fait une pause déjeuner dans un *Chipotle*, une chaîne de restaurants bon marché. Quand elle paie sa salade de poulet à la caisse, le patron ne la reconnaît pas, « à cause de ses lunettes noires[1] », dira-t-il au *New York Times* qui l'appellera le lendemain, alerté par un proche de l'équipe Clinton. Elle avait prévenu dans son annonce de candidature : « Je vais prendre la route pour mériter votre vote. » Objectif : rencontrer et écouter l'électeur.

Archi-favorite dans les sondages, sans rival sérieux, elle semble alors avoir un boulevard devant elle, mais ne veut pas s'afficher en « candidate inévitable », comme en 2008. Cette « tournée d'écoute » (« *listening tour* ») lui avait apporté le succès en 2000, quand elle avait entamé sa campagne sénatoriale dans l'État de New York, une *terra incognita* pour elle, mais qu'elle avait conquise. Pour sa deuxième tentative à la présidentielle, elle reprend cette tactique qui lui a bien réussi.

Son premier meeting a lieu dans un lycée, le Kirkwood Community Collège de Monticello, petit village perdu au milieu des grandes plaines de l'Iowa, à l'ombre des grands silos. Toute la presse est à ses trousses, mais Hillary n'a pas l'intention de prononcer un grand discours, elle veut parler avec les « gens d'en bas ». Cette « école-modèle » est une étape de campagne prisée par les candidats démocrates à la présidence : Barack Obama s'y est déjà rendu à deux reprises. Pour cette première rencontre avec l'électeur, Hillary a choisi le format du débat. Thème : éducation et économie.

1. http://www.nytimes.com/2015/04/14/us/politics/on-the-road-hillary-clinton-stops-for-lunch-at-chipotle-and-goes-unrecognized.html?_r=0

Dans le garage de l'école, au milieu de machines techniques et de deux voitures, quatre étudiants et deux enseignants sélectionnés sont assis autour d'une table en forme de U. Ils interrogent les uns après les autres la candidate, qui, elle aussi, pose des questions, teste des idées. Hillary ouvre la discussion par un petit discours. Elle n'est pas très à l'aise, « lit ses notes, un peu froide », puis « devient vraiment bonne au bout de cinq minutes », nous confiera Mick Starcevich[1] après l'événement. Pour lui, la prestation ne peut égaler celle de Barack Obama quatre ans plus tôt, « un personnage vraiment extraordinaire » qui l'avait beaucoup impressionné. L'événement est scénarisé, poli, convenu. Il donne le ton de ce que va être la campagne d'Hillary : elle sera ennuyeuse, mais efficace.

Le lendemain, elle se rend au « State Capitole » à Des Moines, la capitale de l'Iowa, magnifique bâtiment à coupole qui abrite les deux assemblées législatives locales ainsi que les bureaux du gouverneur. Là, elle rencontre les élus du coin. L'événement n'est pas sur son planning officiel distribué aux médias. Cela n'empêche pas la presse de la suivre dans les couloirs en espérant arracher un mot ; en vain. Contrairement à Bill, Hillary n'est pas du genre à s'attarder pour échanger avec les journalistes.

*

30 avril 2015 : c'est au tour de Bernie Sanders, soixante-quatorze ans, sénateur du Vermont, de se présenter. L'événement a lieu devant le Capitole à Washington. Il dure dix minutes et il n'y a pas grand-monde pour le couvrir. « Je vais parler brièvement parce qu'il faut que j'y retourne[2] », lance-t-il au début de son discours en pointant du doigt le Congrès derrière lui… Personne, lui compris, ne croit à ses chances : trop

1. Entretien avec l'auteur, 14 avril 2015.
2. https://www.youtube.com/watch?v=dOIirPta4h4

âgé, trop à gauche. Dans son bureau, au Sénat, il a accroché le portrait de son héros, le socialiste Eugene Debs, candidat malheureux à la présidence des États-Unis, qu'il tient pour « l'un des Américains les plus remarquables du XXe siècle », a-t-il un jour affirmé. Dans ses discours, il cite souvent la France en exemple, pays qui dépense « deux fois moins par habitant pour son assurance maladie et bénéficie d'une meilleure couverture[1] », constate-t-il lors d'un débat à Milwaukee.

Sans budget ni staff de campagne, il sait qu'il ne peut pas aller bien loin face à la machine Clinton. Peu lui importe, du moment que la lutte contre les inégalités sociales, son thème fétiche passé à la trappe lors de l'élection présidentielle de 2012, est au cœur du débat en 2016. En arrivant fin mai à l'un de ses tout premiers meetings de campagne à Minneapolis, il aperçoit au loin la longue file d'attente devant le bâtiment. « C'est pour qui, ça ? » demande-t-il à son bras droit. Pour lui ! Trois mille personnes, beaucoup de jeunes et pas mal de bobos. Il n'en revient pas.

Hillary domine cependant toujours largement les sondages. Son objectif est de faire en sorte que son avance ne s'évapore pas. Elle mène donc une campagne prudente, sans éclat, façon Jacques Chirac en 2002.

*

13 juin 2015 : sur la pelouse de la Roosevelt Island, petite île tout en longueur posée sur la East River entre Manhattan et le Queens, la candidate lance son premier meeting. Devant quelques milliers de fans. La foule, plutôt jeune et diverse, danse au son du groupe rock californien Echosmith, mais aussi sur un tube de Kelly Clarkson au nom évocateur : « What doesn't kill

1. Déclaration au débat démocrate organisé par la chaîne PBS, le 11 février 2016.

you makes you stronger » (« Ce qui ne te tue pas te renforce »), clin d'œil, peut-être, à la capacité de rebond d'Hillary, mille fois enterrée et toujours là.

Tout est parfaitement organisé. La scène est en forme de H, et la vue sur l'Empire State Building et la grande tour flambant neuve du World Trade Center, magnifique. Le lieu a été soigneusement choisi : il est dédié à Franklin Delano Roosevelt, l'une des références de la candidate. Le discours dure cinquante minutes. Il est consensuel. Hillary promet de faire de l'Amérique un pays plus juste. Elle veut redonner le pouvoir aux classes moyennes, réclame l'augmentation des revenus contre les « salaires mirobolants » des P.-D.G. et des financiers qui bénéficient de réductions d'impôts et « achètent les élections ».

Du Bernie avant l'heure, sauf que, chez elle, ça sonne creux. Elle cite Obama puis Bill Clinton, « qui a présidé la plus longue période d'expansion de la paix dans l'histoire ».

C'est la première fois depuis longtemps, ce jour-là, que l'on voit le clan Clinton réuni au grand complet en campagne. Hillary porte un tailleur-pantalon bleu électrique, la couleur du parti démocrate. Bill, en polo rouge vif, fait de la figuration, mais, à la toute fin du meeting, il crée la surprise. Après un long bain de foule, Hillary s'apprête à partir. Alors que plus personne ne l'attend, Bill resurgit des coulisses où il s'était éclipsé, passe rapidement derrière sa femme qui prend ses derniers selfies avec ses fans, remonte à grands pas l'estrade, puis commence à serrer des mains, entouré de ses gardes du corps. Visiblement, il y prend beaucoup de plaisir. Hillary semble l'ignorer. Elle est déjà loin quand il se décide enfin à quitter la scène… On n'a jamais vu l'époux (ou l'épouse) réapparaître à la fin du meeting et voler ainsi la vedette au candidat, en principe le dernier à partir. Mais Bill n'est pas un « First Gentleman » comme un autre. On se demande alors : va-t-il recommencer les mêmes erreurs ? Interrogée la veille sur son rôle dans la campagne aux côtés de sa femme, Jennifer Palmieri, la directrice de la communication d'Hillary, répond diplomatiquement : « Il ne vient pas à toutes les réunions ni n'a de calendrier spécifique. Mais on va s'appuyer sur lui quand on aura besoin de lui, pour lever des fonds, rencontrer les électeurs ou donner des conseils stratégiques, car ses observations sont toujours très avisées[1]... »

*

Deux jours après ce meeting, Jeb Bush, l'héritier de l'autre dynastie de la politique américaine, se lance à son tour. Le Républicain annonce sa candidature « à l'ancienne », par un discours au milieu de ses fans, dans un gymnase d'université à Miami, en Floride, l'État dont il fut le gouverneur.

Le vrai rival d'Hillary, c'est lui, pense-t-on alors. Il a tout l'*establishment* du parti républicain derrière lui et les grands donateurs lui ont ouvert tout grand leur carnet de chèques, car Jeb est très bon pour démarcher ses pairs et leur demander de l'argent. Ça, il sait faire. Pour communiquer avec l'électeur, en revanche, il est beaucoup moins doué. C'est un introverti, comme Hillary d'ailleurs. Il a, en plus, le complexe du petit frère qui veut faire aussi bien que l'aîné. Un handicap qui se voit dès son premier meeting. Juste après avoir déclaré qu'il était candidat, il pousse un « ouf » de soulagement, comme s'il avait eu un coup de chaud, par peur de ne pas y arriver.

On va vite comprendre que Jeb est fragile et trop bien élevé pour faire campagne face à Donald Trump, un homme « plus grand que la vie » (*larger than life*)[2], nous confiera-t-il en août 2015 alors que le milliardaire new-yorkais l'insulte

---

1. http://www.politico.com/events/2015/06/playbook-cocktails-with-robby-mook-and-jennifer-palmieri-208442?slide=0

2. Olivier O'Mahony, « Trump au top, Bush à la peine », parismatch.com, 21 août 2015.

meeting après meeting. Mais, en juin, tous les sondages et les experts prédisent un bras de fer entre Hillary et Jeb.

On pense aussi que Marco Rubio, l'autre candidat républicain de Floride, représente un danger potentiel pour la candidate, à cause de sa jeunesse (il a alors quarante-quatre ans) et de son aisance devant les caméras.

En revanche, quand Donald Trump se lance à son tour le 16 juin, un jour après la déclaration de Bush, en qualifiant les Mexicains illégaux de « violeurs et dealers de drogue », personne ne croit à ses chances. Grosse erreur car le milliardaire va dominer l'actualité pendant tout l'été. En août, alors que rien de majeur ne se passe en Amérique, CNN diffuse en boucle des sujets sur lui, qui boostent l'audimat de la chaîne et renforcent la fascination des Américains pour ce candidat hors norme, que rien n'arrête.

Hillary, de son côté, est engluée dans l'affaire des e-mails. Sa campagne ne décolle pas. Le 1er août, un article publié dans le *New York Times*[1] révèle que Joe Biden, le vice-président de Barack Obama, songe sérieusement à se présenter : son fils, Beau, qui a succombé d'un cancer du cerveau quelques mois plus tôt, le lui aurait demandé sur son lit de mort. Cette perspective de candidature vient bien tard, mais elle est révélatrice du manque d'enthousiasme de l'électorat démocrate envers Hillary. Contrairement à l'ex-première dame, Biden est drôle, gaffeur, populaire. « À la Maison-Blanche, tout le monde l'adore », nous confie une proche d'Obama, qui admet qu'elle accepterait « dans la seconde[2] » de suivre le vice-président s'il le lui demandait.

1. http://www.nytimes.com/2015/08/02/opinion/sunday/maureen-dowd-joe-biden-in-2016-what-would-beau-do.html

2. Entretien avec l'auteur, source anonyme, 5 septembre 2015.

Été pourri pour Hillary : un article[1] affirme aussi qu'Al Gore réfléchirait à se présenter. Le vice-président de Bill, battu sur le fil par George W. Bush en 2000, sortirait de sa retraite dorée d'activiste écolo pour tenter à nouveau sa chance ! La rumeur va vite être démentie, mais on a l'impression que le scénario de 2012, quand l'État-major républicain cherchait un candidat de remplacement au très terne Mitt Romney, est en train de se reproduire dans le camp démocrate.

À la désaffection s'ajoute aussi une incertitude juridique liée à l'affaire des e-mails : et si Hillary était mise en examen ? Il faudrait alors un plan B pour défendre les couleurs démocrates à l'élection de 2016[2]. Enfin, Hillary termine l'été avec d'inquiétants sondages. Fin août, elle est même dépassée par Bernie Sanders dans le New Hampshire[3], et n'a plus que sept points d'avance sur lui dans l'Iowa, État où elle a concentré toutes ses forces au début de sa campagne, alors que, mi-mai, elle le distançait de quarante points[4] !

Mais, opportunément, ses proches font filtrer fin août une info essentielle : plus de quatre cents élus démocrates (les « superdélégués ») ont déjà promis qu'ils voteraient pour elle[5]. Avant même que les primaires ne commencent, Hillary dispose donc d'un matelas de voix qui représente 20 %

---

1. https://www.buzzfeed.com/andrewkaczynski/al-gore-insiders-figuring-out-if-theres-a-path-for-him-to-ru?utm_term=.qverlX60V#.inpq29j4P
2. http://www.nbcnews.com/meet-the-press/joe-biden-al-gore-running-president-stories-are-really-about-n409901
3. http://www.realclearpolitics.com/epolls/2016/president/nh/new_hampshire_democratic_presidential_primary-3351.html
4. http://www.desmoinesregister.com/story/news/politics/iowa-poll/2015/08/29/iowa-poll-democrats-august/71387664/
5. http://www.bloomberg.com/politics/articles/2015-08-28/clinton-camp-saying-it-already-secured-one-fifth-the-delegates-needed-for-nomination

du nombre total de délégués nécessaires pour remporter l'investiture, selon les règles en vigueur dans le parti démocrate. C'est énorme. Aucun rival ne peut lutter contre une telle avance. Cet avantage est la preuve qu'elle contrôle le parti.

« C'est, explique-t-elle, le fruit des leçons que j'ai tirées de la dernière fois (où elle s'est portée candidate, N.D.A.). Depuis, j'ai compris à quel point il est essentiel d'être bien organisé et de concentrer ses efforts, dès le tout début de la campagne, sur les délégués et les superdélégués[1] » à qui revient la décision d'élire le représentant du parti à l'élection présidentielle.

Hillary peut donc dire merci à Bill, qui s'est occupé de la « maison Clinton » pendant qu'elle sillonnait la planète en tant que secrétaire d'État. Lorsqu'elle était en Chine, en Arabie saoudite ou ailleurs, il allait faire campagne pour tel ami, apportait son soutien à tel fidèle, lequel, élu grâce à son soutien, lui rend la politesse en s'engageant aux côtés de son épouse qui en a bien besoin en cette fin d'été.

En 2016, la chasse aux *endorsements* (soutiens) est une promenade de santé pour Hillary par rapport à 2008, où tout le parti se laissait envoûter par Barack Obama. Aussi, lorsqu'elle est interrogée sur l'envie de Joe Biden de se présenter et la menace qu'une telle candidature représenterait, elle affiche une sérénité non feinte. Au lieu d'attaquer le vice-président, elle le cajole presque : « Pour lui, c'est une décision difficile à prendre. Je veux lui laisser l'espace et le temps nécessaire afin d'y réfléchir[2] », lâche-t-elle, compréhensive, lors d'une conférence de presse. Manière de faire comprendre que ce genre de dilemme,

1. *Ibid.*

2. https://www.washingtonpost.com/politics/a-summer-of-clinton-stumbles-gives-way-to-an-uncertain-fall-for-democrats/2015/08/29/a4e5972e-4e57-11e5-902f-39e9219e574b_story.html

elle connaît et, que, pour elle, le problème est résolu depuis longtemps.

La presse voit en Biden « le rival le plus dangereux pour Hillary Clinton[1] », comme l'affirme en titre le *New York Times*, le 7 octobre 2015. CNN, qui organise le premier débat télévisé entre candidats démocrates le 13 octobre à Las Vegas, a même prévu un pupitre pour le vice-président au cas où il ferait une annonce-surprise au tout dernier moment. Celui-ci ne viendra finalement pas. Il n'a encore pris aucune décision. Il attendrait de voir comment Hillary va franchir l'épreuve.

Or elle va dominer ses rivaux de la tête et des épaules.

Ce débat n'en est pas vraiment un : c'est une aimable conversation entre rivaux qui affichent bien peu de différences, Bernie mis à part. Le contraste avec la campagne de 2008 est flagrant : à la place de Barack Obama, Hillary affronte quatre rivaux totalement inconnus ou presque. Après une introduction un brin convenue, elle se tire brillamment d'une première passe d'armes avec son rival socialiste. « Nous ne sommes pas au Danemark, mais aux États-Unis. Je suis une progressiste qui obtient des résultats », précise-t-elle, accusant de manière voilée son rival d'irréalisme. Les trois autres candidats (Jim Webb, Lincoln Chafee et Martin O'Malley) se voient réduits à faire de la figuration. Pour contrer la menace Joe Biden, l'héritier « naturel » du président, elle colle au plus près de Barack Obama, rappelant comment, avec lui, au sommet de Copenhague sur le climat en 2009, elle est personnellement allée tirer la délégation chinoise de la salle de réunion où elle se cachait pour la ramener à la table de négociation…

1. http://www.nytimes.com/2015/10/08/upshot/joe-biden-no-money-weak-polls-but-still-clintons-toughest-rival.html?action=click&contentCollection=The%20Upshot&module=RelatedCoverage®ion=EndOfArticle&pgtype=article

Cerise sur le gâteau, Bernie Sanders lui décerne un laissez-passer sur l'affaire des e-mails, polémique à laquelle il ne croit visiblement pas et qui, selon lui, empêche de discuter des vrais sujets. « Il y en a marre d'entendre parler de ces e-mails !, lance-t-il. — Merci, merci », répond Hillary qui lui serre la main. Ce sera l'image de la soirée.

Conclusion de Donald Trump qui tweete en direct pendant le débat : « Ils font passer Jeb Bush pour un "*energizer bunny*" », le lapin électrique de la pile Duracell, référence à la mollesse supposée du frère de W. Il n'a pas tort… Mais pour Hillary, c'est réussi. Le 21 octobre 2015, Biden annonce, depuis la Maison-Blanche, qu'il ne briguera pas l'investiture. Bernie est désormais le seul opposant sérieux face à elle.

Le sénateur Sanders est un homme austère, à contre-courant. Il est l'anti-Hillary. Elle gagne des fortunes en allant donner des discours pour les grandes banques de Wall Street. Lui roule dans une petite Chevrolet rouge dont il est incapable de donner le modèle ni l'année. Selon Carina, la fille de sa femme Jane qu'il a élevée comme la sienne : « S'il pouvait acheter une voiture avec des vitres actionnées manuellement, il le ferait… »

Le 24 octobre, au Jefferson-Jackson Dinner, événement clé du parti démocrate qui a lieu à Des Moines, Iowa, trois mois avant le début des primaires, il arrive avec ses banderoles « *Feel the Bern* ». Ce slogan, jeu de mots entre Burn (brûlure) et « Bern », diminutif de Bernie, va faire fureur chez les jeunes. Hillary, elle, débarque avec Katy Perry qui vient donner un concert pour elle[1]. Deux candidats, deux styles.

La « Berniemania » s'empare rapidement du vent de révolte qui souffle sur les États-Unis. Sanders déteste la politique

1. http://www.politico.com/story/2015/10/clinton-iowa-215133

spectacle. Il parle comme un prof, d'une voix rocailleuse, truffe ses discours de chiffres et évite les références à sa vie personnelle (même si sa femme Jane est omniprésente dans la campagne). « Les gens n'ont pas besoin de savoir ce que j'achète à l'épicerie, ni le nom de mon chien – je n'ai pas de chien, en fait, lance-t-il un jour. En revanche, ils doivent savoir pourquoi les milliardaires deviennent de plus en plus riches et les pauvres de plus en plus pauvres. »

Contre toute attente, il se révèle un excellent candidat sur le terrain – et, à bien des égards, meilleur qu'Hillary. Il n'aime peut-être pas parler de lui, mais fait quand même venir les journalistes du magazine *People* pour un reportage en famille, dans le salon de sa modeste maison de style colonial à Burlington, la capitale du Vermont dont il fut maire huit ans durant. La journaliste, Sandra Sobieraj Westfall raconte, amusée, qu'il interrompt l'interview pour aller vider le lave-linge qui sonne[1] et témoigne que, dans sa famille, personne ne l'appelle daddy, mais « Bernie », « Bernster » ou tout simplement « B. »... Sanders réussit ainsi le tour de force de transformer ses faiblesses en atouts, à commencer par son âge. Avoir soixante-quatorze ans, c'est devenu cool pour ses supporters, qui y voient un gage de conviction et de sincérité dans son engagement. « Se battre avec autant d'énergie, à son âge, c'est formidable », s'enthousiasme Will Owen, trente-quatre ans, prof de collège à New York.

Bernie n'est pas sexy, mais il est capable d'être drôle et de se moquer de lui-même : les électeurs s'en rendent compte en regardant l'émission humoristique *Saturday Night Live*. Il y joue avec talent aux côtés de l'acteur Larry David, son sosie, un sketch sur le *Titanic*, où il déplore que les passagers de troisième classe soient les derniers évacués. Gros succès sur Internet.

À la même émission, Hillary se prête aussi au jeu de l'autodérision, incarnant « Val », une serveuse de bar, mais le résultat

1. *People.*

est moins convaincant[1]. Dans les sondages, sa cote d'amour régresse. En décembre 2015, les Américains qui affirment avoir une opinion défavorable d'elle sont désormais majoritaires (53 % contre 40 % pour ceux qui disent l'inverse) alors que, huit mois plus tôt, quand elle lançait sa campagne, ils étaient minoritaires (42 % contre 48 %[2]). Une évolution inquiétante malgré les millions de dollars dépensés et alors que la bataille des primaires n'a pas encore commencé.

*

La première étape approche. Elle a lieu dans l'Iowa, qui organise son caucus le 1er février. Resté jusque-là très discret, Bill se lance dans la bataille. L'un des tout premiers meetings de campagne a lieu le 7 janvier à l'hôtel *Julien*, à Dubuque, une petite ville de cinquante mille habitants, de l'Iowa. Cinq cents personnes se massent dans une grande salle de réception de cet établissement chargé d'histoire puisque, dit-on, il accueillit aussi bien Abraham Lincoln qu'Al Capone… Alors que Bill vient de commencer à parler, une sonnerie retentit. « Désolé, c'est mon téléphone ! », lance-t-il en plongeant sa main dans la poche intérieure de son veston. Il jette un coup d'œil à l'écran. « Il va falloir que je rappelle Hillary pour lui expliquer pourquoi je ne décroche pas[3] », lâche l'ancien chef d'État. Le public adore.

Tout au long de son discours, il vante le programme et les mérites de sa femme, qui, explique-t-il, a réussi à redresser « de vingt points » l'image des États-Unis à l'étranger pendant ses quatre années à la tête du département d'État. « L'enjeu de cette élection est de créer les conditions d'une croissance mieux

1. https://www.youtube.com/watch?v=6Jh2n5ki0KE
2. http://www.gallup.com/poll/1618/favorability-people-news.aspx
3. http://www.parismatch.com/Actu/International/Bill-Clinton-sonne-la-mobilisation-generale-pour-Hillary-892943

répartie. Depuis la crise de 2008, les Américains ont à nouveau du travail, mais la moitié d'entre eux gagnent moins qu'en 2001, quand j'ai quitté la Maison-Blanche. Il y a un problème de revenus dans ce pays. Hillary est la meilleure candidate pour réussir ce pari. »

Ce jour-là, Bill Clinton enchaîne deux meetings. À soixante-neuf ans, il est l'un des hommes politiques préférés des Américains. Sa voix est parfois chevrotante, il est d'une minceur quelque peu inquiétante, et on sent que sa santé est fragile. Mais, en public, le charme opère toujours : il parle sans notes ni prompteur. Son talent de conteur est intact.

Pendant ce temps, la ferveur monte côté Bernie. Il doit louer des salles toujours plus grandes pour accueillir ses supporters qui affluent par milliers. L'Iowa réveille de mauvais souvenirs dans le clan Clinton. Et si, comme en 2008, les sondages se trompaient ? Son avance avec son rival dans cet État a fondu, or Hillary doit à tout prix gagner : elle n'a aucune chance de remporter l'étape suivante du New Hampshire, où Bernie la devance nettement dans les intentions de vote.

Les Clinton demandent à leurs experts en enquêtes d'opinion de refaire leurs calculs[1]. « Nous avons sous-estimé Bernie », reconnaît l'un de leurs proches[2]. « Il aurait fallu l'attaquer plus tôt sur ses promesses les plus coûteuses, ce qui aurait permis de tuer dans l'œuf, ou en tout cas d'atténuer, la Berniemania quand il en était encore temps. » Mais, le soir du scrutin, Hillary limite la casse : elle l'emporte de justesse, par 49,8 % contre 49,6 % pour son rival. Comme elle le dit devant

1. http://www.nytimes.com/2016/01/17/us/politics/hillary-clinton-regrets-not-attacking-bernie-sanders-earlier-her-allies-say.html?action=click&contentCollection=Politics&module=RelatedCoverage®ion=Marginalia&pgtype=article&_r=0

2. Entretien avec l'auteur, source anonyme.

ses troupes le soir de l'élection, elle pousse un « gros soupir de soulagement ».

Or, le pire est à venir, dans le New Hampshire, la semaine suivante.

*

Pour les Clinton, cet État du nord de l'Amérique a toujours été très accueillant. C'est là que Bill est devenu, en 1992, le « *comeback kid* », arrivant en deuxième position alors que sa campagne était menacée d'être engloutie par l'affaire de Gennifer Flowers et les accusations de désertion concernant son service militaire. En 2008, c'est ce même État qui a offert à Hillary Clinton une victoire-surprise et une bouée d'oxygène, alors que tout le monde prévoyait que Barack Obama l'emporterait.

Mais, en 2016, tout a changé. Bernie y fait campagne en voisin – son État, le Vermont, est frontalier du New Hampshire –, et cette proximité représente un atout. Ce que les stratèges de Clinton n'ont pas prévu, c'est la résonance particulière de son message.

Le 7 février, à deux jours du vote, dans le gymnase d'un collège à Portsmouth (New Hampshire), mille deux cents personnes sont venues l'écouter. Parmi eux, de nombreux indécis, beaucoup de familles avec jeunes enfants ou adolescents. Rien à voir avec les « *white trash* » (petits blancs aigris) qui accourent alors aux discours de Donald Trump. L'invitation à ce meeting, comme à tous les autres, indique que l'événement est « payé par Bernie 2016, pas par les milliardaires ». Allusion à tous les autres candidats financés grâce aux dons des grandes compagnies et des super riches, que Sanders accuse d'acheter les élections.

Il en appelle à une « révolution politique », c'est-à-dire à une reprise en main du pouvoir par le peuple au détriment des puissants. À ceux qui doutent que ce soit possible, il lance : « Regardez le mouvement des droits civiques, celui de la libération des femmes, de la protection de l'environnement et du mariage pour tous. Ces grands changements de société sont venus de la base, pas de l'élite. » Sur tous ces sujets, « l'Amérique a progressé », souligne-t-il, mais elle a régressé dans un domaine majeur : la justice sociale. « Or, martèle Sanders, ce combat économique est très difficile à gagner parce que le peuple a face à lui des organisations très puissantes. »

Son programme prévoit ainsi la fin des cadeaux fiscaux accordés aux riches et aux grosses entreprises pour financer des grands travaux d'équipement, une sorte de New Deal. Sanders veut aussi appliquer une taxe sur la spéculation à Wall Street afin de rendre gratuites les universités, hors de prix aux États-Unis. Il souhaite enfin doubler le salaire minimum.

Arnaud Montebourg ou Christiane Taubira ne parleraient pas autrement.

Aux États-Unis, ce discours tient de l'hérésie. Et la grosse surprise de 2016, c'est qu'il soit entendu. Pour Jamshed Daroga, fan de Bernie, cadre dans une boîte de télécoms du New Hampshire, ce qui plaît chez lui, c'est sa cohérence. « Il n'a jamais varié d'un iota, à l'inverse d'Hillary Clinton. Il assume qui il est, depuis toujours. Il dit ce qu'il pense. » Jamshed est persuadé que « ces élections présidentielles de 2016 seront celles des extrêmes contrairement aux deux précédentes dominées par les très modérés Barack Obama ou Mitt Romney ». La raison ? « Depuis 2014, la situation économique s'est certes améliorée, le chômage a reculé, mais les gens ne gagnent pas plus d'argent. Dans les années soixante-dix, les trois quarts de la population faisaient partie de la classe moyenne.

Aujourd'hui, c'est seulement 52 %. Cette réalité est devenue insupportable. Et c'est pour cela que Bernie est si populaire. »

Quelques heures après ce meeting, Bill rencontre à son tour les électeurs, à Milford, une ville de quinze mille habitants au sud du New Hampshire. Il n'y a pas beaucoup de caméras et la salle est à moitié vide. Le spectacle de cet ancien président prêchant dans le désert s'avère assez triste.

Dans ce petit gymnase, il semble d'humeur maussade. Il évoque des souvenirs de sa propre campagne de 1992, explique en quoi sa femme est la meilleure candidate, puis commence à se lâcher sur son rival, qu'il évite de nommer par son nom. Il le décrit comme un idéologue hermétique qui pense que « quiconque est en désaccord avec [lui] est vendu à l'*establishment*[1] ». Il raconte aussi comment certaines militantes d'Hillary auraient fait l'objet d'injures et d'attaques sexistes de la part du camp d'en face.

Bernie sexiste ? L'accusation est grave, elle paraît aberrante, même s'il est vrai que le vent anti-Clinton souffle très fort chez les militants de Bernie. « C'est décevant de sa part », riposte Tad Devine, un des plus proches conseillers de Bernie. Bill serait en train de perdre ses nerfs, comme en 2008…

Le lendemain, veille de scrutin, l'ancien président redresse la barre. Interrogé par ABC News sur sa sortie de la veille, il temporise en affirmant qu'il a juste « voulu mettre sur la place publique des informations qui n'étaient pas connues[2] ». Mais l'ambiance est morose au Community College de Manchester où Hillary

---

1. http://mobile.nytimes.com/2016/02/08/us/politics/bill-clinton-after-months-of-restraint-unleashes-stinging-attack-on-bernie-sanders.html?_r=0&referer=https://www.google.com/

2. https://www.facebook.com/ABCNewsPolitics/videos/889089064522654/

tient meeting. Tout le clan Clinton est réuni, Chelsea comprise. L'affiche, *a priori*, est belle. Mais cela ne suffit pas à attirer les foules. Sans la soixantaine d'*Arkansas Travelers* (voyageurs de l'Arkansas), ces soutiens historiques de l'ère Clinton avec lesquels tout a commencé, la salle semblerait bien vide. Il y a parmi eux Kay Goss, qui a rencontré Hillary en 1973, Stephen Smith, qui a travaillé pour la première campagne électorale de Bill en 1974, Gloria Cabe, qui fut sa directrice de cabinet quand il était gouverneur, puis la conseillère spéciale d'Hillary lorsqu'elle était secrétaire d'État. Tous ont payé eux-mêmes leur billet et tiennent à le faire savoir. Ils sont venus pour faire la claque.

Sur scène se succèdent les grosses pointures du parti démocrate : Maggie Hassan, gouverneure du New Hampshire, Jeanne Shaheen, qui a aussi occupé ce poste et qui, aujourd'hui, est sénatrice de l'État, Marty Walsh, le maire de Boston… Bref, tout l'« *establishment* », comme le désigne Bernie Sanders, qui accuse sa rivale d'être largement financée par les grands donateurs.

Lorsque Hillary prend la parole, le contraste avec le discours de son rival la veille est saisissant. Le cœur n'y est pas. Elle n'a pas de proposition phare, pas de « révolution politique » à offrir, pas de vision à dessiner pour l'avenir. C'est juste un saupoudrage d'idées choisies au gré des sondages. Une copie *light* du programme de son adversaire, qu'elle évite de citer. Elle parle d'assurance maladie, ce grand projet qu'elle n'a pas réussi à faire aboutir quand elle était première dame. Elle veut diminuer les frais de scolarité des universités américaines, pas les supprimer, augmenter le salaire minimum, pas le doubler, et réformer la sécurité sociale à partir de ce qui existe déjà, « pas tout reprendre à zéro ».

Dans la foule, Stephen Smith, le grognard des campagnes électorales de Bill Clinton dans les années soixante-dix, aujourd'hui prof à l'université de Fayetteville (Arkansas), reste persuadé qu'Hillary décrochera l'investiture « grâce aux super-délégués », mais il pense aussi que victimiser Bernie constitue une erreur tactique, classique des Clinton quand ils sont sur la défensive. L'attaque, la veille, lancée par Bill contre le sexisme des militants de Bernie, lui fait lever les yeux au ciel. « Il y a certainement des gens payés très cher qui pensent que ça sert à quelque chose », grince-t-il.

Le lendemain, Hillary perd beaucoup plus lourdement que prévu la primaire du New Hampshire : 38 % contre 60,4 % à son adversaire. Un écart de vingt-deux points quand la moyenne des derniers sondages n'en prédisait que 13[1]. Une bérézina.

C'est, pour elle, le point bas de sa campagne d'autant que, côté républicain, Trump remporte sa première victoire à une primaire, prouvant ainsi combien sa popularité n'est pas une simple « poussée de fièvre », contrairement à ce que presque tout le monde pensait[2]. Pour la première fois depuis qu'elle a annoncé sa candidature, on se prend à douter : et si le scénario noir de 2008 se reproduisait ?

*

Mais c'est le seul moment de la campagne où l'on va se poser la question. Car Hillary va vite rebondir. Les États qui suivent le New Hampshire lui sont beaucoup plus hospitaliers.

1. Real Clear Politics.

2. Parmi tous les experts qui se sont trompés, la palme revient à Stuart Stevens, le *spin doctor* de Mitt Romney en 2012, qui, lors d'une intervention sur MSNBC, le 15 décembre 2015, se disait « certain » que « l'effet Trump » serait « balayé dès que les primaires commenceraient ». http://www.msnbc.com/the-last-word/watch/stevens-trump-will-not-win-a-single-primary-586704963820

Il y a d'abord le Nevada, qui organise le 20 février son caucus. Pendant longtemps, le clan Clinton a affirmé que cet État devait servir de « pare-feu » contre la poussée de Bernie, en raison du poids important des syndicats et des latinos acquis à leur cause. Ces dernières semaines, les deux rivaux sont au coude à coude dans les sondages, mais Hillary s'en tire bien : elle gagne avec 52,6 % des voix contre 47,3 % pour Bernie. En veste rouge, elle célèbre la victoire par un discours offensif, probablement son meilleur depuis de début de la campagne. C'est la première fois qu'on la voit détendue. « Certains ont peut-être douté, mais pas nous[1] ! » lance-t-elle à la tribune. Un peu plus tard, dans la soirée, elle s'envole à Houston au Texas, où l'attendent d'autres militants. Parmi eux, la Française Laetitia Garriott de Cayeux, fondatrice du groupe « Entrepreneurs for Hillary », qui se souvient qu'elle avait perdu sa voix mais qu'elle avait l'air « soulagée[2] ».

La victoire du Nevada est essentielle car elle valide la stratégie de la candidate. Oui, les Clinton sont toujours populaires auprès des syndicats qui n'ont pas oublié la longue période d'expansion économique des années quatre-vingt-dix. Et Hillary a prouvé qu'elle était capable de convertir cette cote d'amour en voix le jour du scrutin. Reste à transformer l'essai avec les Afro-Américains, autre bastion clintonien.

Le test a lieu sept jours plus tard, le 27 février, aux primaires de Caroline du Sud. Bernie y est un total inconnu. Élu du Vermont, État du Nord où la population est quasiment exclusivement blanche, il n'a pas eu l'occasion de nouer des liens avec les minorités ethniques. Alors que Bill Clinton, enfant de l'Arkansas, État sudiste, a été qualifié de « premier président

1. Olivier O'Mahony, « Le match Trump-Clinton a commencé », 21 février 2016.

2. Entretien avec l'auteur, 25 mai 2016.

noir » quand il fut élu, en raison de ses affinités très anciennes avec cette communauté. En 2008, il avait très mal vécu les accusations de racisme, aujourd'hui oubliées. Hillary, qui se présente en héritière de Barack Obama, a donc la faveur de cet électorat.

Elle le démontre en sillonnant les églises afro-américaines de la Caroline du Sud accompagnée de proches de victimes de violences par armes à feu, noires pour la grande majorité. Parmi elles, Sybrina Fulton et Gwen Carr, les mères de Trayvon Martin et Éric Garner, deux jeunes dont la mort a provoqué d'importantes manifestations contre le racisme partout aux États-Unis. Que ces femmes s'affichent aux côtés d'Hillary, qu'elles témoignent de toute leur douleur et de leur combat contre les armes aux États-Unis, thème majeur dans le programme de la candidate, est évidemment un signal fort envoyé à la communauté. Bernie, lui, sait qu'il n'a aucune chance : il fait campagne ailleurs.

Le résultat est d'ailleurs sans appel : il est balayé en Caroline du Sud où il ne recueille que 26 % des voix contre 73,5 % pour sa rivale.

*

Toute la faiblesse de Bernie réside dans le fait qu'avant le 30 avril 2015, jour où il a présenté sa candidature, il n'était pas très connu aux États-Unis. Ses positions radicales séduisent les jeunes et les laissés-pour-compte de la reprise économique, mais elles effraient aussi les seniors et les militaires.

Quand on demande aux supporters d'Hillary pourquoi ils la soutiennent, la réponse qui revient le plus souvent, c'est qu'elle est « la mieux préparée » à la fonction suprême. Ancienne First Lady, sénatrice puis secrétaire d'État, elle est une candidate incontestable, aux yeux de nombreux électeurs qui pensent que l'Amérique a besoin de quelqu'un d'expérimenté, sûr, solide pour diriger le pays dans un monde si dangereux.

Sa prudence fait d'elle une centriste de gauche, une « progressiste », comme Bernie, mais ayant les pieds sur terre. Son sérieux si souvent moqué rassure un électorat qui se dit que, pour être chef d'État, mieux vaut connaître à fond les dossiers. Hillary est peut-être scolaire, mais au moins elle sait de quoi elle parle. Si bien que là où Bernie n'est pas bien implanté, elle rafle la mise.

Mardi 1er mars, lors du premier *Super Tuesday* de la campagne[1], elle remporte le Texas, l'Arkansas, le Tennessee, l'Alabama, le Massachusetts, la Géorgie et la Virginie. Sanders ne gagne que le Vermont (son État), le Colorado[2], le Minnesota et Oklahoma.

Quinze jours plus tard, lors d'un second *Super Tuesday*, elle fait carton plein, engrangeant tous les États en lice (cinq au total) dont la très importante Floride, riche en délégués. Ce soir-là, en tenue jaune canari, elle semble exténuée pendant le discours de victoire qu'elle donne dans un centre de conférence à West Palm Beach. Mais la salle est comble et les militants rassurés. L'équipe Bernie est passée, elle, de l'euphorie à la déprime[3]. Quant à Donald Trump, il encaisse sa première défaite, dans l'Ohio, un État dont il avait besoin pour sécuriser sa propre investiture.

Hillary Clinton n'est pas Barack Obama, mais sa stratégie fonctionne. Elle ne suscite pas la passion ni ne mobilise des foules nombreuses, mais elle engrange les États et les délégués,

1. Appelé ainsi parce que de nombreux États sont amenés à voter.

2. Premier État à avoir voté la légalisation de la marijuana, le Colorado adore Bernie, seul candidat à se prononcer ouvertement en faveur de cette mesure et de sa généralisation à l'ensemble du territoire américain.

3. Showtime, *The Circus*, épisode 10.

et, au fond, c'est la seule chose qui compte. Donald Trump la compare souvent à Jeb Bush, à cause du manque d'énergie de sa campagne. Interrogée à ce sujet, elle répond alors que, de tous les candidats, démocrates et républicains, elle est celle qui a reçu le plus grand nombre de voix. Impopulaire, Hillary ? Pas tant que cela, finalement, et New York, où elle est chez elle, lui permet de le démontrer.

*

Dan Bloom, psychologue à Manhattan, est un fan depuis toujours : « Quand elle a été élue sénatrice ici, tout le monde pensait qu'elle s'achèterait une maison dans les Hamptons et ne viendrait jamais à New York, sauf pour se faire réélire. C'est l'inverse qui s'est produit : elle s'est mise à bosser, et c'est pour ça qu'elle ferait une excellente présidente. »

Hillary a fait de cet argument son slogan de campagne : « *Fighting for us* » (« se battre pour nous »). Dans son État d'adoption, nul n'a oublié les 20 milliards de dollars de subventions qu'elle a décrochés dans le Bureau ovale, auprès du président George W. Bush, au lendemain des attentats du 11-Septembre.

À New York, Hillary est aussi à l'aise avec les Afro-Américains qu'elle a réunis au mythique Apollo Theater sur la 125e rue à Harlem, qu'avec les flics et les fonctionnaires à Staten Island où elle tient meeting un dimanche soir.

Le 18 avril, à la veille du scrutin, elle organise une réunion avec les associations pour les droits des femmes, au Hilton de Midtown à Manhattan. Entourée d'amies, dont la sénatrice Kirsten Gilliband ou Gabrielle Giffords, ex-députée qui a miraculeusement survécu à une tentative d'assassinat, elle est dans son élément et parle sans notes, de manière particulièrement convaincante. C'est l'une de ses meilleures prestations de campagne. Et, dans la foule, une visiteuse de passage l'écoute avec attention : Ségolène Royal. La ministre de l'Environnement se trouve à New York pour la signature à l'ONU de l'Accord de Paris sur le climat conclu en décembre dernier. Entre deux réunions, elle est venue incognito voir Hillary. Seuls les journalistes français la reconnaissent. Elle ne veut répondre à aucune question. Mais on sent dans son regard toute l'envie d'une ex-candidate qui se dit : « Et si c'était moi ? »

Bill, de son côté, ne ménage pas sa peine : il tient jusqu'à quatre réunions publiques par jour, le plus souvent avec des syndicats. Chelsea est elle aussi mise à contribution, de manière plus modeste car elle est sur le point d'accoucher. Elle s'occupe entre autres de l'électorat homosexuel, à qui elle explique comment elle a réussi à convertir son père au mariage pour tous, lors d'une réunion au centre gay et lesbien, le 15 avril. Chaque voix compte, et la famille Clinton se déploie pour la conquérir, chacun dans son registre : les femmes pour Hillary, les gays pour Chelsea, les syndicalistes pour Bill...

Le 19 avril, soir de la primaire new-yorkaise, les proches d'Hillary surgissent dans l'espace réservé aux journalistes. Leur présence, rare, témoigne de l'importance de l'événement. Parmi eux, on reconnaît Matt Paul (le directeur de campagne pour l'Iowa), Jennifer Palmieri (la directrice de la communication), Brian Fallon (le porte-parole), et d'autres. Juste avant qu'Hillary n'entame son discours, on les aperçoit en train de se donner l'accolade, en se tenant par les épaules, la tête baissée. Ils forment un cercle. Un moment de prière ? « On était soulagés ! » nous confiera plus tard Jen Palmieri. Hillary a gagné avec 58 % des voix. New York est le deuxième État[1] le plus riche en délégués derrière la Californie : l'investiture est donc à présent assurée. Bernie a perdu.

1. Avec 247 délégués et 44 superdélégués.

« Il a choisi d'être très négatif à l'égard d'Hillary Clinton durant la campagne. Clairement, ça lui a nui », nous confie Jennifer Palmieri, qui souligne que « les New-Yorkais sont des électeurs pragmatiques qui élisent des gens capables d'avoir des résultats ». Bernie, qui, au début, s'interdisait toute attaque personnelle, a en effet monté le ton, accusant sa rivale d'être vendue au grand capital lors de son dernier débat avec elle à Brooklyn en raison de ses discours payants chez Goldman Sachs. De quoi brouiller sa propre image. Hillary, elle, n'a pas varié. Et, contrairement à 2008, elle est aidée par un staff de campagne efficace.

Plus tard, dans la soirée, une partie de son équipe se retrouve au pub irlandais d'en face, *Rosie O'Grady's*, à boire des bières au côté des journalistes accrédités. Cette convivialité tranche avec l'ambiance délétère de la dernière campagne, quand les conseillers se déchiraient entre eux, forçant Hillary à trancher dans le vif[1]. Cette année, on n'entend ni couac, ni désaccord stratégique, et Bill Clinton, contrairement à la dernière fois, sait se tenir !

*

La victoire avec un grand V approche, mais Hillary Clinton n'est pas au bout de ses peines. Le 3 mai, Donald Trump remporte *de facto* l'investiture du parti républicain. Il vient de terrasser son dernier adversaire sérieux, l'ultra-conservateur Ted Cruz, dans un État que ce dernier aurait dû gagner : l'Indiana, terre d'élection des évangélistes. Cette victoire prend tout le monde de court, Trump compris, qui n'avait pas prévu de discours adéquat pour célébrer son nouveau statut de « candidat présomptif » du parti républicain. Il l'est en fait devenu par défaut. Le soir de la primaire dans l'Indiana, Cruz a jeté

1. Solis Doyle, Mark Penn… lire le chapitre 12.

l'éponge par surprise, suivi, le lendemain, de John Kasich, qui n'avait de toute façon aucune chance. Trump s'est donc retrouvé le dernier candidat en lice. Il a éliminé tout le monde : seize rivaux au total !

La performance, historique, fait l'effet d'un électrochoc, qui se traduit dans les sondages par une popularité en hausse pour le milliardaire, comme si l'électorat républicain était en train de resserrer les rangs et s'unir autour de son nom.

Hillary, elle, peut difficilement lui répondre, car elle est toujours en train de se battre contre Bernie. « Elle aurait dû décrocher l'investiture depuis longtemps », fanfaronne Trump, sur un petit nuage.

Tous les commentateurs ont déjà passé par pertes et profits la candidature Sanders. Ils s'interrogent sur la trace qu'il veut laisser dans l'histoire s'il continue à faire campagne contre toute logique. Néanmoins, ce dernier ne désarme pas, au contraire. Et à cause de lui, Hillary passe un très mauvais mois de mai.

Elle doit encore lutter dans des petites primaires, celle du Kentucky en particulier, où, par fatigue peut-être, elle se prend les pieds dans le tapis, en affirmant que, si elle est élue, Bill viendra travailler à ses côtés « pour revitaliser l'économie ». Chez ses électeurs, c'est la consternation : a-t-elle donc besoin de son mari pour diriger le pays ? « C'est compliqué pour elle d'utiliser Bill[1] », analyse Gil Troy, professeur à l'université McGill, auteur du livre *The Age of Clinton : America in the 1990s*[2]. « Il lui sert à capter un électorat qui lui échappe, mais en même temps, si elle le montre trop, ça la diminue. Elle doit s'en servir comme on prend un médicament : gare à l'overdose ! »

Hillary avait besoin de son époux pour conquérir le vote ouvrier blanc, où il est beaucoup plus populaire qu'elle. Elle

1. Entretien avec l'auteur, 23 mai 2016.
2. Éditions St. Martin's Press, 2015.

finit par emporter le Kentucky, mais de justesse, par 46,8 % contre 46,3 % pour Bernie.

*

Le 31 mai 2016, la lassitude se lit sur son visage. Ce jour-là est férié aux États-Unis. C'est le *Memorial Day*. On honore les héros tombés pour la patrie. Comme chaque année, les Clinton participent à la traditionnelle parade sur Main Street, la rue principale de leur village de Chappaqua, à une heure de New York.

Avec des lunettes aux verres bleu foncé assortis à son tailleur-pantalon, Hillary semble se protéger et cacher ses cernes. Le contraste entre son visage très blanc et celui ultra-bronzé d'Andrew Cuomo, le gouverneur de l'État de New York qui l'accompagne, est frappant. Pendant la cérémonie, célébrée devant la gare ferroviaire, elle a le regard ailleurs. Alors que Bill, en pilote automatique, fait campagne, allongeant son bras dans la foule pour serrer le plus de mains possible, elle papote. Assis sur les sièges réservés aux « dignitaires », dixit le maréchal de cérémonie, ils échangent quelques mots complices, en se tenant le bras. Puis, quand l'hymne national commence, Hillary oublie de le chanter avant de se raviser. On aperçoit Bill jeter un œil dans sa direction pour s'assurer qu'elle a bien la main droite sur la poitrine gauche comme il se doit.

À la fin de la cérémonie, le couple s'engouffre dans le minivan noir suivi de la voiture de leurs gardes du corps. Commentaire de Susan Katz, avocate, mère de trois enfants, qui arbore un autocollant bleu siglé H (comme Hillary) : « Cette élection est folle. Pour moi, elle est la meilleure et de loin. Mais j'aimerais me sentir plus rassurée que je ne le suis aujourd'hui. Et je préférerais qu'elle le soit aussi[1] ! »

1. Olivier O'Mahony, « Triste début d'été pour Hillary », *Paris Match*, 31 mai 2016.

La candidate est dans un mouchoir de poche avec Donald Trump : elle le devance de trois points pour NBC/*Wall Street Journal*, mais elle est derrière pour Fox News (par trois points) et pour Abc News (par deux points). Pour les Démocrates, c'est incompréhensible.

*

Le lendemain, Hillary s'envole pour la Californie. L'État, riche en délégués, lui était en principe acquis, mais Bernie a décidé d'y consacrer toutes ses forces. C'est son baroud d'honneur. Il a peut-être une chance de gagner : les sondages le placent au coude à coude, à 49 contre 51.

À Los Angeles, ses militants sont au taquet, notamment les irréductibles du mouvement « *Bernie or Bust* », qui ont juré de ne jamais voter pour Hillary, même si elle remporte le nombre de délégués suffisants. Ils se battront jusqu'à la convention démocrate de juillet et organisent la résistance depuis leur QG de West Hollywood, le *Johnny's Coffee Shop*. Ce restaurant, ouvert dans les années cinquante, est aujourd'hui fermé et classé monument historique. Aujourd'hui, il ne sert plus qu'à tourner des films. Son propriétaire l'a ouvert gracieusement aux militants de Bernie, qu'il adore.

Si Sanders gagne la Californie, cela ne lui suffira pas à remporter l'investiture car son déficit en nombre de délégués est d'ores et déjà trop élevé. Mais une victoire lui permettrait de quitter la course en beauté et de peser sur les négociations au moment de l'organisation de la convention démocrate. Pourquoi s'en priver ? Pour Hillary, en revanche, une défaite serait désastreuse en termes de crédibilité à l'élection générale. Alors elle décide de rajouter des réunions publiques à son agenda, en commençant par cibler les électeurs qui lui sont le plus fidèles, en particulier les familles de militaires.

À San Diego, où l'U.S. Navy dispose d'importantes installations, elle tient ainsi son premier meeting consacré à la sécurité nationale. Là, elle étrille Trump et donne probablement son meilleur discours de campagne. Tout le monde applaudit, même le républicain Ari Fleischer sur CNN qui la trouve « très efficace ». Ce bon début lui permet de faire mentir les sondages. Au final, il se passe en Californie la même chose qu'au Nevada : Hillary arrive dos au mur, mais elle finit par gagner, par 55,8 % contre 43,2 % pour Bernie.

Mais il y a encore plus important pour elle. La veille du vote californien, lundi 6 juin à 18 h 05, une dépêche d'*Associated Press* annonce qu'elle vient de dépasser le seuil fatidique des 2 383 délégués nécessaires pour représenter le parti démocrate à l'élection présidentielle. C'est une estimation fondée sur d'autres primaires qui se déroulent au même moment. Quand la nouvelle tombe, Hillary est en train de parler à quelques centaines de supporters dans le gymnase « Hall of Champions » d'une université de Long Beach, banlieue au sud de Los Angeles. « *Hillary, we love you !* », lance une jeune femme d'origine hispanique à la fin du meeting[1]. Mais, à l'extérieur, les militants de Bernie manifestent leur déception, et entre elle et eux, ce n'est pas une histoire d'amour. C'est désormais sur eux que repose le destin d'Hillary. Face à Trump, elle va devoir les convaincre.

1. http://www.parismatch.com/Actu/International/Hillary-Clinton-a-le-triomphe-modeste-988507

Chapitre 16

Clinton vs. Trump

28 juillet 2016 : Hillary arrache l'investiture

Quand elle quitte la scène de l'arène Wells Fargo à Philadelphie, ce jeudi 28 juillet, Hillary sait qu'elle a gagné son pari. Elle joue avec la pluie de ballons – il y en aurait plus de cent mille – qui s'est abattue sur les vingt mille spectateurs survoltés. Puis elle s'isole dans les coulisses juste derrière la scène, prend la main de son mari qui l'a rejointe, et se met à prier quand le révérend bénit la foule une dernière fois pour clôturer la convention démocrate. Elle se dirige ensuite vers une salle plus grande en contrebas, un vestiaire où, un peu plus tôt elle écoutait Chelsea s'adresser aux supporters. Là, elle retrouve son directeur de campagne John Podesta, qu'elle prend dans ses bras[1]. Elle donne un « *fist bump* » (poing-à-poing) à son très placide conseiller diplomatique Jake Sullivan. Tim Kaine, son colistier à la vice-présidence, a sorti le champagne et trinque à la santé de la candidate. Bill Clinton est assis sur un banc, seul, pensif, avec un air de petit garçon, comme si, pour lui, un rêve était en train de se réaliser. Sa femme est enfin investie par le parti pour défendre ses couleurs à l'élection présidentielle ! Belle revanche sur la défaite de 2008.

---

1. http://www.cnn.com/2016/07/29/politics/cnnphotos-behind-the-scenes-hillary-clinton-dnc/

La voilà désormais seul face à Donald Trump. Un New-Yorkais qu'elle a bien connu quand elle était sénatrice de cet État.

*

Pendant longtemps, entre les Trump et les Clinton, les relations sont au beau fixe. Le 22 janvier 2005, Bill et Hillary assistent au mariage de Donald – son troisième – avec Melania Knauss, une ancienne top model slovène. Un événement mondain qu'il ne fallait pas rater. L'hôte a beau être le plus bling-bling des États-Unis, une fête chez lui est toujours un spectacle.

Le mariage est célébré à Mar-a-Lago, la propriété délirante de Trump à Palm Beach, enclave de super-riches en Floride située à une heure et demie au nord de Miami. Classée monument historique, cette demeure de style hispano-mauresque fut construite en 1927 par une milliardaire qui la légua à l'État fédéral américain pour en faire une « Maison-Blanche » d'hiver, lieu de villégiature destiné aux présidents américains. Mais elle coûtait tellement cher en entretien que le gouvernement a préféré s'en défaire. Trump l'a rachetée en 1985 et, dix ans plus tard, l'a transformée en club privé, doté de cent dix-huit pièces, cinquante-huit chambres, douze cheminées, six cours de tennis et trois abris antiatomiques[1] (on ne sait jamais). Le lieu était donc tout désigné pour célébrer les noces du milliardaire.

Vogue, la bible du glamour, consacre quatorze pages aux préparatifs. Somptueuse en robe Dior, la mariée a droit à la couverture du magazine. Au départ, Trump voulait même que le mariage soit retransmis en direct sur NBC, la chaîne qui diffuse *The Apprentice*, l'émission de téléréalité dont il est

1. http://www.nytimes.com/1991/10/15/us/palm-beach-journal-new-for-season-to-do-at-post-estate.html

alors la star, mais Melania s'y est opposée. Elle souhaitait une fête « très élégante, mais pas *over-the-top*[1] ». La liste des invités est donc relativement modeste : moins de cinq cents personnes, dont Heidi Klum, Arnold Schwarzenegger, Chris Christie, Anna Wintour… Trump a aussi réquisitionné Billy Joel, Elton John et Paul Anka pour venir chanter. « Si quelqu'un avait fait exploser une bombe à ce mariage, une génération entière de célébrités américaines aurait été décimée[2] », affirmera plus tard Sandra Rose, dont le mari dirige l'orchestre qui joue ce soir-là.

Hillary est placée au premier rang de l'Église épiscopale de Bethesda-by-the-Sea, où on célèbre la messe. Bill, lui, se contente d'assister à la fête qui suit. Sur une photo, on les voit tout sourire, ensemble, à quatre. Trump a l'air de dire quelque chose de très amusant. Melania, de profil, éclate de rire. Hillary le regarde, presque admirative. Bill a la main posée sur l'épaule du milliardaire vêtu d'un smoking noir avec nœud papillon blanc.

Tout cela semble joyeux. Les photos peuvent être trompeuses, mais si la complicité apparente n'est que de façade, alors elle est bien jouée. On a du mal à imaginer que, onze ans plus tard, les deux couples seront à couteaux tirés. Pendant la campagne des primaires de 2016, les militants de Bernie Sanders ne se sont d'ailleurs pas privés de diffuser très largement ce cliché devenu embarrassant pour les Clinton.

*

À l'époque, les couples fréquentent les mêmes cercles new-yorkais. Le 31 mai 2012, Bill déclare sur CNN « apprécier

1. http://www.hollywoodreporter.com/features/trumps-wedding-melania-bill-hill-880088

2. *Ibid.*

Trump et jouer au golf avec lui[1] » et confie que le milliardaire s'est montré « inhabituellement sympa[2] » avec Hillary et lui, ce qu'il répétera, en utilisant exactement les mêmes termes, trois ans plus tard, le 17 juin 2015, au lendemain de l'annonce de candidature de ce dernier[3].

« Sympa », c'est-à-dire généreux. De fait, Donald a sorti son carnet de chèques. Il a donné beaucoup d'argent à la Fondation Clinton (entre 100 000 et 250 000 dollars selon le site Web de l'organisation[4]) et contribué financièrement aux campagnes sénatoriales d'Hillary, dont il pensait, dixit Bill, « qu'elle avait été une bonne élue pour New York après les attentats du 11-Septembre[5] ».

Jusqu'à l'an dernier, Trump ne tarit d'ailleurs pas d'éloges sur les Clinton. En octobre 2008, au détour d'une interview à Wolf Blitzer sur CNN, on l'entend prendre la défense de l'ancien chef de l'État à propos de la procédure pour *impeachment* qui l'a menacé suite à l'affaire Monica Lewinsky, scandale « totalement mineur[6] », estime le milliardaire, comparé à un George W. Bush ayant lancé « une guerre sanglante en Irak en mentant sur les armes de destruction massive[7] » de Saddam.

Le 28 mars 2012, Trump encense Hillary, « une femme formidable », lors d'une interview télévisée avec Greta van Susteren sur Fox News : « Je manque peut-être d'objectivité. J'habite à

1. http://transcripts.cnn.com/TRANSCRIPTS/1205/31/pmt.01.html
2. *Ibid.*
3. http://www.cc.com/video-clips/97s2ii/the-daily-show-with-jon-stewart-bill-clinton-pt–1
4. http://thehill.com/blogs/blog-briefing-room/242088-trump-gave-at-least-100k-to-clinton-foundation
5. *Ibid.*
6. https://www.youtube.com/watch?v=np7UJuqsYoo
7. *Ibid.*

New York. Elle aussi. Je la connais depuis des années, ainsi que son mari, et je les aime vraiment beaucoup. Elle travaille énormément et fait un excellent boulot. Je pense qu'elle se présentera en 2016, si sa santé le lui permet ce que j'espère[1]. » Interrogé sur le fait de savoir s'il la soutiendra, il se refuse à répondre « pour ne pas avoir de problèmes » avec ses amis républicains, mais il insiste : « C'est quelqu'un de bien. Et son mari aussi. Il vient d'ailleurs de donner un discours à Mar-a-Lago, qui a eu beaucoup de succès[2]. »

Même leurs filles s'entendent à merveille. Chelsea Clinton, trente-quatre ans, et Ivanka Trump, l'aînée du milliardaire âgée de trente-six ans, sont d'emblée devenues copines après s'être rencontrées via leurs maris respectifs. De nombreux points communs les rapprochent. Couvées par leurs parents, elles étaient déjà célèbres avant même d'être nées. Elles ont grandi entourées de gardes du corps, dans des environnements ultra-protégés, traquées par les médias. Élevées toutes deux dans la religion chrétienne, elles ont épousé un juif – seule Ivanka s'est convertie. L'une comme l'autre ont souffert du scandale public quand les frasques de leurs pères respectifs se sont retrouvées en Une des tabloïds. Elles auraient pu se rebeller ou devenir des enfants gâtées, mais elles ont étudié dans les meilleures universités du pays (Wharton School pour Ivanka, Stanford pour Chelsea), puis ont décidé de rejoindre l'empire familial, la Trump Organization pour l'une (où elle joue un rôle stratégique), et la Clinton Foundation pour l'autre. À New York, les deux jeunes femmes ont la réputation d'être brillantes, ce qui les amènera à jouer un rôle majeur dans la campagne de leurs parents.

---

1. http://www.foxnews.com/transcript/2012/03/29/trump-potential-romney-running-mate-donald-blasts-obamacare-bad-business-catastrophic-us/

2. *Ibid.*

Durant les primaires, Chelsea, réservée et cérébrale, a participé à de nombreux meetings de sa mère. Ouverte et extravertie, Ivanka s'est montrée omniprésente aux côtés de son père, soutenue par son mari, le promoteur immobilier Jared Kushner, que Trump traite comme s'il était son fils spirituel. L'hiver dernier, le jour du scrutin de la primaire du New Hampshire, Ivanka, alors enceinte – comme Chelsea à l'époque –, fait le tour de sept bureaux de vote, accompagnée de son époux. Très new-yorkaise, élégante et maquillée comme si elle sortait d'un studio de télévision, elle est parfaitement à l'aise pour poser en photo et serrer les mains par un froid glacial à l'extérieur. Juchée sur ses hauts talons plantés dans la neige, elle virevolte comme une top model (qu'elle fut) d'un électeur à l'autre, lance d'une voix forte et grave des « *Hello !* » et des « *Nice to meet you !* » en rafale, puis disparaît aussi vite dans la limousine noire à chauffeur qui l'attend, le pot d'échappement fumant. On aurait dit une tornade. Le soir, lors de son discours de victoire, son père, reconnaissant, tient à souligner la performance.

La fierté débordante de Donald parlant de sa fille n'a d'égale que celle de Bill et Hillary évoquant la leur.

Pendant longtemps, les deux amies allaient déjeuner à *ABC Kitchen*, un restaurant à la mode de Union Square à New York. Le 30 octobre 2012, l'ancienne « First Daughter » se fend d'un tweet pour souhaiter bon anniversaire à sa copine. Le 10 novembre 2014, elles posent ensemble sur le « *red carpet* » du gala « Women of the Year Awards » organisé par le magazine *Glamour* et rigolent comme deux vieilles complices sous les flashs des photographes. Dans le numéro de février 2015 du magazine *Vogue*[1], Chelsea déclare carrément

1. http://www.vogue.com/11739787/ivanka-trump-collection-the-apprentice-family/

qu'Ivanka lui « rappelle son père » à cause de son aptitude « à mettre tout le monde à l'aise autour d'elle ». Le 9 octobre 2015, interrogée par Terry Seymour de NBC sur l'état de sa relation avec l'aînée du milliardaire qui tire déjà à boulets rouges sur Hillary, Chelsea persiste et signe : « J'adore Ivanka, dit-elle. L'amitié finit toujours par triompher de la politique, et c'est comme ça que les choses doivent se passer[1]... »

Ces déclarations et marques d'affection entre les deux familles sont si publiques qu'en juillet 2015, le député républicain de Floride, Carlos Curbelo, soutien de Jeb Bush, affirme qu'il y a une « petite possibilité » que le magnat de l'immobilier soit un « candidat fantôme recruté par la gauche » pour dynamiter la droite[2].

Le 5 août 2015, le *Washington Post*[3] révèle de son côté que Bill et Donald se sont parlé au téléphone fin mai 2015, cinq semaines après l'annonce de candidature d'Hillary. C'est Clinton qui a appelé Trump, lequel avait essayé de le joindre à plusieurs reprises. Et pendant ce coup de fil, ils ont discuté politique. L'entrepreneur new-yorkais, alors sur le point de se lancer, fait part à l'ancien président de ses points de vue sur les solutions dont il pense que le pays a besoin. Bill dresse une oreille attentive quand son interlocuteur lui explique comment il a l'intention de secouer la base du parti républicain. Le milliardaire pense être en mesure de séduire une partie de

1. http://extratv.com/videos/0-of4vlvq6/

2. http://miamiherald.typepad.com/nakedpolitics/2015/07/miami-republican-congressman-posits-donald-trump-candidacy-may-be-democratic-plot.html

3. https://www.washingtonpost.com/politics/bill-clinton-called-donald-trump-ahead-of-republicans-2016-launch/2015/08/05/e2b30bb8-3ae3-11e5-b3ac-8a79bc44e5e2_story.html

l'électorat conservateur déclassé et en colère, ce que Bill saisit tout de suite. Il encourage son futur ex-ami. Trois semaines plus tard, Trump annonce sa candidature.

*

Aujourd'hui, bien sûr, les ponts sont coupés. Quand on les interroge, les Clinton et les Trump sont quasiment frappés d'amnésie, comme s'ils s'étaient à peine connus. L'entrepreneur affirme désormais que tout cela n'était que « business[1] » : en tant qu'homme d'affaires, il se devait « d'avoir des bonnes relations avec tout le monde ». En vérité, c'est surtout lui qui semblait courir après les Clinton, lesquels étaient bien contents de profiter de sa générosité et, dans le cas de Bill, de ses terrains de golf.

Le 6 août 2015, lors du premier débat organisé entre candidats républicains à la primaire, Trump lance que leur présence à son mariage s'apparentait à une convocation. « Je leur ai dit de venir, ils sont venus, ils n'avaient pas le choix, à cause de mes donations[2]... » Réponse quatre jours plus tard d'Hillary Clinton, piquée au vif : « Autrefois, je le connaissais, certes, mais pas si bien que cela. Avec Trump, tout est toujours une question de divertissement. Il est en train de passer le meilleur moment de sa vie. Il monte sur scène, raconte ce qui lui passe par la tête, amuse tout le monde... Il se trouve que j'avais l'intention d'aller en Floride et j'ai pensé que ça serait sympa d'aller à son mariage parce que c'est toujours amusant... Maintenant,

1. Interview avec Mark Halperin et John Heilemann pour leur documentaire *The Circus* diffusé sur la chaîne Showtime. Épisode 11, 27 mars 2016.

2. Déclaration au premier débat entre candidats républicains à la primaire, diffusé le 6 août 2015 sur Fox News.

qu'il se présente à la présidentielle, c'est un peu plus problématique[1]. »

Hillary vient alors de comprendre que la candidature du milliardaire n'est pas qu'un feu de paille, contrairement à ce que tout le monde pensait. Dans son entourage, la prise de conscience a lieu fin juillet, quand Trump attaque John McCain sur ses faits d'armes au Vietnam.

*

John McCain, ancien candidat malheureux contre Obama en 2008, a toujours été un peu à part au sein du parti républicain : on l'appelle le « franc-tireur » (Maverick). Mais s'il est un point qui fait l'unanimité en sa faveur, c'est l'héroïsme dont il a fait preuve pendant la guerre du Vietnam, en tant que pilote de la U.S. Navy. Alors déployé dans la jungle au nord du pays, il est fait prisonnier de guerre. Détenu pendant cinq ans et demi, dont deux à l'isolement, il est torturé à plusieurs reprises et en a gardé des séquelles à vie. À son retour, il est récompensé de multiples médailles (Silver Star, Purple Hear, etc.). L'armée, c'est sacré aux États-Unis, patrie éternellement reconnaissante à ceux qui se battent au prix de leur vie. John McCain, soixante-dix-neuf ans, est le sage qui passe en boucle sur CNN pour commenter l'actualité politique, le symbole du républicain « historique », modéré et raisonnable, mais qui ne transige pas sur les valeurs et l'a prouvé par ses actes de bravoure.

Mais ce membre éminent de *l'establishement*, élu et réélu sénateur de l'Arizona depuis près de trente ans, par ailleurs

1. Déclaration à l'issue d'une rencontre avec les électeurs au collège Exeter High School dans le New Hampshire, le 10 août 2015. http://abcnews.go.com/Politics/hillary-clinton-trumps-wedding-fun/story?id=32998621

président du comité des Forces Armées du Sénat des États-Unis, n'aime pas Trump. En juillet 2015, il traite ses supporters de « fous furieux » (« *crazies* »). Le *tycoon*, en colère, se venge à l'occasion du « sommet des familles ». Organisé à Ames dans l'Iowa par « The Family Leadership Summit », une organisation ultra-conservatrice et religieuse, cet événement est un point de passage obligé pour tous les candidats républicains. Trump est interviewé devant le public dans l'auditorium d'une université, et la conversation porte sur McCain, que le milliardaire a traité de « *loser* » (perdant), à cause de sa défaite en 2008. Quand le modérateur lui rappelle les faits d'armes du sénateur, le *tycoon* rétorque : « Ce n'est pas un héros de guerre », puis précise : « Il l'est parce qu'il a été prisonnier de guerre, mais, moi, je préfère les gens qui ne se font pas prendre. » La salle s'esclaffe. Encore une bonne blague de « The Donald ». Trump qui crucifie McCain, voilà qui n'arrive pas tous les jours. « Enfin, un candidat qui sort du politiquement correct[1] ! », nous confie Jim, à la sortie de la salle, ravi d'être venu et pas du tout choqué par la saillie du *bad boy* milliardaire contre le vieux soldat.

Quand Trump descend un étage plus bas, dans un sous-sol de l'auditorium où un espace lui a été réservé pour un point presse, le ton est beaucoup plus orageux. Une quarantaine de journalistes l'attendent afin de lui demander des explications, et l'échange tourne vite à la confrontation. Cerné par des reporters placés tout près de lui, le candidat reste droit dans ses bottes. Il faut lui reconnaître une étonnante capacité de résistance dans l'adversité. Les questions lui sont criées, et il y répond sans sourciller, avec la plus grande mauvaise foi. Il dit tout et son contraire, affirme qu'il n'a « pas dit que McCain n'était pas un héros », se pose en victime des médias, refuse de s'excuser, et renvoie dans les cordes un reporter du journal *Politico* qui lui demande ce qu'il

1. Entretien avec l'auteur, 18 juillet 2015.

faisait pendant la guerre du Vietnam. « J'ai été réformé à cause d'une excroissance osseuse au pied, répond-il. — Quel pied ? », interroge le journaliste. « Vérifiez les archives », rétorque le milliardaire, sans se démonter. Tout le monde éclate de rire.

Le lendemain, le *New York Post* titre « Don Voyage[1] », jeu de mots entre « Bon voyage » et « Don », le diminutif du prénom de Trump. La couverture le présente assis sur un radeau à la dérive et annonce qu'il « s'est grillé ». Journal de droite et populiste, fleuron du groupe Murdoch, le *Post* se trompe rarement sur les réactions de son lectorat. Ses rédacteurs en chef sont persuadés que, cette fois, Trump est allé trop loin. On n'attaque pas un héros de la guerre du Vietnam, surtout quand on n'y est pas allé soi-même.

Et pourtant le trublion continue à monter dans les sondages. Interrogé par toutes les chaînes sur ce que tout le monde qualifie de dérapage, il en rajoute, et le public semble approuver cette constance dans l'imprévisibilité de la part d'un candidat qui parle sans langue de bois, dit ce qu'il pense, n'a pas peur de déplaire ni de froisser.

Plus que sa déclaration contre les Mexicains sans papiers qualifiés de violeurs et dealers de drogue, cette sortie est une véritable transgression qui passe comme une lettre à la poste, et Trump, à ce moment-là, prend tous les analystes comme ses rivaux à contre-pied. C'est alors que les stratèges d'Hillary se rendent compte que, peut-être, il peut gagner l'investiture républicaine contre les seize candidats en lice.

« Un simple mortel n'aurait pas pu survivre[2] », résume John Podesta, le patron de la campagne d'Hillary.

1. http://nypost.com/cover/covers-for-july-19-2015/

2. Interview avec John Heilemann, Mark Halerpin et Mark McKinnon , documentaire *The Circus*, épisode 11, Showtime, 27 mars 2016.

*

« The Donald » a toujours eu une façon très particulière – et personnelle – de mener ses affaires. Bernard Goupy, qui fut chef à Mar-a-Lago pendant six mois en 2000, peut en témoigner. Un jour, il voit son patron débarquer en cuisine, furieux qu'un client se soit plaint auprès de lui d'une salade César au poulet. Le *tycoon* prend une tranche de concombre, une poignée de salade romaine et des tomates coupées en morceaux et lâche : « Voilà, c'est comme ça qu'on fait une salade César chez moi ! » Goupy, le souffle coupé, rétorque : « Je ne savais pas que vous étiez le nouveau cuisinier ici ! » Le lendemain, il apprend qu'il est viré. Il s'est ensuite recasé chez Céline Dion, que cette histoire a beaucoup fait rire. « Allez, tu nous fais la salade Trump ce soir[1] », lui disait-elle quand elle avait envie d'en manger une. Bernard Goupy en veut beaucoup à Trump : « Il ne m'a pas payé, j'ai essayé de le poursuivre en justice, mais j'ai perdu mon temps. Il a ensuite tenté de me casser quand il a su que je travaillais avec Céline. Je me souviens qu'il était capable de se mettre en colère pour un rien, et je l'ai vu s'énerver en public contre certains collègues. J'espère vraiment qu'il ne sera jamais élu président des États-Unis. »

Le célèbre restaurateur français Jean-Georges Vongerichten a eu plus de chance. Il possède dix restaurants à New York dont le 3 étoiles Michelin qui porte son prénom, à Columbus Circle face à Central Park, dans une des tours du milliardaire. C'est avec Trump en direct qu'il négocie son loyer. « La première fois que je l'ai rencontré, raconte-t-il, c'était il y a dix-neuf ans, dans son bureau de la Trump Tower. Nous étions cinq ou six chefs intéressés par l'espace. Il fallait absolument être à l'heure au rendez-vous, je me souviens que sa secrétaire m'a appelé à

1. Entretien avec Bernard Goupy, 18 juillet 2016.

plusieurs reprises dès 7 heures du matin pour s'assurer que j'y serais. Quand je suis arrivé face à lui, il m'a demandé sans préambule : "Pourquoi voulez-vous vous installer dans mon immeuble ?" Je lui ai détaillé mon projet. Silence radio pendant trois mois, puis un jour, il me rappelle et me dit : "Passez à mon bureau." Le bail était prêt. "C'est pour vous", me lance-t-il. On a négocié deux ou trois points de détails, et c'était signé. Depuis, dès que je le revois, il me reparle toujours du loyer qu'il sait par cœur. Il connaît tous les chiffres, c'est incroyable. À chaque fois, il me demande : "Es-tu content chez moi ?" puis ajoute : "Tu as bien fait de signer chez moi, c'est le meilleur deal de la ville." C'est toujours centré sur lui. Récemment, il nous a proposé un espace à Chicago dans son immeuble, mais quand on a refusé, il était irrité : "Comment peux-tu me dire non ?" C'est un affectif, gentil avec son personnel et son chauffeur, très fidèle en affaires. On a récemment résigné pour quinze ans et c'est lui en direct qui m'a appelé. Il a augmenté mon loyer de 5 %, ce qui n'est pas excessif, mais m'a dit : "Quand je viens dîner chez toi, je ne veux plus payer." Tout est matière à négociation, il y a toujours une contrepartie. Vu qu'il vient une fois tous les trois mois, c'était raisonnable[1]. »

Lorsque le milliardaire débarque chez Jean-Georges, le rituel est immuable. Il arrive à 19 h 30 ou 20 heures, avec trois personnes (jamais les mêmes), s'installe à la table d'angle numéro 20, face à la salle pour que tout le monde le voit, reste une heure, pas plus, choisit à la carte des coquilles Saint-Jacques ou une soupe en entrée, puis une côte d'agneau ou un steak en plat de résistance, toujours très bien cuit, le tout sans alcool ni dessert ni café. Jean-Georges s'avoue « très surpris » qu'il se soit lancé en politique, parce que, après tout, Trump « avait déjà tout New York à ses pieds ».

1. Entretien avec l'auteur, 4 avril 2016, New York.

*

Mais le concurrent d'Hillary a toujours rêvé de devenir président. Le 2 septembre 1987, celui qui n'est alors que promoteur immobilier s'offre une pleine page de publicité dans les principaux quotidiens du pays pour faire part de ses idées en matière de… politique étrangère et de défense. C'est une « lettre ouverte au peuple américain[1] » dans laquelle on retrouve exactement les mêmes thèmes que ceux qui seront au cœur de sa campagne, près de trente ans plus tard.

« Depuis des décennies, écrit-il, le Japon et d'autres nations profitent des États-Unis. Et la saga continue maintenant que nous défendons le Golfe persique, une zone d'importance minimale pour nos approvisionnements en pétrole, mais vitale pour de nombreux pays […]. Il faut faire payer le Japon, l'Arabie saoudite et d'autres pour la protection que nous leur offrons […]. Notre grande nation est devenue la risée du monde entier, faisons en sorte que cela s'arrête. »

En 2016, la cible a changé : le Japon a été remplacé par la Chine, qui, selon Trump aujourd'hui, s'enrichit sur le dos des Américains. Mais la rhétorique est identique.

En 1999, Trump franchit un pas supplémentaire vers la Maison-Blanche en rejoignant le « parti de la Réforme », créé par Ross Perot, un autre milliardaire haut en couleur qui se présenta en 1992 contre George W. Bush et Bill Clinton. Le 8 octobre, il annonce à Larry King sur CNN[2] qu'il vient de créer un « comité exploratoire » en vue d'une candidature à

1. https://www.buzzfeed.com/ilanbenmeir/that-time-trump-spent-nearly-100000-on-an-ad-criticizing-us?utm_term=.erw89eKAa#.fpnglD7w5

2. http://www.cnn.com/ALLPOLITICS/stories/1999/10/08/trump.transcript/

l'élection présidentielle de 2000. Il dit rêver avoir Oprah Winfrey comme colistière à la vice-présidence. Déjà, il a une idée très précise du profil de ses électeurs. « Ce sont les vraies gens », qui lisent le *National Enquirer*, l'un des plus redoutés – et des plus « trash » – tabloïds des États-Unis[1]. « Je pense que ceux qui me soutiennent sont ouvriers, chauffeurs de taxi, ou employés du bâtiment. Les riches ne m'aiment pas[2] », déclare-t-il à l'époque. Mais l'expérience tourne court, il renonce.

Puis il se lance dans la téléréalité avec l'émission *The Apprentice*, qui fait de lui une star populaire. Un statut qui va devenir un atout électoral de poids. Le programme marche très bien, les fans adorent son personnage, ils ont l'impression de le connaître, et quand les premières critiques de racisme surgissent au début de la campagne de 2016, ils n'y croient pas parce qu'ils se sont déjà fait une opinion du bonhomme. « Il est un peu fou, OK, mais raciste ? Ce n'est pas le Donald que j'ai vu à la télé pendant dix ans tous les soirs[3] », nous assure Gabe, un supporter d'origine cubaine, qui ne se dit « pas choqué » par les tirades du milliardaire contre les Mexicains.

Début 2011, Trump annonce à nouveau songer à se présenter à la présidentielle de 2012 contre Barack Obama, dont il questionne la légitimité. Un débat surréaliste fait alors rage aux États-Unis : certains se demandent si le chef de l'État est bien

---

1. Adam Nagourney « President ? Why not ? Says a man at the top », *The New York Times*, 25 septembre 1999.

2. Interview avec Chris Matthews, présentateur de l'émission *Hardball* sur MSNBC, 18 novembre 1999.

3. Interview avec l'auteur à un meeting de Donald Trump à Las Vegas, 23 février 2016.

né en Amérique. Si ce n'est pas le cas, ce serait une violation de la Constitution, qui stipule que seul un citoyen né aux États-Unis a le droit d'accéder à la fonction suprême. Trump devient l'un des plus bruyants porte-parole de ce mouvement qui croit avoir trouvé un bon prétexte pour déloger Obama de la Maison-Blanche. Pour couper court à cette polémique aux relents racistes, le président rend public son certificat de naissance, qui indique que Barack Hussein Obama est bien né le 4 août 1961 à Honolulu, Hawaï, territoire américain. Puis, fin avril 2011, à l'occasion du gala annuel des correspondants de presse à la Maison-Blanche, dans son discours, il étrille Trump en sa présence.

Certains témoins affirment que le milliardaire le vit très mal et que ce serait ce soir-là qu'il aurait voulu prendre sa vengeance en lançant sa candidature[1]. Une version contredite par d'autres, comme Roxanne Roberts du *Washington Post*[2] qui était assise à ses côtés, et pense au contraire que les railleries ont glissé sur lui.

Quoi qu'il en soit, Trump est d'ores et déjà un personnage politique qui compte. Il intervient souvent sur Fox News, la très conservatrice chaîne tout info de Rupert Murdoch. Il veut avoir son mot à dire dans la campagne pour l'investiture républicaine et soutient Mitt Romney, qui le déteste, mais accepte son aide en songeant qu'il vaut mieux l'avoir avec lui que contre lui[3]. En janvier 2012, entouré d'une nuée de caméras,

1. Maggie Haberman et Alexander Burns, *The New York Times*, http://www.nytimes.com/2016/03/13/us/politics/donald-trump-campaign.html?_r=1 ; Adam Gopnik, « A night to remember », *The New Yorker*. http://www.newyorker.com/news/daily-comment/trump-and-obama-a-night-to-remember

2. https://www.washingtonpost.com/lifestyle/style/i-sat-next-to-donald-trump-at-the-infamous-2011-white-house-correspondents-dinner/2016/04/27/5cf46b74-0bea-11e6-8ab8-9ad050f76d7d_story.html

3. http://www.nytimes.com/2016/03/13/us/politics/donald-trump-campaign.html

dans une cohue indescriptible, Trump reçoit donc le futur candidat républicain chez lui, dans son hôtel casino de Las Vegas.

Le 5 novembre 2012, Obama est réélu et le milliardaire passe à l'action : deux semaines plus tard, il fait breveter son slogan « *Make America Great Again*[1] » (« Retrouver la Grandeur de l'Amérique »), copie presque conforme de celui de Ronald Reagan (« *Let's Make America Great Again* ») qui marche toujours très bien dans les réunions publiques.

En 2014, quelques élus républicains de New York lui font la danse du ventre pour qu'il se présente au poste de gouverneur de l'État de New York. Il refuse, arguant sur Twitter qu'il voit « beaucoup plus loin ». Et délègue alors une partie de la gestion opérationnelle de son empire immobilier à ses enfants, en particulier à Ivanka. Personne ne sait qu'il peaufine la proposition phare de sa campagne d'aujourd'hui : le fameux mur, destiné à empêcher les « violeurs » et les « dealers de drogues » mexicains d'immigrer illégalement aux États-Unis. « Une idée simple, efficace, conçue comme le trait d'union entre son métier de promoteur immobilier et ses positions radicales sur l'immigration », explique Sam Nunberg, un consultant républicain qui l'a conseillé entre 2013 et février 2015[2].

*

Quand Trump annonce sa candidature, tout le monde pense que c'est un énième coup de pub. « Arrêtons de prétendre :

1. http://www.dailymail.co.uk/news/article-3077773/Trump-trademarked-slogan-Make-America-Great-just-DAYS-2012-election-says-Ted-Cruz-agreed-not-use-Scott-Walker-booms-TWICE-speech.html

2. http://www.wsj.com/articles/donald-trumps-presidential-run-was-long-in-the-making-1456964836

Trump n'est pas candidat à la présidence des États-Unis[1] », titre le *New York Post*, d'habitude mieux inspiré.

En réalité, parti à 3 % dans les sondages, le trublion trouve très vite son créneau parmi les dix-sept candidats. Comment ? En parvenant mieux que ses rivaux à capter la révolte de l'Amérique profonde « anti-*establishment* », comme il l'avait expliqué à Bill Clinton lors de leur coup de fil de fin mai 2015.

Le témoignage de Iaon Pavel est édifiant. « Je le prenais pour un charlot autrefois, quand il voulait prouver qu'Obama n'était pas né en Amérique, mais j'ai changé d'avis[2] », dit-il. Iaon, soixante-sept ans, fait partie de ces laissés-pour-compte de la reprise économique. Né en Roumanie, il a fui le communisme voici quarante ans pour s'installer aux États-Unis où il a créé sa petite entreprise de bâtiment. « Quand je suis arrivé ici, tout était abordable. Aujourd'hui, l'eau courante, le logement, l'éducation sont devenus hors de prix, comme le reste », se plaint-il. Iaon a été victime d'une crise cardiaque voilà quelques années, qui l'a contraint de vendre sa société et sa maison pour couvrir ses frais médicaux. Il est devenu chauffeur de taxi et loue un petit appartement dont le loyer (900 dollars mensuels) est presque équivalent à sa retraite de 1 000 dollars par mois. Il y vit avec Maria, sa femme, ancienne hôtesse de l'air de la compagnie aérienne Tarom, qui, à soixante-huit ans, a trouvé un boulot dans une entreprise de nettoyage.

L'an dernier, il a décidé de prendre sa carte d'électeur pour la première fois de sa vie. Il fait partie de ces millions de personnes qui font monter le taux de participation aux primaires républicaines et qui voteront Trump en novembre 2016. « Il nous faut un fou furieux comme lui,

---

1. http://nypost.com/2015/05/30/stop-pretending-donald-trump-is-not-running-for-president/

2. Entretien avec l'auteur à Chicago, 12 mars 2016.

assène-t-il. On nous dit que la croissance est repartie, mais de quoi parle-t-on ? Nos jobs sont en Chine ou au Mexique. Je n'en peux plus de ces Démocrates qui font couler le pays. »

Iaon aime le style du *tycoon*. « Il n'a rien à perdre, ni à gagner. C'est un entrepreneur responsable de ses échecs comme de ses succès. Il parle comme tout le monde. Sans prompteur ni notes, pas comme Hillary Clinton. »

*

Au début, Trump fait campagne à mi-temps seulement, en utilisant son Boeing 757 privé, entouré d'une toute petite équipe de conseillers, dont la plupart n'ont aucune expérience politique, comme sa porte-parole Hope Hicks, ex-top model de vingt-six ans. Il n'écrit pas ses discours à l'avance, arrive avec quelques éléments de langage qu'il martèle en les pimentant de provocations qui vont faire les gros titres et éclipser ses rivaux. Pas besoin d'en faire plus. C'est un showman.

Reagan, son président préféré, avait fait entrer Hollywood dans la politique. Lui, c'est la téléréalité. Les temps ont changé. Les méthodes de communication aussi. Grâce à son statut de star, Trump totalise 22 millions de followers sur Twitter, Facebook et Instagram[1]. « Pour mes rivaux, le seul moyen de faire passer leur message est de dépenser un million de dollars en publicité télévisée. Moi, je n'ai qu'à faire "bing bing bing" sur mon téléphone, et c'est tout[2]. »

*

1. À mi-juillet 2016.

2. Interview avec Mark McKinnon, *The Circus*, épisode 5, 14 février 2015, sur Showtime.

L'été 2015, le Boeing de Trump se pose souvent sur le tarmac de l'aéroport de Des Moines, dans l'Iowa. Michael, agent de sécurité, est invité à monter à bord, prendre des photos et selfies de l'intérieur. « La seule chose qu'on nous a demandée, c'est de ne pas photographier sa chambre[1]… », nous dit-il. « The Donald » sait se montrer proche de l'électeur.

Vendredi 17 juillet, à Hot Springs, dans l'Arkansas, il parle sans prompteur pendant quarante minutes devant des militants un peu guindés du parti républicain à l'occasion d'un grand dîner en son honneur. Il attaque sur l'accord nucléaire « dégoûtant » signé par Barack Obama avec l'Iran. « Ce qu'il fallait faire, c'est doubler ou tripler les sanctions financières jusqu'à ce que les dirigeants iraniens craquent, puis leur imposer nos conditions », lâche-t-il, s'attirant des « hourras » enthousiastes. Puis il évoque une fusillade récente qui s'est soldée par cinq morts, tous militaires, à Chattanooga (Tennessee), dans un centre de recrutement où les armes sont prohibées. « Si les victimes avaient été armées, elles auraient pu se défendre. Il faut supprimer ce genre de zone où le port d'arme est interdit », lance-t-il. Très fier d'avoir accusé le gouvernement mexicain « de se débarrasser de ses criminels et violeurs en les poussant à entrer illégalement aux États-Unis », il persiste et signe : « La frontière est une passoire. Si je n'avais pas évoqué cette vérité, personne n'en parlerait. D'ailleurs, dans un dernier sondage réalisé au Nevada, je suis à plus de 30 % d'opinions favorables chez les Latinos, c'est la preuve que j'ai raison. »

Tout le monde en prend pour son grade. Les patrons de la chaîne de télévision NBC et des grands magasins *Macy's*, qui ont résilié leur contrat avec lui suite à ses propos sur les Mexicains, sont des « pleutres ». Hillary Clinton est « la plus mauvaise secrétaire d'État de l'histoire des États-Unis » et son rival

1. Entretien avec l'auteur à Des Moines, Iowa, 18 juillet 2016.

Jeb Bush, « un mou sans énergie ». Arianna Huffington, la fondatrice du *Huffington Post*, de tendance centre-gauche, « a fait beaucoup de mal autour d'elle, en particulier à son ex-mari ». Les lobbyistes et donateurs des partis « manipulent les élections ». Etc. « Moi, j'ai une fortune de dix milliards, je paie ma campagne, sans dépendre de personne », lance-t-il sous les applaudissements.

Personne ne prend encore au sérieux ses chances de succès à la présidentielle, mais qu'il soit devant un public en costard cravate et robe de soirée, ou face à des ouvriers et des agriculteurs, il fait un tabac[1]…

*

Trump commence à s'investir à 100 % dans la campagne à partir du premier débat entre candidats républicains sur Fox News le 6 août 2015, regardé par 24 millions de personnes[2], un record absolu d'audience, dû essentiellement à sa présence. Il confiera plus tard que c'est ce jour-là qu'il a commencé à « se sentir à l'aise avec le sujet et [ses] rivaux[3] ». Pendant toutes les primaires, il mène la danse, dicte les thèmes qui vont dominer l'actualité, oblige ses adversaires à se positionner par rapport à lui, ce qui le place au centre du jeu. Dès qu'il a un coup de mou dans les sondages, il balance une provocation – contre les Mexicains, les musulmans, les femmes, ses rivaux – et ça repart. Rien ne l'arrête.

Ses discours deviennent de plus en plus menaçants, les manifestants s'infiltrent à ses meetings, et sont renvoyés *manu*

1. http://www.parismatch.com/Actu/International/En-campagne-avec-Donald-Trump-802608

2. http://money.cnn.com/2015/08/07/media/gop-debate-fox-news-ratings/

3. https://www.youtube.com/watch?v=mYcElwROKc0

militari. À Las Vegas, le 23 février 2016, il monte la foule contre l'un d'entre eux en lâchant : « Autrefois, ce genre de bonhomme, on l'aurait sorti sur un brancard », comme au bon vieux temps du Far West. À Radford en Virginie, un photographe de renom, Chris Morris, qui le suit pour *Time*, se fait carrément tabasser par un membre un peu trop zélé du Secret Service. Les journalistes sont systématiquement pris pour cible et sélectionnés au compte-gouttes. Ceux qui se voient refuser leur accréditation n'ont pas intérêt à s'immiscer dans la foule de supporters : s'ils sont repérés par le staff du candidat, ils peuvent se faire virer. Trump défie les lois de la politique.

Par ailleurs, tous les coups sont permis contre les Clinton. Le 23 mai 2016, il diffuse un spot télévisé où il traite l'ancien président de délinquant sexuel. Le lendemain, il évoque la mort « très louche » de Vince Foster, l'ami et collègue d'Hillary dans les années quatre-vingt, en Arkansas. Le milliardaire semble décidé à exhumer tous les scandales des années quatre-vingt-dix. On le voit s'afficher à déjeuner à Indianapolis avec le journaliste Ed Klein[1], auteur de plusieurs ouvrages à charge et très contestés envers les Clinton. Trump est également un ami de longue date du consultant politique Roger Stone, qui a publié en 2015 un livre du même tonneau[2].

*

1. https://www.washingtonpost.com/news/post-politics/wp/2016/05/02/trump-looking-to-general-election-lunches-with-author-of-anti-clinton-books/

2. Roger Stone, avec Robert Morrow, *The Clintons' War on Women*, Skyhorse Publishing, 2015.

Comment réagir face à un candidat pareil ?

Dans le clan Clinton, la réponse fait d'abord débat. Aucun des candidats républicains n'est parvenu à répondre à cette question, et Trump les a balayés. Hillary réalise tout de suite que « le piège, c'est de se laisser entraîner dans son propre jeu[1] ».

Fin décembre 2015, Hillary accuse Trump de sexisme dans une interview[2]. Il rétorque le 6 janvier par un spot télévisé, qui évoque les scandales sexuels de Bill, et fait l'amalgame avec l'acteur populaire Bill Crosby, longtemps supporter des Clinton, aujourd'hui visé par de multiples plaintes pour viols. Trump semble très content de cette contre-attaque au vitriol, qui, répète-t-il à longueur de meetings, a fait « passer un très mauvais week-end[3] » aux Clinton. Depuis, ces derniers ont compris la leçon : dès qu'ils sont personnellement attaqués, Hillary et Bill opposent un mutisme absolu.

Mais c'est compliqué de gérer un roi du buzz comme Trump. En février 2016, après les victoires du *tycoon* dans le New Hampshire, au Nevada et en Caroline du Sud, l'entourage d'Hillary s'interroge[4]. Les optimistes tablent sur un naufrage du candidat républicain à cause de ses insultes contre les femmes et les latinos, deux composantes majeures du corps électoral. Mais ils sont vite contredits par les réalistes, dont fait partie Bill Clinton. Le talent de Trump à capter l'air du temps

1. http://nymag.com/daily/intelligencer/2016/05/hillary-clinton-candidacy.html

2. http://www.desmoinesregister.com/story/news/elections/presidential/candidates/2015/12/22/clinton-says-trumps-vulgarity-doesnt-shock-her/77789692/

3. http://nymag.com/daily/intelligencer/2016/05/hillary-clinton-candidacy.html

4. http://www.nytimes.com/2016/03/01/us/politics/hillary-clinton-donald-trump-general-election.html

et l'humeur de l'électorat l'impressionne. Il y voit un vrai danger, auquel il faut riposter brutalement, mais en se concentrant sur des sujets qui comptent pour les électeurs, non sur les attaques personnelles.

Courant juin 2015, la stratégie fonctionne. Hillary s'envole dans les sondages. Et la naissance, le 18, du petit Aidan, le second enfant de Chelsea, vient couronner le tout. Les photos de la famille Clinton heureuse et réunie autour du nouveau-né remplissent les pages des journaux et sites web. Heureuse pause qui vient à point dans la bataille, mais l'embellie ne dure pas, car elle est rattrapée par l'affaire des e-mails.

5 juillet 2016. James Comey, le patron du FBI, rend publique sa recommandation d'abandonner les poursuites pénales contre elle dans l'affaire des e-mails. Bonne nouvelle *a priori* : il n'y aura donc pas de mise en examen. Sauf qu'il assortit sa décision d'attendus si sévères pour la candidate qu'elle ne peut que baisser dans les sondages. Et ce, d'autant plus que l'annonce a été précédée d'une grosse gaffe de Bill, probablement la plus désastreuse depuis le début de la campagne : sur le tarmac de l'aéroport de Phoenix, où il est de passage, il s'invite pendant une vingtaine de minutes dans l'avion de Loretta Lynch, la ministre de la Justice, qui vient tout juste d'atterrir. Cette dernière supervisant l'enquête du FBI sur les e-mails, la rencontre impromptue est sensible. Elle n'aurait sans doute jamais été connue du grand public si Christopher Sign, un journaliste local de la chaîne ABC15, ne l'avait révélée, alerté par une de ses sources. Nul ne sait ce qu'ils se sont dit. L'un comme l'autre affirment n'avoir parlé que de sujets privés (golf, petits-enfants), mais le doute persiste. Pour nombre d'électeurs, c'est une preuve supplémentaire que, décidément, les Clinton se sentent au-dessus des lois. Et l'écart entre Hillary et Trump se resserre instantanément.

Elle qui avait eu le vent en poupe pendant tout le mois de juin, la voilà au coude à coude avec son rival mi-juillet.

Mais, heureusement pour Hillary, les trois premiers jours de la convention républicaine, qui se tient du 17 au 21 juillet 2016 à Cleveland (Ohio), sont un désastre. Melania Trump se ridiculise en prononçant un discours qui plaît beaucoup dans un premier temps, avant qu'on ne s'aperçoive qu'il a été partiellement « inspiré » de celui de Michelle Obama en 2008. Elle parle de « respect de l'autre », d' « intégrité », de « compassion », de « la parole » qui « vous engage », autant de thèmes que l'actuelle First Lady avait évoqués il y a huit ans, en utilisant exactement les mêmes formules. Le surlendemain, la malchance continue : quand Éric Trump, un de ses fils, prend la parole pour louer son « héros » et son « meilleur ami », les écrans géants de la scène deviennent noirs, victimes d'une panne d'électricité. Un comble pour le showman Trump. Pis, l'avant-dernier jour de la convention, le rival Ted Cruz monte sur scène pour... ne pas soutenir le candidat officiellement investi par le parti. Cette initiative, inédite dans l'histoire récente des conventions américaines est à double tranchant : elle prouve que le *tycoon* n'a pas tout le parti derrière lui, ce qui constitue un lourd handicap pour gagner l'élection générale. Mais elle est aussi perçue comme une « mauvaise manière » qui fait l'unanimité contre elle.

Furieux, les Républicains semblent se rallier à Trump, qui, le lendemain, prononce un spectaculaire discours d'investiture. Plus d'une heure durant, il dresse un portrait très sombre de l'Amérique d'aujourd'hui, et se présente comme le candidat de la loi et de l'ordre, avec des formules-chocs du genre : « Moi seul peux résoudre la situation. » Le public adore. À l'issue de l'allocution, ses conseillers sont visiblement ravis de sa prestation. « C'était vivifiant, Trump est le seul capable de sauver le pays[1] », estime son ami Roger Stone, qui a reconnu dans le discours quelques passages de son cru. Dans les jours qui suivent, Donald Trump devance sa rivale d'un petit point dans les sondages[2].

Lorsque la convention démocrate s'ouvre à l'arène Wells Fargo de Philadelphie, le 25 juillet, Hillary est dos au mur. Le premier jour est difficile pour elle, car les supporters irréductibles de Bernie Sanders se font entendre plus fort que prévu. La diffusion sur internet d'e-mails échangés par des cadres du parti démocrate, qui semblent favoriser en coulisses Hillary contre son adversaire, a mis le feu aux poudres. Mais très vite, ses militants sont mis en minorité.

La foule est nombreuse à Philadelphie, plus qu'à Cleveland. Les pro-Hillary sont venus en grand nombre. Michelle Obama délivre un discours très émouvant qui fait l'unanimité. « Tous les jours, je me lève dans une maison construite par des esclaves et je regarde mes filles en train de jouer avec leurs chiens sur la pelouse. Grâce à Hillary Clinton, elles prennent aujourd'hui pour acquis le fait qu'une femme peut devenir président des États-Unis. » Ce rapprochement entre la cause des Noirs et des femmes suscite l'enthousiasme.

Jour après jour, les orateurs se succèdent à la tribune et gagnent la bataille des audiences télévisées. Mardi 26 juillet (deuxième journée de la convention), 28 millions de téléspectateurs regardent Bill Clinton contre 21,1 millions pour Don Trump Jr., le fils aîné du *tycoon*, la semaine précédente. Mercredi 27, ils sont 27,3 millions à regarder Tim Kaine (le « vice-président » d'Hillary), Joe Biden et Barack Obama contre 24,7 millions le même soir, sept jours plus tôt, à la convention

1. Entretien avec l'auteur à Cleveland, 21 juillet 2016.
2. +1,1 % le 27 juillet 2016, selon la moyenne des sondages calculée par le site RealClearPolitics.

républicaine. Après le discours du président, Hillary surgit par surprise et tombe dans ses bras sous les applaudissement enthousiastes. Commentaire de Betsy Ebeling, l'amie d'enfance de la candidate : « Voilà un beau sourire. Elle est en forme, très heureuse, ça se voit[1]. »

Pour la dernière soirée, Hillary se fait battre sur le fil à l'Audimat par Trump (elle attire 33,7 millions de téléspectateurs contre 34,9 millions pour son rival), mais ce n'est pas très surprenant. Elle n'a jamais été une grande oratrice. Une heure durant, elle décrit une Amérique « optimiste » et « fière ». Elle remercie tout le monde : Bill, qualifié de « pédagogue en chef » (« *Explainer-in-chief* »), Barack Obama, dont l'action pour le redressement du pays est « insuffisamment reconnue » selon elle, et Bernie Sanders avec qui elle « se réjouit de travailler » afin de « rendre l'université gratuite pour les classes moyennes ». Cette dernière mesure, si elle est appliquée, sera une véritable révolution aux États-Unis, et témoigne d'un positionnement politique plus à gauche de la candidate, qui a commencé sa campagne sur un message centriste un an et demi plus tôt. Elle promet ainsi de « rendre le pouvoir aux gens », et de « faire payer les riches » car « c'est là que se trouve l'argent », une expression qui semble tout droit sortie d'un meeting de Bernie.

« Son discours était bien, sans plus[2] », analyse Mark McKinnon, expert politique et co-présentateur du documentaire politique *The Circus* qui raconte les coulisses de la campagne. « C'était de la prose, pas de la poésie. Elle a coché les cases, mais c'est probablement suffisant. » La convention démocrate, poursuit-il, « était très réussie, remarquablement menée et cohérente. Les tribus du parti se sont ralliées à Hillary, contrairement à Trump qui n'a pas obtenu le soutien du

1. Entretien avec l'auteur, 8 juillet 2016.
2. Entretien avec l'auteur, 28 juillet 2016.

conservateur Ted Cruz ». Son pronostic : un rebond de « cinq points » pour la candidate dans les sondages, qui va se concrétiser dans les jours qui suivent. Face à son adversaire, Hillary a sorti l'artillerie lourde, avec succès, mais tout peut encore basculer, notamment au moment des débats télévisés, car, estime notre expert, « se battre contre Donald Trump, c'est déstabilisant : c'est comme si un rugbyman avait face à lui un joueur de foot. Il ne joue pas avec les mêmes règles. »

Épilogue

C'est quitte ou double. Si Hillary ne s'était pas présentée, elle aurait pu terminer sa carrière sur son passage à la tête du département d'État, devenir une sorte de Kissinger des temps modernes délivrant ses oracles sur la marche du monde. Bill aurait pu continuer le travail entrepris avec sa fondation humanitaire. Les deux se seraient considérablement enrichis. Entre leur départ de la Maison-Blanche en 2001 et l'annonce de candidature d'Hillary le 12 avril 2015, n'ont-ils pas déjà empoché 153 millions de dollars, selon les médias américains[1] ? Mais elle a choisi de replonger dans la bataille. À soixante-sept ans.

Hillary a longtemps joué les conseillères de l'ombre, la fonction qui, sans doute, lui allait le mieux. Elle a toujours assumé le fait qu'elle n'avait pas le charisme de son mari. La répartition des rôles entre les deux était optimale. Elle savait aussi que le fait d'être une femme constituait un handicap. On commente ses tenues, sa coiffure, sa voix nasillarde dès qu'elle monte le ton à la tribune, autant de critiques

1. http://www.cnn.com/2016/02/05/politics/hillary-clinton-bill-clinton-paid-speeches/

épargnées aux hommes politiques[1]. En se présentant une seconde fois à la présidence des États-Unis, elle a donc pris tous les risques.

*

Que va-t-il se passer le soir du 8 novembre 2016, quand les résultats tomberont ?

Si Hillary perd, l'humiliation sera totale. En 2008, les portes de la Maison-Blanche lui semblaient grandes ouvertes, mais Barack Obama lui a barré la route. Se faire battre par Donald Trump n'a évidemment pas la même signification. Le milliardaire est seul contre tous ; le parti républicain n'est même pas unifié derrière lui ! Hillary, elle, a bénéficié d'une union sacrée sur sa candidature contre le milliardaire populiste. Son ex-rival Bernie Sanders a été d'un fair-play exemplaire : même s'il a tardé à apporter son soutien (le 12 juillet, une semaine avant le début de la convention), il s'est rallié sans condition, non sans avoir négocié et réussi à « gauchiser » le programme de la candidate. Pendant la convention démocrate, il a en outre su calmer ses troupes les plus rétives, les tenants du mouvement « *Bernie or Bust* » (Bernie ou rien), en leur envoyant des textos où il demandait « comme une faveur personnelle » d'éviter les sifflets. Michelle et Barack Obama ont jeté tout leur poids dans la bataille, sachant trouver les mots justes, délivrant des discours qui, l'un comme l'autre, ont été considérés comme les meilleurs de la convention – et

1. Donald Trump est lui aussi souvent ridiculisé à cause de ses cheveux ondulants et oranges mais contrairement à Hillary, il en a fait un efficace argument de campagne. Lors d'un meeting à Greenville, Caroline du Sud, le 27 août 2015, il a invité une supportrice à monter sur scène pour vérifier par elle-même que sa chevelure n'est pas une perruque et que, par conséquent, les médias « racontent décidément n'importe quoi »... Gros succès dans la salle.

salués par Donald Trump en personne ! Même Joe Biden, qui voulait se présenter, a su enflammer la salle pour celle qui aurait pu être son adversaire.

Hillary, d'une certaine manière, a donc lancé la grosse cavalerie contre le *tycoon* et ses millions d'admirateurs sur les réseaux sociaux. Une défaite l'enverrait à la retraite. Ce serait alors à Chelsea, qui se dit tentée par un poste électif, de reprendre le flambeau.

Si Hillary gagne, elle entrera dans l'histoire, comme Barack Obama huit ans plus tôt. Après le premier Afro-Américain, elle serait la première femme à entrer dans la Maison-Blanche. Et Bill, le premier First Gentleman à s'installer dans l'aile est, dévolue aux First Ladies, même si son entourage doute qu'il y passe beaucoup de temps. Le problème, pour Hillary, sera en fait de le tenir occupé. Ses erreurs les plus colossales n'ont-elles pas été commises quand il s'ennuyait ferme ? Comme, en 1995, quand il entama une liaison avec cette jeune stagiaire appelée Monica Lewinsky alors que le gouvernement était en cessation temporaire de paiement (« *shutdown* ») et lui-même marginalisé par les Républicains devenus majoritaires au Congrès ?

Avec sa femme à la Maison-Blanche, il devra abandonner ses fonctions à la tête de la Fondation. Il n'aura évidemment plus la possibilité de donner des conférences grassement rémunérées. Hillary a par ailleurs rejeté l'idée d'une coprésidence : il ne pourra donc avoir de fonction officielle au sein de la nouvelle Administration Clinton. Quand, en mai dernier, elle a suggéré de le « sortir de sa retraite » pour lui confier une mission spéciale sur l'emploi afin de « revitaliser l'économie », comme lui-même, en 1993, l'avait chargée de mettre en place une sécurité sociale aux États-Unis, elle a suscité une levée de boucliers : impossible de revenir en arrière. Certains évoquent un rôle d'envoyé spécial au Moyen-Orient, où il compte de nombreux amis et supporters, dans les deux camps. D'autres, une « *task force* » chargée de la lutte contre le virus HIV, la pauvreté ou le changement climatique. Les paris sont ouverts.

Seule certitude, ce n'est pas lui qui se chargera de la porcelaine de Chine ou de la décoration florale à la Maison-Blanche. Les tâches honorifiques traditionnellement dévolues à la First Lady reviendront probablement à Chelsea. Dans les deux cas de figure, qu'Hillary perde ou qu'elle gagne, les Américains n'en auront donc pas fini avec les Clinton… quel que soit le prénom !

Remerciements

L'auteur tient à remercier tout particulièrement Besma Lahouri, journaliste, et Thierry Billard, sans qui ce livre n'aurait pas vu le jour.

Un grand merci aussi à Olivier Royant, directeur de la rédaction de *Paris Match*, et Régis Le Sommier, directeur adjoint de la rédaction, sans qui cette aventure américaine n'aurait pas eu lieu. Toute ma gratitude va aussi à Marc Sich et Danièle Georget pour leurs conseils d'écriture toujours avisés, qui ont indirectement servi la rédaction de ce livre.

Et toute ma reconnaissance va aussi à mes contacts américains qui ont accepté de me recevoir ou de me parler au téléphone, de passer du temps avec un journaliste étranger dont les lecteurs ne votent pas en Amérique. Même s'ils ne parlent pas français, je leur dis à tous un grand « *thank you* ».

Et bien entendu, merci à Riccardo Serri qui m'a tant soutenu dans ce projet.

Table

N° d'édition : L.01ELKN000594.N001
Dépôt légal : octobre 2016

Cet ouvrage a été mis en page par IGS-CP
à L'Isle-d'Espagnac (16)

Imprimé en France par CPI
en septembre 2016

N° d'impression : 136417